ハーバード式
最高の脳を作る食べ方

THIS IS YOUR BRAIN ON FOOD

Uma Naidoo, MD

ウーマ・ナイドー
長谷川 圭 訳

KADOKAWA

今は亡き父とパインタウン・グラニー（母方の祖母）に、
（私の人生にとって最も大切なことを教えてくれた）母に、
そして夫に本書を捧げる。彼らがいなければ、
この本が書かれることはなかっただろう。

THIS IS YOUR BRAIN ON FOOD
by Uma Naidoo, MD

Contents

まえがき

栄養と精神医学は意外な組み合わせに思えるだろう。革のソファに座ってパイプをくゆらせているフロイト博士を思い浮かべると、彼が処方箋《しょほうせん》に焼きサーモンのレシピを書いたとはとても思えない。実際、私の知る限り、精神科医は患者に薬品を処方したり、ほかのセラピーを紹介したりするのが普通で、カウンセリングの原因になった困難を和らげるための食事法を教えることなど一切ない。同様に、現代に生きる私たちは、食べ物が私たちの心臓に、環境に、そして何よりウエストサイズにどう影響するかなどはとても真面目に考えるのに、食べ物と脳の関係については無頓着《むとんちゃく》だ。

だがじつは、食べ物と精神衛生《メンタルヘルス》は切っても切れない関係にある。しかも、両者は互いに作用し合う。食べ物の選び方を間違えば精神的な問題の発生が増えるし、その一方では、精神の障害が貧しい食生活につながる。食生活を見直さない限り、どれだけ薬を使っても、心理セラピーをやっても、現代社会における精神疾患の蔓延《まんえん》を食い止めることはできない。

食生活と精神衛生の関係を正すことは、社会にとって重要であるばかりでなく、個人にもとても大切なことだ。すでに精神的な病を患っている人だけに当てはまる話ではない。鬱《うつ》や不安を理由に心の専門家の門をたたいたことがあるかどうかに関係なく、私たちの誰もが悲しくなったり不安になったりする。多かれ少なかれ強迫観念を覚えることもあれば、心に傷を負うこともある。集中力や記憶力を鋭く保ちたいと願う。誰もが眠らなければならないし、満ち足りた性生活を送らなければならないのだ。

本書を通じて、あなたはメンタルヘルスのあらゆる側面において健康になる食事法を知ることができる。

私は精神科医で、栄養士でもあり、調理師としての訓練も受けた。そう話すと人々の多くは、私は若いころから料理をしていて、のちに医学にも関心をもつようになったのだろうと考える。ところが事実はその逆で、私が料理に興味をもつようになったのはわりと最近のことだ。私は南アジア人の大家族で育った。祖母、おば、母、義理の母の全員が料理が得意だったので、私が台所に立つ理由なんてなかったのだ！　医師でありながら料理人・パン職人としても秀でていた母の影響で、私もパンづくりには興味をもつようになったが、材料を正確に計量するのが楽しくて、むしろ科学への愛を深めていった。それ以外の台所仕事はほかの家族に任せっきりだった。

ハーバード大学で精神医学を勉強するためにボストンへ移り住んだとき、私は大家族の温かい愛情と家庭だんらんの象徴であったおいしい食べ物から引き離された気分になった。新しい土地で自分の家庭を築くために料理を習わなければと思った。私の夫も――そうでなくてもすばらしい人なのに――料理ができる。それでも私は彼をキッチンから追い出して（夫は冗談めかしてそう言うのだが、本当のところは彼がガイドおよび厳しい味見役として私を導いてくれた）、知っているレシピのいくつかをつくってみた。

インスピレーションを得るために、私は母方の祖母の思い出を呼び起こした。昼間、母が医学学校に行っているあいだずっと、私は祖母のそばにいて、彼女が料理する姿を眺めていた。三歳のころ、私は熱いコンロやオーブンに近づくことが許されていなかったので、離れたところから台所をじっと見つめ、彼女を観察していた。朝、新鮮な野菜を庭から摘んできては昼食の準備をして、おしゃべりをしながら食卓を整え、午後には昼寝をする。そんな生活だった。

ボストンへやってきたころの私たち夫婦には、ケーブルテレビは手が出ない贅沢《ぜいたく》品だったので、私はもっぱら公共放送を見ていた。そこでかのすばらしい料理人ジュリア・チャイルドに出会い、オムレツの焼き方やフランス料理について学んだ。彼女のおかげで私は自分の料理に自信がもてたし、夫がほかの誰かと過ごしている時間も、寂しさを紛らわすことができた。そうしてゆっくりと、しかし着実に、料理は私の生活の一部となり、研修医としての活動を始めてからは、ストレス解消の手段にもなった。

精神科医になってからも、料理への情熱が衰えることはなかった。そんな私を見て、夫が有名料理学校のカリナリー・インスティテュート・オブ・アメリカ、通称ＣＩＡに通うことを提案した。ＣＩＡの授業はすばらしかったが、ボストンで医師として働きながら通いつづけるのは至難の業だった。そこで私は地元のケンブリッジ・スクール・オブ・カリナリー・アーツに転校し、このすばらしい料理学校で料理と精神科医を両立させると心に誓ったのだった。

そんな生活を始めてすぐに、気づいたことがある。実際の医療の現場はテレビで放送される〝セクシーな〟医療ドラマとは似ても似つかないのだが、その一方で、プロの料理人が仕事をする現場は、私たちがテレビで見る様子とそっくりなのだ。実際の調理場でも、料理長の叫びや罵声《ばせい》が鳴り響く。口汚いことで有名なスター料理人のゴードン・ラムゼイほどではないにしても。ストレスに満ちた生活だったからこそ、メレンゲが完《かん》璧《ぺき》に仕上がったとき、コンソメの深みと味が思いどおりになったとき、固まる前のバタークリームのような食感をパテで再現できたときの喜びはひとしおだった。

もちろん、病院では医師としての仕事も続けていた。今振り返ってみると、どうやって両立できたのか、自分でも不思議だ。料理に関する筆記試験に備えるために、本を読みながら夕食をとった日が何度あったことだろうか。料理学校が終わったあと、仕事に追いつくために、何時間もかけてメールや処方箋を書いたり電話をかけたりした。それでも、どうにかやってこられた。私は精神医学と料理の両方が心から大好きなのだろう。この二つの世界への情熱が、私を駆り立てたのだ。

そのような生活を送っているうちに、食べ物の栄養に対する関心も高まっていった。抗鬱薬のせいで体重が増えたと患者が訴えてきたら、私は彼らがダンキンドーナツのコーヒーにどれぐらいのクリームや砂糖を入れるのか尋ねるようになった。栄養に関する知識を深め、医師として自信をもって食生活のアドバイスができるようになるために、料理学校を卒業したあとは栄養学の課程も履修し、無事に修了した。

精神医学、調理法、そして栄養学の知識を得た私は、医師としての仕事を栄養やライフスタイルと結びつける工夫を続けながら、精神科医として全体的および統合的なアプローチを研ぎ澄ませていった。この手法が私の仕事の骨格となり、最終的には、この種の医療施設としてはアメリカで最初となる「栄養およびライフスタイル精神科」をマサチューセッツ総合病院で開設することになった。

どれだけ長い年月を学習や経験に費やしたとしても、私の栄養精神科医としての修業は、その効果を実際に自分の目で見るまでは終わったとは言えなかった。数年後、私はビバリーヒルズの高級ホテルの一室にいた。読みかけの本を片手に、壁に反射してきらめく日の光を眺めながら、のんびりする。夫と私は、夫の誕生日を祝うために、ずっと前から楽しみにしていた長い週末を楽しんでいたのである。いつの間にか、彼の誕生日は普段の生活を離れて心身をリラックスさせる、一年に一度の恒例行事になっていた。

胸の一部分に違和感を覚えたので、私はまどろみながら本を置き、そっと指を走らせた。普段は触れることのない場所だ。小さなこぶのようなものを感じた。最初は疲れているだけだと考えようとしたが、もう一度、確かめてみた。私はベッドの上ですくみ上がった。紛れもなくしこりがあった。腫瘍《しゅよう》だ。

ボストンに戻った私は、七日後に癌と診断された。数々の検査や診察で満たされたその週は、光の速さで過ぎ去った。世界で最高水準の医療を利用できる事実を、心からありがたく思った。同僚や友人からの多大なサポートにもかかわらず、私は生まれて初めて、本当に予想外の事態に直面した。私は自分を無力に感じた。いったい何を間違ってしまったのだろう、と考えざるをえなかったが、私を貫くヒンドゥー教のルーツが、状況を整理する力を与えてくれた。私がまだ幼かったころ、祖母と母は私にこう言って聞かせたものだ。「あなたもきっとカルマに直面する日が来る。それでも神を信じながらカルマにまっすぐに向き合って、誠実に対処すれば、きっと大丈夫よ」。私も家族も打ちひしがれて涙に暮れたが、この言葉は真実に思えた。

それでもなお、私は自分の感情を抑えるのに苦労した。精神科医としての訓練も、感情の乱れを克服する役には立たなかった。医師としての人生で初めて、私は結果を自分で左右できない病気に直面したのだ。私にはなす術《すべ》がなかった。できることといえば、採血のために腕を伸ばすことぐらい。まもなく化学療法が始まって、採血のためではなく大量の薬を静脈に注入するために腕を伸ばすことになるのだろうなどと考えながら。絶望もしたし、パニックにも陥った。感情が止まったような気持ちになったこともある。笑うことも、泣くことも、怖がることも、楽しむこともできなくなった。

治療初日の朝、目を覚ました私はターメリックティー（ウコン茶）を飲んで気持ちを落ち着かせようと思った。その時点でもまだ、人生が突然一八〇度回転してしまった、などと考えていた。しっかりしなければ、とは思うものの、不安や恐れを抑えきれない。たとえ最後に治療が成功したとしても、数々の副作用を被ることになる事実を、私は痛いほどわかっていた。しかし、電気ケトルのスイッチを押したとき、頭のなかでもパッと光がともった。「私は料理ができるし、自分の体のことも知っている。それなら、食事を通じて自分を救うこともできるはずだ」と。

栄養精神科医なら思いついて当然の結論に聞こえるかもしれない。しかし、それまでは極めて健康だった私にとって、医師ではなく患者としてものを考えるのは、まったく初めての経験だったのだ。とにかく、私はどれほど癌に苦しめられようとも、健康な食事を通じて心と体をケアすることに決めた。

それからの十六カ月、化学療法、手術、放射線治療が繰り返された。化学療法のたびに、担当の癌専門医が、その日に何を食べたか私に尋ねた。すると私はランチバッグから、プロバイオティクスに富むヨーグルト、ベリー類、アーモンドミルク、ケフィア、そしてダークチョコレートでつくった栄養いっぱいのスムージーを取り出す。そのようなものを食べていたおかげで、私は吐き気に襲われることはなかった。そのときの薬品によって食欲が増すことも減ることもあったので、体重は増えたり減ったりしたのだが、薬で味覚が変わることがあっても、自分が好きなものを食べつづけた。

癌治療の期間中ずっと、私はびっくりするほど元気だったし、一連の治療で完全に消耗してもおかしくないのに、エネルギーを保つことができた。精神を健康に保つのはとても難しいことだったが、しかしこの意味でも、私が口にした食べ物が心の安定とポジティブで前向きな感情を維持する助けになった。私はコーヒーを減らし、ワインを飲むのはやめた。代わりに新鮮なフルーツを自宅で洗ってから調理する。葉酸を豊富に含むホウレンソウをたっぷり使ってなめらかにした高タンパク質・高食物繊維のインド風レンズ豆スープ（ダールカレー）もつくった（346ページ）。治療後の楽しみとして、木曜の夜には自家製のおいしいホットチョコレートを飲んで、心を癒《い》やした。高カロリーではない食品を、頭を使って慎重に選んだ。疲労があって運動することはできなかったので、普段から早歩きをすることを心がけた。おかげでエンドルフィンが放出されて、気分を上げてくれた。毎週木曜日の化学療法が近づくと高ぶってくる不安を抑えるためにも、化学療法期間中に暗くて寒い冬がボストンを訪れたときに気分を盛り上げるためにも、食べ物の力を借りた。

それまで患者に勧めていたことを自分の生活に取り入れたことで、私のメンタルヘルスが強化されたのだ。この事実が私の力になった。私が必要としていたのは、「やるべきことをやる」という態度だったのだ。この態度が不安を和らげ、安らかな眠りと気分の高揚をもたらしてくれるかどうかを知るために、私は自分を実験台にした。成功するかどうかはわからなかったが、自分で考えた治療計画を自分で実際に試す機会を設けることは、私の患者と私自身に対する責任だと思えた。

また、癌になったことが、〝マインドフルネス〟の考えを受け入れ、自分のライフスタイルについてもっと深く考える機会にもなった。両親を含め私の大家族は定期的に瞑《めい》想《そう》を行っていた。アーユルヴェーダの規律は日常に取り入れられていたし、バレエやダンス、運動も頻繁に行われていた。しかし、私は長年の勉学や医師としての仕事の裏で、そのような健康的な習慣の多くを忘れてしまっていた。癌になってようやく、その事実に気づくことができた。定期的に瞑想しなさいと、母は私に言ってくれた。夫と親友の助言で、私はバレエの成人クラスやバレエ用の手すりを使ったジムに通う気にもなった。長年の忙しい日々のストレスが、私に細胞レベルでダメージを与えていた。だからこそ、健康で豊かな生活を送るにはライフスタイルが重要である事実が、深く理解できたのだ。しかしそのようなライフスタイルは、薄っぺらくも単純でもない。私たちは誰もがひとりの人間として、全体を見たアプローチをすることが必要になる。栄養精神医学が治癒の中心を占めるのではあるが、ライフスタイルの観点も同じぐらい重要なのだ。

本書を書くまで、私は自分の癌との闘いについて多くの人に話したことはない。私は治療を終え、髪も再び生えそろった（ありがたい！）。何を食べるかが心に本当に影響するという事実を胸に刻んで、寛解を目指して毎日を過ごしている。

私の生い立ち、教育、臨床経験、キッチンで過ごした時間、病歴――これらすべてが、本書を書くきっかけになった。本書を通じて、私は興味深い栄養精神医学を紹介するだけでなく、すばらしい脳の力を最大限に発揮するための食事法についてもアドバイスするつもりだ。

第一章
腸と脳のロマンス

私は夜、よく眠れるほうだ。眠れなくなることはめったにない。それでもときどき、よく眠れずに寝返りを打つ夜がある。精神医学は、いや医学全体を含めても、木ばかりを見て森を見ていないのではないかと考えてしまうからだ。

十七世紀や十八世紀のような、精神に異常をきたした人が冷水を浴びせられたり、足かせで拘束されたりした時代はとうの昔に過ぎ去った。当時の野蛮な時代には、それは罪深い状態とみなされ、精神疾患患者は牢獄《ろうごく》送りにするのがふさわしいと考えられていた。その後、文明が発展するにしたがい、精神的な病を抱える人たちは病院に行くようになった［注1］。しかし精神疾患における思考や感情の問題が注目された結果、そのような症状には頭以外の〝体〟も関係しているという事実が忘れられてしまった。

昔からずっとそうだったわけではない。歴史家のイアン・ミラーが二〇一八年に指摘したように、十八世紀から十九世紀の医師は、体内の各系統がそれぞれ結びついていると考えていた［注2］。人間の臓器間には「神経共鳴」と呼べるつながりがあると、彼らは考えていたのだ。

ところが、十九世紀の後半ごろから、医師たちは考え方を変えはじめた。医学の専門化が進むにつれ、私たちは全体像を見失い、一つひとつの臓器にばかり注目しながら、何が間違っていて、何を修理しなければならないと決めるようになった。

もちろん、癌がある臓器から次の臓器へと転移することや、全身性エリテマトーデスなどの自己免疫疾患は体内の複数の臓器に広がることはわかっている。しかしながら、一見したところ無関係に見える遠く離れた臓器も互いに深く作用し合っている可能性については無視してきた。

内科医、解剖学者、生理学者、外科医、心理学者が協力し合うのではなく、互いに競い合ってきた事実も、問題を悪化させた。イギリスの医師が一九五六年にこう書いている。「競い合って治療法を求める者たちの喧噪《けんそう》に包まれて、真実が知りたい患者は啓発されるどころか、耳が聞こえなくなってしまっている」[注3]

今の医学も状況は変わっていない。精神の健康が損なわれても、その原因が脳以外の場所にあることに気づかない者があまりにも多い。実際のところ、精神が病むのは、体と脳のつながりが多かれ少なかれ乱れているからだと言える。

体と脳のあいだには、現実的なつながりが存在する。鬱《うつ》は心臓に影響する。副腎《ふくじん》に異常をきたすと、人はパニックに陥りやすくなる。ウイルスが血流にのって体内を巡ると、正気を失ったような状態になることがある。身体の病が、精神に影響することは多い。

つまり、病気は精神症状を引き起こすことがあるのだが、それだけではない。遠く離れた部位に、ほんの少しの変化が生じるだけでも、脳の働きが変わることだってある。そのような遠距離恋愛のなかでも、いちばんアツアツなのが脳と腸の関係だろう。大昔、現代医学の父であるヒポクラテスは腸と脳の親密さに気づいて、「消化の問題が諸悪の根源である」と人々に警告し、さらにこう付け加えた。「死は腸に宿る」。そして現代、私たちはヒポクラテスが正しかったことを理解しつつある。

むかしむかし……

むかしむかし、ある精子が卵子にたどり着きました。ふたつは結びつき、あなたが生まれました。母親の温かい子宮に包まれて、受精卵（接合子とも呼ばれる）であるあなたは発展を始めます。

最初に、つるんとしていた受精卵の表面に溝が走って桑の実のようになります。時間とともに、魔法の卵は生物の法則に従って形を変え、最後には赤ん坊の体ができあがります。そして、長い長い九カ月が過ぎたころ、あなたには心臓も、腸も、肺も、脳も、四肢も、そのほかの便利な臓器もできあがって、世界に飛び出す準備が整うのです。

でもそうなるずっと前、世界に羽ばたく支度を終える前は、腸と脳が分かれる前は、すべては一つだったのです。同じ一つの受精卵から、あなたの体をなすすべての臓器が生まれたのです。

実際のところ、脳と脊髄《せきずい》からなる中枢神経系は神経堤細胞と呼ばれる特殊な細胞からできている。神経堤細胞は発生途上の胚《はい》のなかを広範囲に遊走し、腸内に腸神経系をつくりあげる。一億から五億のニューロンが含まれる腸神経系は、人体で最も大きい神経細胞の集まりなので、腸神経系のことを「第二の脳」と呼ぶ人もいる。両者は遠く離れているように見えるが、もともとは同じものだったのである。

長距離恋愛

以前、精神的な問題の治療中に私が腸の話をするので、とても混乱した患者がいた。その患者には、腸は治療と無関係に思えたのだ。「だって、腸と頭は隣り合っていないから」と彼女は言った。

しかし、隣り合っていなくても、腸と脳はつながっている。もともとはつながっていたなどという話ではなくて、実際に物理的に接続しているのだ。

「さまよう神経」こと迷走神経が脳幹から腸にまで伸びて、腸と中枢神経系を結びつけている。腸にたどり着いた迷走神経は自らをほどき、細かい糸を広げて腸全体を包み込む。その様子はまるで複雑に絡み合う編み目でできたニットのセーターのようだ。迷走神経は腸壁を通り抜けるので、食べ物の消化でも重要な役割を果たすのだが、いちばん大切な役割は、腸と脳のあいだのシグナル伝達を確実に行うこと。つまり、両者に欠かせない情報を運ぶことだ。シグナルは、腸から脳へも、脳から腸へも送られる。両者は生涯にわたり、対等なパートナーなのである。これが腸と脳のロマンスだ。

化学親和

それでは、迷走神経でつながる腸と脳のあいだで、どのようにしてメッセージのやりとりが行われているのだろうか？

体内のコミュニケーションは、例外なく化学の仕組みにのっとって行われる。例えば、頭が痛いとき、あなたは頭痛薬を口から飲み込む。錠剤は口から腸まで移動して、そこで分解される。その際に解き放たれた化学物質は、血流を通じて腸から脳へと移動する。そして脳の炎症を抑えて、血管の緊張を解くのだ。口から飲み込んだ化学物質が、脳でその役割を正しく発揮したら、あなたは痛みから解放される。

薬の化学物質と同じように、腸でつくられた化学物質も脳にもたらされる。逆に、脳でつくられた化学物質が腸へ送られることもある。いわば、双方向の二車線道路だ。

脳の化学物質は神経系の主要部分で（内分泌系の助けを借りて）発生する。具体的に言うと、脳と脊髄からなる中枢神経系、交感神経と副交感神経で構成される自律神経系、視床下部と下垂体と副腎を含む視床下部－下垂体－副腎軸（ＨＰＡ軸）の三系統だ。

中枢神経系は気分の変動や思考と感情の処理に深く関係するドーパミン、セロトニン、アセチルコリンなどを産生する。鬱病や不安症の人の脳で不足する主要化学物質であるセロトニンは、腸脳軸の調節で中心的な役割を果たす。気分や感情に直接関係するからか、何かと話題にされることが多いセロトニンだが、その受容体の九〇パーセント以上が腸内に存在することを知る人は少ない。実際、脳のセロトニン不足は腸がおもな原因になっていると確信している研究者も少なくない。

自律神経系は数多くの必須《ひっす》機能に関与している。そのほとんどは無意識で行われる不随意機能でもある。自律神経系の働きによって、人は心臓を動かし、呼吸を続け、食べ物を消化することができる。暗い部屋でより多くの光を集めるために瞳《ひとみ》が拡張するのも、自律神経系のなせる業だ。しかし、私たちにとって最も重要なのは、自律神経系が〝闘争・逃走反応〟をつかさどるという点だろう。危険が迫ったり、命が脅かされていたりするとき、自律神経系は脅威に対して本能的に応じ、全身に一連のホルモン反応や生理的反応を引き起こす。のちに見るように、腸はアドレナリンとノルアドレナリン（エピネフリンもしくはノルエピネフリンとも呼ばれる）の調節などを通じて、闘争・逃走反応に深く関わっている。

　ＨＰＡ軸もまた、身体のストレス機構で重要な位置を占める。ＨＰＡ軸は〝ストレスホルモン〟ことコルチゾールの放出を誘発するホルモンを産生するのだ。コルチゾールはストレスに立ち向かえるように体力を増強し、困難な状況を乗り越えるためのエネルギーを授ける。脅威が去れば、コルチゾールはまた通常レベルにまで減る。腸はコルチゾールの放出に一役買っていて、体がストレスにうまく対処できるようにしてくれている。

　健康な人の体内では、これら脳内化学物質のおかげで、腸と脳の共同作業が滞りなく行われる。しかし、繊細な仕組みがいつもそうであるように、何かがうまくいかなくなることもある。化学物質が多すぎたり少なすぎたりすると、腸と脳のつながりが乱れてバランスが崩れる。重要な化学物質の濃度が正常でなくなり、気分が落ち込み、集中ができなくなり、免疫力も下がる。腸の防御壁が損なわれて、本来なら腸の外に出てはいけないはずの代謝産物や化学物質が脳へ侵入してしまい、大混乱を引き起こす。

　そのような化学的な混乱は、鬱病や不安症、性欲の減退、さらには統合失調症や双極性障害にいたるまで、さまざまな精神疾患へとつながる。

　化学物質のバランスの崩れを正して脳と体を回復させるためには、精密につくられた最先端の医薬品が大量に必要になるに違いないとあなたは考えたかもしれない。その考えは、かなり正しい！　実際、精神疾患の治療に使われる薬品のほとんどは、脳を健康な状態に戻すために、紹介した化学物質に変化を加えることを目的としているのだから。

例えば、「選択的セロトニン再摂取阻害剤」と呼ばれる薬品（略してSSRIと呼ばれることのほうが多い）は、鬱病に立ち向かうためにセロトニンを増やす作用をもっている。現代のメンタルヘルス薬品はさまざまな病気に苦しむ人々にとって神の恵みになりうるし、多くの状況で治療にとって重要な要素になるに違いない。この点を過小評価するつもりはない。

しかしその一方で、メンタルヘルスについて議論するとき、「あなたが口にする食べ物も、薬品と同じぐらい強く脳に作用する」という単純な真実が見落とされがちなのも事実だ。では、最も基本的で自然な食べるという行為が、莫大《ばくだい》な費用をかけて開発と試験を行う医薬品と同じぐらいの効果を発揮できるのは、どうしてだろうか？　答えの一つとして、細菌を挙げることができる。

小さな存在の大きさ

腸と脳のロマンスの舞台裏では、腸にいる膨大な数の微生物が活動している[注4]。この多種多様な細菌の集団のことを、専門家は細菌叢《さいきんそう》（マイクロバイオーム）と呼んでいる。腸内細菌叢は、人間だけでなくほかの動物でも、もう一つのロマンスだと言える。腸も細菌も生き残るために互いを必要としているからだ。腸は細菌に生きて繁殖する場所を提供する。その見返りに、細菌は人が自分ではできないことをやってくれる。細菌叢は多くの種類の細菌で構成されていて、その多様さは人体のほかの場所には見られないほどだ。一人の腸には、最大千種類ほどの細菌が棲《す》み着いている。

本書で細菌の種類について詳しく論じるつもりはない。ごく大ざっぱに、細菌にはいい種類と悪い種類があると知っておくだけでじゅうぶんだろう。腸に棲む細菌は基本的に善良なのだが、悪い連中がそこに交ざることは避けられない。普通は体がいい細菌と悪い細菌のバランスをとるので問題はないのだが、ダイエット、ストレス、あるいは心身の問題などで腸内細菌のバランスが崩れて、健康問題が生じることもある。

細菌叢が身体機能に密接に結びついているという考えは比較的新しい。細菌が脳に影響するという考えは特にそうだ。しかし、長年の研究を通じて、腸内の細菌が精神にも好影響を与えることがわかってきた。

およそ三十年前、肝不全を原因にしたある種の精神疾患（肝性脳症と呼ばれる）を発症した一連の患者についての研究報告が発表された。肝性脳症では、〝悪い細菌〟が毒素を放出するのだが、同研究は抗生物質を服用すると患者の精神的な症状が治まることを証明した。腸内細菌が精神機能に影響することの明らかな証拠だ。

それ以来、私たちは腸内細菌がどのようにメンタルヘルスに作用するのかを調べ、かなりの量の知識を積み重ねてきた。その成果を集めたのが本書である。例えば、過敏性腸症候群や炎症性腸疾患などの機能性腸疾患でも細菌集団の構成が変わり、それが気分に変化をもたらすことを[注5]、あるいは不安や鬱症状を抑えるための薬物療法に善良な細菌を添加するのが有効だと考える臨床医がいることを、あなたは知っていただろうか？　統合失調症患者の腸内細菌をマウスの腸に移植したら、マウスも統合失調症の症状を見せはじめるという話を聞いたことは？

なぜ腸内細菌がメンタルヘルスを大いに左右するかというと、細菌こそが前節で紹介した脳内化学物質の多くの産出に携わっているからだ。腸内細菌が正常に存在していないと、ドーパミン、セロトニン、グルタミン酸塩、ガンマアミノ酪酸（GABA）など、気分の調節や記憶や集中にとても重要な神経伝達物質の生産が損なわれるのである。のちに見ていくように、それら化学物質の不足や不均衡が多くの精神障害の原因になっていて、精神薬の多くは、それらの濃度を操作する働きを担っている。腸内細菌が重要な化学物質の生産に密接に関与しているのだから、腸内細菌叢に変化が生じれば、複雑に入り組んだ心身機能にも問題が生じるリスクが高まるのは当然のことだろう。とても小さな微生物の集団が、とても大きな責任を担っているのだ！

細菌集団の種類によって、脳に及ぼす化学作用も異なる。例えば、細菌類のエシェリキア、バシラス、ラクトコッカス、ラクトバシラス、ストレプトコッカスの比率と働きに変化が生じれば、ドーパミン濃度にも変化が現れ、パーキンソン病やアルツハイマー病の発症リスクが高まる[注6]。それ以外にも、腸内細菌の特殊な組み合わせにより、アセチルコリン、ヒスタミン、エンドトキシン、サイトカインの濃度が異常に高まり、脳組織に損傷を引き起こすこともある。

神経伝達物質の調節以外の形でも、腸内細菌叢は腸と脳のつながりに影響する。例えば、既存のニューロンの存続や新しいニューロンの成長と接続を促すという重要な働きをもつ脳由来神経栄養因子の産生にも関与しているし、腸壁の働きと腸のバリア機能にも影響している。バリアのおかげで、脳やほかの臓器は腸から出てはならない物質から守られているのだ。加えて、細菌は脳や体内の炎症に対しても、さらには細胞に損傷を引き起こす有害な酸化反応にも働きかける。

双方向作用

腸と脳は、相互に作用する。つまり、腸の細菌が脳に作用することもあれば、脳が腸内細菌に影響することもある。

たった二時間の心理ストレスで、腸内細菌叢の様子は一変する[注7]。家族とのクリスマスの夜がギクシャクしたり、いつになくひどい渋滞に巻き込まれたりするだけで、おなかのなかの微生物バランスが乱れるのだ。この現象は、理論的には、人がストレスを感じると自律神経系とＨＰＡ軸が腸内細菌へシグナル伝達分子を届けて、細菌の行動や構成に変化を促すからだと説明できる。結果、有害な症状が生じることがある。ストレスで変化しやすい細菌の一種として、ラクトバシラス（乳酸菌）を挙げることができる。この細菌は、正常なら糖を乳酸に分解して、有害な細菌が腸の内壁を覆うのを防ぐ。そうしてあなたの体を真菌感染から守ってくれるのだ。しかし、あなたがストレスを感じている場合、ラクトバシラスもストレスのせいでうまく働けなくなり、あなたを悪い菌から守れなくなる。

また、脳は腸の運動（収縮など）にも作用するし、酸、重炭酸塩、粘液などの分泌も制御する。どれも、腸の保護粘膜に欠かせない物質だ。場合によっては、脳が腸内の液体の処理にも影響する。鬱や不安などで脳がうまく機能していないと、腸におけるこれらすべての正常な保護機能が損なわれるのだ。結果、食べたものが正しく吸収されないので、必要な栄養が全身に行き渡らず、体に悪影響が広がることになる。

腸と脳の仲が悪くなったら

おさらいすると、脳は健康で安定して働くのに化学物質を必要としている。その化学物質をつくるには、適切なバランスの腸内細菌が欠かせない。一方の腸は、腸内細菌のバランスを最適に保つために、健康で安定している脳を必要としている。この輪がどこかで途切れると、腸と脳の両方に悪影響が出る。つまり、腸内細菌叢が不健全だと、脳も不健康になり、脳が不健康だと、腸にも乱れが生じるのだ。

これを証明するために、ミレイア・ヴァレス＝コロマーを中心とした研究チームが二〇一九年に千人を対象に調査を行い、細菌叢の特徴と健康や鬱病との関連を調べたところ、酪酸をつくる細菌が生活の質を高める事実を見つけた［注8］。また、鬱病を患っている人では多くの細菌種が枯渇していることもわかった。その減り方は抗鬱薬による影響だけで説明のつくものではなかった。研究チームはさらに、腸内細菌の増殖を促す働きをもつドーパミン代謝産物の3，4－ジヒドロキシフェニール酢酸が多いと、メンタルヘルスも向上する事実を突き止めた。また、鬱病患者ではGABAの生産が害されていた。

本書の各章では特定の腸脳障害を取り上げ、腸内細菌叢と個別疾患の関係を明らかにする。次章から、鬱、不安、心的外傷後ストレス障害、注意欠陥多動性障害、認知症、不眠症、性欲減退、統合失調症、双極性障害のどれもが、腸内細菌叢の変化と関連していることを見ていく。これらの症状すべてにおいて、最新の科学的見地を紹介し、今後の研究の見通しについても述べたい。

思考と食べ物

本書では、腸内細菌の乱れがどのようにして精神に問題を引き起こすかを探るだけではなく、腸と脳を健康に保つのに役立つ食べ物とそのおいしい食べ方にも注目する。

食べ物は脳に直接的にも、間接的にも影響する[注9]。食べ物が微生物の働きで発酵し、消化されると、その成分がすでに紹介したセロトニン、ドーパミン、GABAなどの神経伝達物質に直接作用する。それが脳に届いて私たちの考えや感情を左右する。また、分解された食べ物の粒子が腸壁を通って血管に入ることもあり、特定の代謝産物はこの道筋を通じて脳に作用する。

食べ物は腸内細菌に影響する。それが結果として、脳の働きの大きな変化にもつながる。特定の食材は細菌の増殖を促し、別の食品は抑制する。食事療法をうまく利用すれば、人工の医薬品と同じぐらいの効果を、医薬品よりもはるかに少ない出費で得ることができるのだ。しかも、副作用もほとんどない。

でも逆に、食べ物があなたを悲しい気分にさせることもある。特定の食材や食習慣が腸内細菌叢とメンタルヘルスに悪影響を及ぼすことがあるのだ。

本書では、メンタルヘルスを促す食品と損なう食品の両方を見ていく。第一一章では、気分を高めて、思考力を研ぎ澄まし、人生に活力を与えてくれるメニューとレシピを例として紹介する。

精神医学の課題

食べ物を精神的な健康を維持するための薬として使うという考え方が、栄養精神医学の中心にある。

本章の冒頭で指摘したように、精神に重い病を患った人が収容施設などに閉じ込められた時代から、もうずいぶんの時がたった。しかし、メンタルヘルスは今も脅かされている。アメリカ人に限ると、四千万人以上が精神に問題を抱えている。この数はニューヨークとフロリダの人口を足したものよりも多い［注10］。あらゆる健康障害のなかで、最も一般に広まっていて、最も費用がかかっているのが精神障害だ［注11］。鬱病と不安症の数は増えつづけている。どの年齢層でも、自殺がおもな死因リストの常連だ。どれだけ多くの人が否定しようと、私たちの精神は危機に瀕《ひん》しているのである。

人が気分や認知、あるいはストレスレベルを自分で管理する方法を見つけるのは、とても困難な道のりだった。これまでずっと、私たちはエビデンスにもとづく薬物医療に頼り、特定の症状に対処するための治療法の話ばかりしてきた。いくつか例を挙げると、鬱病を患う人には、プロザックなどの選択的セロトニン再摂取阻害剤を投与したり、パニックに陥った人には認知行動療法を行ったりしてきた。そのような方法は今も広く利用されていて、実際に効果もある。しかし、そのポジティブな効果も一部の人では短い時間しか続かず、症状が完全に消えてなくなるわけではない。薬の副作用が出て、服用をやめる患者もいる。〝依存する〟ことを恐れて、服用をやめたいと願う人もいる。私のもとを訪れてくる人のなかには、鬱病や不安症と診断されるほど病状が進んでいない人も多い。彼らは症状に苦しんでいるのに、薬物治療をしてもらえないのだ。

私たちはどこで間違えたのだろうか？　私が考えるに、精神疾患の診断には統計的な妥当性がないこと、また、特定のバイオマーカーを基準に診断を下せないことの二点が問題になる[注12]。そのため、単純に症状のリストだけで〝診断〟が行われている。その際、心理的な症状を示す人は脳に問題を抱えているとみなされる。しかし、ここまで見てきたように、脳以外の臓器、例えば腸も、人の思考や感情に働きかけるのである。だから、よりよく治療するためには、その人の全身を、さらにはライフスタイルまで、調べなければならない。

つまり、この問題は精神医学にとどまらず、医学全体にまで及ぶのだ。信じがたいかもしれないが、健康問題の多くは食べ物と関連している。それなのに、患者は食べ物に関する医師のアドバイスに耳を傾けようとしない。アドバイスをしてくるのが精神科医となれば、なおさらだ。医学大学や研修プログラムは、患者に食べ物の選び方をどう話せばいいか、学生に教えていない。医師に対する栄養学の教育もじゅうぶんではない。

しかし、一般の人々にも医学の知識が広まったおかげで、患者はかつてのどの時代よりも多くの情報を、そして力をもっている。患者はもっと大きな視点から、体調をよくする方法を探し求めるようになった。どうやら私だけでなく、ほかのあらゆる分野の医療従事者も同じような動きを実感しているようだ。例えば、私のもとで行った栄養治療が功を奏した患者の一人は、感染症の専門医の紹介で私のところにやってきたのだった。また、整形外科医が私に、ターメリック（ウコン）の抗炎症作用に関するデータをくれと連絡してきたこともある。膝《ひざ》にひどい痛みを抱える患者が、栄養療法を試す前に手術はしないと、整形外科医に訴えたからだ。

精神科でも、私たちはようやく食べ物がもつメンタルヘルスへの効果について話すようになった。細菌叢と食べ物がどのようにメンタルヘルスに影響するのかを調べる研究が盛んになりつつある。二〇一五年、ジェローム・サリスらが精神科では「栄養医学」が主流になりつつある事実を証明した[注13]。

栄養精神医学の目的は、精神科専門医に情報を提供し、彼らを患者に対して食べ物にまつわる実践しやすくてしかも有益なアドバイスができる状態にすること。一方、本書の目的は、それと同じ情報を読者であるあなたに手渡すことだ。しかし、だからといって、医師の診察を受ける必要がなくなるわけではない。メンタルヘルスの向上には、薬の服用や適切な治療が欠かせないのだから。優れた食事は役に立つが、あくまでも治療の一部に過ぎない。食べ物だけで、憂鬱や不安から抜け出すことはできない（のちに見るように、食べ物だけに頼ると事態が悪化することもある）。食べ物で深刻な鬱病や自殺願望、あるいは殺人衝動を和らげるのは不可能だ。自分自身や他人を傷つける衝動を覚えるときには、救急治療を受けたり、主治医に頼ったりすることが大切になる。

また、私自身が癌との闘いのなかで感じたように、マインドフルネス、瞑想《めいそう》、運動、適度な睡眠などでメンタルヘルスを守ることもとても重要だ。本書では詳しく説明しないが、それらの方法について書かれた本は数多くあるので、参考にしてほしい。

医師からの指導を受け、メンタルヘルスを助長するほかの方法も試したうえで、治療をサポートするために自分が食べるものにも注意を払う――それが理想だ。食べ物と気分と不安の関係に関心が高まりつつある。次章以降、わくわくする食べ物の科学が、メンタルヘルスの問題とどう関係しているのか、見ていくことにする。

本書の使い方

食べ物とメンタルヘルスの関係に迫る科学にあなたを導くために、本書では十の精神状態を順番に観察する。すべての章を必要としている読者はいないだろう。読者が自分に当てはまる章だけに集中できることが大切だと考えたので、各章が可能な限り自己完結するように工夫したつもりだ。さまざまな食品がさまざまな症状に対して、同じような方法で影響するので、本書を最初から順番に読んでいけば、アドバイスにある程度のパターンがあることに気づくだろう。本書で扱う症状のすべてが腸と脳の関係にもとづいているので、当然のことながら、症状を重くする食品や改善する食べ物も共通する部分が多いし、同じアドバイスが繰り返されることもある。どの章でも、何らかの症状があるときに食べるべき、あるいは避けるべき食品に関する研究を紹介する。

　本書は、できるだけ心を開いて読むことをお勧めする。栄養精神医学は複雑なパズルの一片に過ぎず、エビデンスの量も食品によって大きなばらつきがある。細菌叢が脳に影響することを示すエビデンスの大半は、動物実験から得られたものだ。しかし、最近では人間を対象にした研究でも細菌叢とメンタルヘルスの密接な関連が実証されはじめている。そのような研究も、できるだけ多く紹介するつもりだ。

　また、本書で例として挙げる研究の多くで、研究者は栄養補助食品、いわゆるサプリメントとして研究対象の栄養素を患者に与えていたことにも注目する必要があるだろう。サプリメントは不足している栄養を補うのに便利ではあるが、基本的には日々の食事から栄養をとる努力をすることが大切だと私は信じている。サプリメントを常用するつもりなら、必ず主治医に相談して正しい用量を教えてもらい、日ごろ服用している薬品と干渉することがないか、確認すること。あまり知られていないが、例えばごく普通のグレープフルーツまたはグレープフルーツジュースなどの食品は化学的に数多くの薬品に作用し、特定の肝酵素を阻害してしまう。

　通常、医学の世界では、少なくとも二つの二重盲検臨床試験を通じて、ある治療法にプラセボよりも明らかな効果が確認されて初めて、優れたエビデンスがあると言われる。二重盲検プラセボ対照試験では、臨床試験の被験者が本物の薬品か、または本物とまったく同じ見た目ながら効果のない物質（プラセボ）を受け取る。その際、被験者と研究者の両方とも、誰がどの薬品を受け取ったのか（本物か、プラセボか）知らない。そこまでしてようやく、本物の薬に実際に効果があるのか、確かめられるのである。

この種の二重盲検の問題は、患者の集団に関するデータを得ることはできるが、個人のデータは得られないことにある。グループの特徴は、個人の脳の性質を反映していない可能性があるのだ。つまり、あなた個人に何が効くかを知るには、あなた自身で試してみるしかないのである。薬やサプリメントは医師と相談することなくあれこれ実験すべきではないが、食べ物は、それが健康な自然食品である限り、話が別だ。いろいろなものを試してみて、自分の体調に最適なものを見つければいい。本書は、あなたが今悩まされているメンタルヘルスの問題に対処するためにどのような食品を選べばいいかを、厳格にそして現実的に案内することを目的としている。どの章でも、私はそれぞれの食べ物や食事法の効果や安全性を説明し、私の考えを裏付ける最新の研究とデータを紹介するだろう。

しかし、最新情報も時間とともに古びる。医学的な知識は、新しい調査や研究が発表されるたびに、塗り替えられるものなのだから。また、栄養疫学ではデータの解釈のしかたに問題があることが多いという点も、事情を複雑にしている。一例を挙げると、本書の執筆中、『アナルズ・オブ・インターナル・メディシン』において、赤身肉の消費量を減らしても健康には効果がないと主張する一連の論文が大々的に発表された。しかし、私はそのような論文が主張する結論を支持することができない。本書で示すガイドラインを作成したときには、バランスに細心の注意を払い、そのようなセンセーショナルな調査結果を避けたことを、ここで改めて述べておく。

最後に、精神医学は複雑で、しかも個人的な分野であることを強調しておきたい。本書で扱う症状に苦しむすべての患者が、食事を通じて完治するなどと主張するつもりはない。大切なのは、精神医学の専門家と協力しながら、心理療法と抗鬱薬の最適なミックスを見つけることだ。しかしいずれにせよ、あなたが口にする食べ物がパズルを完成させる重要なピースになる。

脳への道

昔から、「心をつかむには、まずは胃袋から」と言われる。この格言を少し言い換えると、大きな真実にたどり着く。男も女も関係なく、私たちの胃に入る食べ物には心を温かくして、さらには脳を変える力があるのだ。

本書を通じて、あなたがより明晰《めいせき》に、穏やかに、元気に、そして幸せになることを願っている。さあ、冒険を始めよう！

第二章

鬱病――プロバイオティクスとオメガ3類と地中海式食事法

「先生、本当のところ、おいしいものを食べていたら、どんな病気だって治るんでしょ?」初めて私の診察を受けたときに、テッドが言った。起業して成功した当時三十九歳のテッドは、気分がふさぎ込んでいた。自分の体重にも不満だったし、仕事ではストレスが絶えない。家庭でも大きな責任を背負っていた。それらすべてに対処しながら気分を向上させるために、食べ物を利用していたのだ。食べ物が苦しみを和らげてくれているような気がしていた。毎晩、長時間の仕事を終えてからディナーをとり、食後にはボウルでアイスクリームを食べる。それからどっかりと座り込んでニュースを見ながら、チョコレートやスナックを手当たり次第に口に放り込む。ワインを一杯、二杯、三杯とたしなみながら。

年に一回の健康診断でそのような話をしたところ、主治医が彼に抗鬱《こううつ》薬のプロザックを服用することを勧めた。薬を利用するという考え自体には抵抗はなかったものの、テッドはひとまずほかの方法を試してみたいと思った。だから、私のところに来たのだ。

不健康なものを食べて暗い気分を吹き飛ばそうとする誘惑がいかに魅力的か、私が同情を示したので、テッドは驚いたようだ。私は医師ではあるが、もちろん人間なのだから「食べて機嫌を直す」ことの魅力を知っている。しかし同時に、ジャンクフードで暗い気分を遠ざけようとすると、食べている時間は気分がよくなるかもしれないが、長い目で見ると身体的にも精神的にも代償を払うことになるという事実も知っている。テッドの場合、食事の時間には健康なものを食べているにもかかわらず、鬱対策の間食のせいで体重が一五キロ近くも増えた。精神的な代償はさらに大きかった。テッド本人は、食習慣で鬱が和らいでいるように感じていたが、実際には悪化していたのだ。

テッドは「食べ物は強力な薬だ」と考えていた。この点では、彼は正しい。食べるものを正しく選べば、優れた食事がたくさんの病気を〝治して〟くれるし、自分自身や自分の人生に対する満足度も上がる。本章では、食べ物がどう私たちの気分を害したり、癒《い》やしたりするのかを観察して、幸せな生活を送るための食事法について説明する。

鬱病と腸

ほとんどの人が、ストレスが急増して気分が落ち込んでいるとき、手軽な食べ物に手を出してしまった経験があるに違いない。二〇一八年に大学生を対象にした横断的な調査が行われ、彼らの三〇・三パーセントが揚げ物を、四九パーセントが甘味料入りの飲み物を、五一・八パーセントは糖分の多い食品を、週に二回から七回口にしていることがわかった［注1］。また、男性よりも女性のほうが、気分が落ち込んでいるときに不健康な食べ物に手を出しやすい事実も明らかになった。

もちろん、鬱に陥った誰もがジャンクフードに手を出すわけではない。鬱は食欲に対してさまざまな形で作用する［注2］。鬱で食欲がなくなる人もいるし、食欲が抑えられなくなる人もいる。食事を抜いたり、体に悪い食べ物を選んだりする人も。鬱病により、セロトニンなど気分を調節する神経伝達物質のレベルが下がるので、健康な食事を準備するなどといった自己管理に気が向かなくなるのだ。とにかく気分をよくすることだけを優先してしまう。そんなとき、キャンディバーやポテトチップスのような手軽なジャンクフードが解決策のように思えるのだ。

しかし、ジャンクフードは解決策にはならない。まず、糖分を多くとると、鬱症状が助長されるだけでなく、のちの人生で再発する恐れも高くなる。でも、幸いなことに、気分を一気に高めてくれる食べ物は存在する。どうやって？　その理由に腸と脳の複雑ながらもすばらしい関係がかかわってくる。

第一章で述べたように、食べ物には腸内細菌叢《さいきんそう》に含まれる細菌の種類を変える力がある。特定の食習慣の結果、腸内の細菌に多様性が失われ、それが引き金になって悪い細菌が善良な細菌よりも多くなり、最後には健康にさまざまな悪影響を及ぼす。腸内細菌が迷走神経を通じて腸から脳へ送る化学メッセージ、つまりあなたを落ち込ませたり、消耗させたり、逆に明るくしたり、元気にしたりするシグナルも、食べ物に影響される。

動物での研究から、学者は以前、鬱病の人はそうでない人とは腸内細菌の分布が異なるのではないかと仮説を立てた。例えば、脳の嗅覚《きゅうかく》中枢を除去したマウスは鬱病のような行動を見せるようになるのだが、その際に腸内細菌の変化も確認されたのだ。

そして、この仮説の正しさを裏付けるために人間相手の研究が行われた。二〇一九年、精神科医のステファニー・チャンらが、鬱病患者の腸の健康について調べた六つの研究の成果をまとめた[注3]。その結果、大鬱病性障害患者の腸内細菌叢には、そうでない人とは異なる細菌種が少なくとも五十種確認されたのだ。最近の研究では、生活の質の高さの指標になる細菌種が鬱病患者では枯渇していることも示唆されている。

鬱病対策としてのプロバイオティクスとプレバイオティクス

腸が原因で鬱病になったとき、健康なメンタルを取り戻すために、どうやって腸内細菌叢をリセットすればいいのだろうか？　鍵《かぎ》は、食べ物のなかのプロバイオティクスとプレバイオティクスを増やすことだ。プロバイオティクスとは、食べると健康にいい生きた細菌のこと。プロバイオティクスに富む食品には、体と脳を助ける有益な細菌が多く含まれている。ヴァージニア大学医学部で二〇一七年に行われた動物実験で、ヨーグルトに一般に含まれる腸内細菌種である乳酸桿菌《かんきん》がラットの鬱症状を改善させることが確認された。この細菌は、人間用のプロバイオティクスのサプリメントにも成分として含まれている。また、ラットに見られたのと同じような効果が、人間でも観察された。

一方のプレバイオティクスは、基本的に細菌にとって有益な食料のこと。人間は消化できないが、腸内の善良な細菌の食べ物になる特定種類の食物繊維だ。細菌であるプロバイオティクスが効果的に働くには、彼らのエサとなるプレバイオティクスが腸内にあると都合がいい。プロバイオティクスがプレバイオティクスを短鎖脂肪酸に分解する。この短鎖脂肪酸が炎症を鎮め、腫瘍《しゅよう》細胞の成長を抑え、健康な細胞の増殖を促す。

二〇一〇年、ミケル・メサウディを中心とした研究チームが調査を行い、五十五人の健康な男女に三十日間にわたって毎日プロバイオティクス剤またはプラセボを与えた[注4]。そして三十日後、気分についてアンケートに答えてもらったのである。また、体内に存在する主要なストレスホルモンであるコルチゾールの多さを調べるために、尿も提出してもらった。

プラセボのグループとは対照的に、プロバイオティクスを投与された人々は鬱傾向が少なく、ストレスを表す尿中のコルチゾールレベルも低かった。

なぜそのような違いが現れたのだろうか？　特定種類の腸内細菌には、脳内化学物質の濃度を高める働きがある。例えばガンマアミノ酪酸で、これが増えると鬱やほかの精神症状からの回復が早まると考えられているのだ［注５］。

プロバイオティクスはサプリメントとしても摂取できるが、食事を通じて有益な細菌を増やすほうが好ましい。最善のプロバイオティクス源は、生きた乳酸菌入りのヨーグルトだ。ただし、糖分を多く加えたフルーツ入りのヨーグルトは避けること。ほかの高プロバイオティクス食品としては、テンペ、味噌《みそ》、納豆（いずれも大豆を発酵させた食品）、ザウアークラウト、ケフィア（酸味の強いヨーグルト）、キムチ、コンブチャ（発酵飲料）、バターミルク、加えてチェダー、モッツァレラ、ゴーダなど、いくつかのチーズ種を挙げることができる。高プレバイオティクス食品には豆類、マメ科植物、オーツ麦、バナナ、ベリー類、ニンニク、タマネギ、タンポポの葉、アスパラガス、キクイモ、リーキ（西洋ネギ）が含まれる。

プロバイオティクスの力を示す例として、私の患者のローザに登場してもらおう。ローザは、『ウォール・ストリート・ジャーナル』におけるプロバイオティクスの特集で、栄養精神医学に携わる私の仕事に関する記事を読み、呼吸器科の主治医に紹介を頼んだのだ。重度のぜんそくを患っていて、細菌、ウイルス、真菌などの深刻な感染症に苦しみ、入退院を繰り返していた。複数の抗生物質やほかの種類の薬も使っていたローザは、自分の腸内細菌叢が混乱しているに違いないと考えた。

ローザは決して末期患者ではなかった。それなのに、私のところに来たときにはとても弱っていて、感情も希薄で、人生に生きる価値はないと感じているほどだった。食欲がなく、体重も減り、治療中も病院食を食べるのがやっと。度重なる肺感染症の治療で行われた投薬により、ローザの腸内細菌叢はかなり荒廃していると予想できたので、私はプロバイオティクスとプレバイオティクスの両方に富む食べ物を食事に取り入れ、そこに新鮮なフルーツや野菜を加えることを提案した。

この助言を受けて、ローザは朝食のチョコレートクロワッサンをギリシャ風ヨーグルトに置き換えた。ヨーグルトにはベリー類やシナモンをトッピングし、少量のハチミツを加える。昼食は、私のレシピに従ってケフィアを使ったクリーミードレッシングをつくり、豆類とタンポポの葉とラディッシュを中心にしたヘルシーなグリーンサラダにかけて食べた。また、野菜を使ったおかずにはタマネギとニンニクを、スープにはリーキを必ず加えた。コンブチャを飲み、夕食の焼きサーモン（313ページ）には味噌焼きにしたサツマイモ（357ページ）を加える。彼女は味噌の味がとても気に入って、野菜のおかずをつくるときには日常的に味噌を使うようにもなった（お気に入りは焼きアスパラガス）。その際、ほかのプロバイオティクス食品も組み合わせた。

腸内細菌叢が復調するまでしばらくの時間がかかったが、食事に変化を加えてから二、三週間が過ぎたころから、ローザは次第に気分が晴れて疲れも減り、〝ぼうっとした〟感覚もなくなっていった。今ではすっかり元気になり、健康な食生活を続けている。

気分を損なう食べ物

ほかにもさまざまな形で、食べ物は気分を左右する。貧しい食生活が鬱病と直結していることを示す有力な証拠が、ヘザー・M・フランシスらが二〇一九年に行った研究で見つかっている[注6]。今まさにあなたを苦しめている鬱病を追い払うためにも、あるいは憂鬱が忍び寄ってくるのを防ぐためにも、次に挙げる食品には手を出さないでおこう。

砂糖

気分が落ち込んでいるときには、ついつい甘いものを食べすぎてしまう、というのは昔から言われていて、科学的な文献でもこの傾向は確認されている。だが砂糖を多くとればとるほど、鬱病になりやすくなるのだ。二〇〇二年、アーサー・ウェストオーヴァーとローレン・マランゲルが砂糖を多く摂取する人と鬱病のあいだの深い相関関係を発見した[注7]。統計学的に言うと、完璧《かんぺき》な相関関係は「1」となる。どんな場合も例外はあるので、統計で「1」という結果が出ることはほぼありえない。しかし、ウェストオーヴァーとマランゲルが調べたところ、砂糖の摂取と鬱病発症の相関はじつに0・95——しかも、六つの国を対象にして、この結果だったのだ！

二〇一九年には、かつて行われた十件の観察調査のメタ分析が行われた。合計すると三万七千百三十一人の鬱病患者が被験者となる。その結果、糖分を加えた飲み物を消費する人は鬱病にかかるリスクが高まることが確認された。一日に一缶（三五五ミリリットル）のソフトドリンクを一本（砂糖はおよそ四五グラム）飲むだけで、鬱病のリスクは五パーセント高くなる。一日に二本半（およそ一一二・五グラムの砂糖）だと、リスクは一気に二五パーセントにまで高まるのだ［注8］。つまり、砂糖をとればとるほど、鬱病のリスクは高くなる。

では、なぜ砂糖が鬱病を引き起こすのだろうか？　脳が生存し、機能するためには、食べ物から得られるグルコース（ブドウ糖）と呼ばれる糖類の一種が欠かせない。働くために、脳は二十四時間に六二グラムのグルコースを必要とする。脳には少なくとも一千億の細胞があることを考えると、驚くほど少ない量だ。脳の効率の高さがうかがえる。健康な自然食を食べていれば、六二グラムぐらい簡単にまかなうことができる。しかし、焼き菓子やソフトドリンクなど、精製糖や高果糖コーンシロップなどが添加された不健康な加工食品を口にすると、脳が過剰な量のグルコースであふれてしまう。この〝糖分の洪水〟が脳内に炎症を引き起こし、鬱病につながることがあるのだ。

また、研究を通じて、血糖値が高いラットでは脳由来神経栄養因子（ＢＤＮＦ）の量が少ないことが確認されている。ＢＤＮＦは脳や腸、あるいはほかの臓器でも見つかるタンパク質の一種で、脳の成長や発達に加え、ストレスに対する脳の順応を促す働きをもつ［注9］。鬱病を患った女性ではＢＤＮＦの量が少ないことが研究を通じてわかっている[注10]。また、ＢＤＮＦは抗鬱薬の効果を高めると考えられている。この意味でも、ＢＤＮＦが鬱病予防において大きな役割を果たすことは確かだ[注11]。

血糖値を上げる炭水化物

パンやパスタなど、精製された小麦粉でできた高炭水化物食は、味こそ砂糖ほど甘くはないが、体内では砂糖とほぼ同じ形で処理される。つまり、高炭水化物食も鬱病のリスクを高めるということだ。でも、慌てなくてもいい。「食事から炭水化物を完全になくせ！」などと言うつもりはない。ただし、口にする炭水化物の質には気をつける必要がある。

二〇一八年、そもそも炭水化物は鬱病と関係しているのか、しているとしたら、どの種類の炭水化物が問題になるのかを知るための調査が行われた[注12]。研究者は一万五千五百四十六人を対象に「炭水化物品質インデックス」と呼ばれるアンケートを行った。その際、全粒粉、食物繊維に富む食品、血糖インデックス（ＧＩ）値の低い食品は「良質」の炭水化物と定義された。ＧＩとは、消化で分解された食べ物がどれだけ速くグルコースに変換されるかを示す値のことで、ＧＩ値が高い食品ほど、グルコースに変換されやすいと考えればいい。

この調査では、被験者の七百六十九人が鬱病だった。また、炭水化物品質インデックスで最高のスコアを得た人々、つまり、良質な炭水化物を摂取していた人々は、高ＧＩ

炭水化物を食べる習慣がある人よりも鬱病になる確率が三〇パーセントほど低いことも明らかになった。逆に言えば、高GI食は鬱病のリスク因子である可能性が高いということだ[注13]。高GI炭水化物にはジャガイモ、精白パン、白米が含まれる。ハチミツ、オレンジジュース、全粒粉パンは中GI食とみなされる。低GI食としては、緑の野菜、果物の大半、生のニンジン、インゲン豆、ヒヨコ豆、レンズ豆などを挙げることができる。

鬱病になる恐れを最小限に抑えるために、高GI食を避けて、玄米、キヌア、スティールカットのオートミール、チアシード、ブルーベリーなどに重点を置いた中GI食、またはできるなら低GI食に切り替えるべきだろう。ただし、中GI食や低GI食も食べすぎると意味がないので、気をつけよう。GI値が高かろうが低かろうが、炭水化物を大量に食べれば、血糖値が大きく上がり、鬱病になる確率が高くなることがわかっている。

つまり、どういうことだろうか？　鬱病を避ける、あるいは症状を軽くするために、炭水化物を完全に断つ必要はないが、適切な種類の炭水化物を、適切な量だけ摂取するように心がける姿勢が大切だということ。巻末Aとして、一般的な食品を血糖負荷の観点から、高・中・低に分類した表を収録するので、参考にしてほしい。

人工甘味料、特にアスパルテーム

ほかにも数多くの種類が存在するが、サッカリン、アスパルテーム、スクラロース、ステビアが今の食品産業で最も頻繁に使われている人工甘味料だ。あまり知られていない化合物としては、エリトリトール、ラクチトール、マルチトール、ソルビトール、キシリトールを挙げることができる。低カロリーで〝健康〟だと主張する食品で、砂糖の代わりとしてこれらの甘味料が使われることが広まりつつある。

しかしこれは憂慮すべき事態だ。というのも、人工甘味料は鬱病と関係していると考えられるからだ。ある研究の結果、おもにダイエット飲料を通じて人工甘味料を摂取する人は、ダイエット飲料を飲まない人よりも鬱病になりやすいことがわかった〔注14〕。さらに悪いことに、複数の研究を通じて、人工甘味料は脳にとって毒になることも実証された。気分を調節する神経伝達物質の濃度を変えてしまうのだ〔注15〕。

ダイエット・コークをはじめとする数多くの人気ダイエット飲料に甘味料として使われているアスパルテームが特に有害であることが証明されている。二〇一七年、アスパルテームに関する複数の研究を再調査したところ、アスパルテームは脳内でドーパミンとノルアドレナリンとセロトニン、いわゆる〝幸せ〟を感じさせる神経伝達物質の合成と分泌を妨げることがわかった〔注16〕。

加えて、アスパルテームが酸化を引き起こすため、脳内でフリーラジカルという有害な物質も増える。酸化とは化学反応のことで、それを通じてフリーラジカルなどを含む活性酸素種と呼ばれる特定の粒子が発生する。活性酸素種は不安定な分子で、細胞を混乱させる力をもつ〔注17〕。活性酸素種は脳内化学物質のバランスを保つ助けになるので、濃度が高くなければ脳にとってても重要だ。しかし、濃度が高くなれば（フリーラジカルを退治する）抗酸化物質とフリーラジカルのあいだのバランスが崩れ、酸化ストレスと呼ばれる状態が生じる。これが細胞の損失、さらには脳の損傷を引き起こし、脳が鬱状態に陥りやすくなる。

すべての甘味料が有害であるとは限らない。しかしスクラロースなど、アスパルテーム以外の甘味料も鬱病を引き起こす、または悪化させる恐れがあることを示す証拠は多く見つかっている。二〇一八年の研究で、スクラロースがマウスの腸内細菌を大きく変化させることが確認された。具体的には、別の研究で鬱病患者の腸内で増えることが確認された細菌種を増やすのだ[注18]。さらに、スクラロースがミエロペルオキシダーゼ活性を高めることも知られている。ミエロペルオキシダーゼは炎症のマーカーとして知られていて、研究を通じて、双子のうち鬱病にかかったことのある一人は、かかったことのないもう一人よりも、ミエロペルオキシダーゼの濃度が三二パーセントも高くなることがわかっている[注19]。

もしあなたが鬱病に苦しんでいるのなら、すべての人工甘味料を避けたほうがいい。

揚げ物

天ぷら、フィッシュ・アンド・チップス、フライドチキン。えっ、よだれが出てきた？

私は毎年、夏はだいたいケープコッド半島で過ごす。そこではフライドピクルスとフライドポテトのおいしそうなにおいがあたりに漂っていて、逆らいがたい魅力で私の鼻を刺激する。揚げ物は体に悪いとわかっていても、もう二度と食べないと誓うことはどうしてもできない。味も、生きる喜びを高める大切な要素なのだから！　とはいえ、鬱病に話を戻すなら、揚げ物を食べる量を減らすのは好ましいことだ。

日本で行われた研究で、工場で働く七百十五人の日本人の鬱病および回復力の程度が計測された。同時に、揚げ物を消費する量も調べられた。そして予想通り、研究チームは揚げ物を食べることが多い人は鬱病を発症しやすい事実を突き止めた[注20]。

砂糖の消費に関する調査結果と同じで、この結論も一見したところ矛盾しているように思える。あなたはフライドポテトを食べて陰鬱な気持ちになったことがあるだろうか？　一回もない？　少なくとも、食べているあいだはないだろう。だが、そんなあなたも、揚げ物をたくさん食べた数時間後、暗い気分になったことがあるに違いない。普通、私たちはその気持ちを食べすぎたことへの罪悪感だと考えるが、この気持ちが時間とともにもっと深刻な鬱感情へ発展することもあるのだ。

もしあなたが毎日のように揚げ物を食べているのなら、週一回に変えてみよう。今すでに週一回ぐらいの頻度でしか食べていないのなら、それを月に一回にしてみる。もし、普段から揚げ物を食べないのなら、あなたはすでに幸せな時間を過ごしているはずだ！

悪い脂肪

近年、食事に含まれる脂肪に関する考え方が変わってきた。以前は脂肪は一様に不健康とみなされていたのだが、今では心血管障害などを引き起こす〝悪い脂肪〟（マーガリン、ショートニング、硬化油など）と病気の予防と健康維持に役立つ〝いい脂肪〟（アボカドオイル、アーモンドオイル、オリーブオイルなど）にはっきりと区別されるようになった。

二〇一一年、アルムデナ・サンチェス＝ビジェガスを中心とした研究チームは、脂肪と鬱病の関連を調査した結果について報告した［注21］。研究には開始時には鬱病でなかったスペイン人大学卒業生が一万二千五十九人参加し、特定の脂肪（オリーブオイル、シードオイル類、マーガリン）の消費にまつわる百三十六の質問からなるアンケートに答えた。さまざまな種類の脂肪――飽和脂肪酸、多価不飽和脂肪酸（ＰＵＦＡ）、トランス不飽和脂肪酸（トランス脂肪）、単価不飽和脂肪酸（ＭＵＦＡ）――の摂取頻度を探ることが目的だった。加えて、被験者にその後の鬱病の発症を記録するよう求めた。

六年後までに、六百五十七件の新規の鬱病が確認できた。その際研究者は、トランス脂肪を多くとる人ほど、鬱病になる確率が高い事実を発見したのである。逆にＭＵＦＡとＰＵＦＡを多くとる人では鬱病の発症が少なかった。個別の油を見た場合、研究者はオリーブオイルが鬱病リスクを顕著に下げると結論づけた。

鬱病を避ける、あるいは緩和するために、あらゆるトランス脂肪を避けるべきだ。米国食品医薬品局が二〇一八年にトランス脂肪を禁止したのではあるが、食品メーカーがこの規則に準じるまでしばらくの猶予期間が設けられたため、特定の食品にはいまだにトランス脂肪が使われている。電子レンジ用のポップコーン、冷凍ピザ、冷蔵ビスケット生地、ファストフード、植物性ショートニング、一部のマーガリンなどが代表例だ。

食事に使う脂肪の大半をＭＵＦＡにするのが理想的だ。ＭＵＦＡはオリーブオイル、ナッツ類の油（アーモンド、クルミ）やバター（アーモンドバター、カシューナッツバター）、さらにアボカドオイルにも含まれる。

ＰＵＦＡもトランス脂肪よりは優れているが、すべてのＰＵＦＡが鬱病対策になるわけではない。コーン油、ヒマワリ油、ベニバナ油はある程度の量までは無害だが、多すぎるとオメガ3脂肪酸とオメガ6脂肪酸のバランスが崩れ、その影響で感情の調節が損なわれて鬱病につながる恐れがある[注22]。

添加硝酸塩

保存料として、あるいはベーコン、サラミ、ソーセージなどのスライス肉や保存肉の色をよくする手段として硝酸塩が使われるが、これも鬱病を引き起こす恐れがある[注23]。また最近の研究では、硝酸塩が腸内細菌に作用し、双極性障害のリスクを高める可能性も示唆されている[注24]。もしあなたがサラミやソーセージなしでは生きていけないのなら、つなぎとしてソバ粉が使われている製品を選べばいい。ソバ粉には重要な抗酸化物質が含まれていて、それが加工肉の有害な作用の一部を和らげてくれる［注25］。

いい気分はいい食べ物から

鬱病の共犯者はわかった。食べ物が、罪悪感にはじまり、睡眠障害、食欲減退、集中力の欠如、エネルギーの低下、生活への無関心にいたるまで、数多くの不快な症状を引き起こすのだ。では、ここからは逆の方向へ目を向けてみよう。憂鬱が近づいてくるのを防いだり、追い払ったりするためには、何を食べたらいいのだろうか？

オメガ3脂肪酸を多く含む食品

オメガ3類は正常な代謝にも欠かせない。細胞膜の主要な構成要素であり、血液凝固、動脈壁の収縮と弛緩《しかん》、炎症などを調節するホルモンをつくる出発点でもある。ところが、人間はオメガ3類を体内でつくることができないので、食事から摂取するしかない。そのため、〝必須《ひっす》〟脂肪と呼ばれている。

なかでも、アルファリノレン酸、エイコサペンタエン酸（EPA）、ドコサヘキサエン酸（DHA）の三つが、主要なオメガ3類とみなされる。どれも体に欠かせないもので、数多くの役割を担っている。特に重要なのは細胞膜における働きだ。EPAとDH

Ａは気分障害でも中心的な役割を果たすので、じゅうぶんに摂取することがとても重要になる。

鬱病対策としてのオメガ３類の重要性についてはまだ見解が完全には一致していないが、研究の大半は有益であることを示唆している。例えば、二〇一六年に大鬱病性障害患者千二百三十三人を対象にした十三の無作為対照試験を包括するメタ分析が行われ、オメガ３類が患者にポジティブに作用する事実が確認されている。特にＥＰＡを多く摂取する患者と、抗鬱薬を服用する患者で、その傾向が強かった［注26］。

大切なのは、さまざまな食品に含まれるオメガ３類とオメガ６類のバランスを健全に保つことだ。典型的なアメリカ式の食事にはオメガ６類が多く含まれるが、オメガ３類ははるかに少ないため、両者の比率はおよそ15対１になる。しかし、理想は４対１ぐらいの比率にすることだ［注27］。つまり、アメリカ人のほとんどは、オメガ６類を減らし、オメガ３類を増やさなければならない。

実際、オメガ６脂肪酸を多く摂取する人は、オメガ３類を多くとる人よりも鬱病リスクが四倍以上高くなることが、複数の研究を通じて証明されている。全脂チーズ、脂身の多い赤い肉、コーン油、ヤシ油など、オメガ６類を多く含むものを食べていると、鬱病になる確率が高くなるということだ。

オメガ３類、特にＥＰＡとＤＨＡの供給源として最も優れているのは魚だ。特に、脂質の多い冷水魚、例えばサーモン、サバ、マグロ、ニシン、イワシなどがオメガ３類を多く含んでいる。淡白な魚、例えばバス、ティラピア、タラ、あるいは貝類にも、かなりの量のオメガ3類が含まれている。傾向として、養殖魚のほうが天然の魚よりもEPAとDHAに富んでいる。ただし、その量はエサによって左右される。なぜなら、魚は体内でオメガ3類を合成しないからだ。実際には、オメガ3類は微細藻類に含まれているのだ。微細藻類を植物プランクトンが取り込み、その植物プランクトンを魚が食べる。そうやって、オメガ3類が魚の組織内に蓄積するのである。

ほかには牛肉でいうと、一般的な飼育法で育てられた牛の肉よりも、放牧で育った牛の肉のほうがオメガ3類を多く含む。アルファリノレン酸は、枝豆、クルミ、チアシードなどの植物から得ることができる。また、卵、牛乳、ヨーグルトなど、オメガ3で強化した食品も増えている。

料理に特定の油を使うことで、オメガ6類とオメガ3類の比率を改善することもできる。例えば、普通のサラダ油は極端にオメガ6類に偏っているので、代わりにキャノーラ油を使うといい。キャノーラ油はオメガ6類と3類の比率がおよそ2対1なので、ほかの油より健康にいい代替品にはなる。

役立つビタミンが豊富な食べ物

数多くのビタミンが、鬱病の予防や治療で中心的な働きをする。最も重要なのは葉酸（ビタミンB9）とビタミンB12だ。体内におけるそれらの働きは密接に関連し合っている。ビタミンB12が不足すると、葉酸が欠乏して、おもに海馬《かいば》領域にある脳細胞の損失を促す。「海馬萎縮《いしゅく》」と呼ばれるこの現象は鬱病を引き起こす。海馬とは、学習や記憶で大きな役割を果たすとても重要な脳の部位だ。そのため、鬱病患者はストレスに対処する新しい方法を学習する能力を失ってしまうことがある。

葉酸が欠乏した人で最も一般的に見られる症状が鬱病だ［注28］。実際、葉酸レベルの高い人ほど、鬱病レベルが低くなることが研究で実証されている［注29］。また、葉酸は海馬だけでなく、セロトニン合成にも影響すると予想される。セロトニンは、鬱病患者では減少することが多い［注30］。

したがって、鬱病を予防または治療するには、ビタミンB12と葉酸を適度に摂取する必要がある。マメ科植物、柑橘《かんきつ》類、バナナ、アボカド、緑葉のアブラナ科植物、アスパラガス、ナッツ類、種子類、魚、貝をたくさん食べるよう心がけよう。

ビタミンB1（チアミン）とビタミンB6（ピリドキシン）も、気分の調節にかかわる神経伝達物質の産生と合成を促す作用があるので、鬱病の予防と緩和に大いに役立つ。B1とB6は、前の段落で挙げた食品や大豆、あるいは全粒粉に多く含まれている。

ビタミンAはニューロンの増殖や適応などといった脳機能を促進する［注31］。ビタミンB12と同じで、ビタミンAが不足すると脳の特定部位が萎縮するので、脳がストレスに反応できなくなる［注32］。二〇一六年の研究で、ビタミンAに多発性硬化症患者の疲労感や鬱症状を大いに改善する効果があることがわかった［注33］。しかし、レチノイン酸（ビタミンAの代謝産物）が多すぎても鬱病や自殺の原因になると考えられる[注34]。ただし、変化に富む健康な食事から摂取できる量でそのような悪影響が生じることはありえないので、心配せずに、サツマイモ、ニンジン、ホウレンソウ、ササゲ豆など、ビタミンAに富むものを食べてかまわない。

ビタミンCも、神経伝達物質の合成の調節に関係しているので、適切な脳機能に欠かせない[注35]。いくつかの観察調査が、ビタミンCレベルの低下と鬱病のあいだに関連があることを示している[注36]。ビタミンCは、柑橘類、カンタロープメロン、イチゴ、あるいはブロッコリーやカリフラワーや芽キャベツなどのアブラナ科野菜から摂取できる。

どのビタミンが脳のどの働きに関係しているのか、どの食べ物に含まれているのか混乱してきたら、巻末Bを見て頭をすっきりさせよう。

鉄分などのミネラルに富む食品

脳内の鉄は、ニューロンを保護する組織を構成することに加えて、気分に関係する化学物質の合成と化学経路を制御する働きを担う[注37]。実際、鉄は鬱病と関係していると考えられる大脳基底核という部分に多く存在している[注38]。臨床試験でも、鉄分の不足と鬱病の関連が確認されている[注39]。貝類、脂肪の少ない赤身肉、（適量の）内臓肉（もつ）、マメ科植物、カボチャの種、ブロッコリー、ダークチョコレート（甘いものの量はほどほどに）が鉄の優れた供給源として知られている。

脳が正しく働くには、マグネシウムも欠かせない。激越性鬱病の治療にマグネシウムが用いられた最初の事例は一九二一年に発表され、二百五十件中じつに二百二十件で治療が成功したと報告された［注40］。それ以来、数多くの研究が行われ、鬱病はマグネシウム不足と関連していることが示唆されている。患者に一二五ミリグラムから三〇〇ミリグラムのマグネシウムを投与した例では、大鬱病からの迅速な回復が観察されている。回復に一週間もかからない例も見られた。マグネシウムは、アボカド、ナッツ、種子、豆類、全粒粉、そしてオメガ3が豊富な魚（サーモンやサバ）に多く含まれる。

カリウムに関してはまだわからないことが多いのだが、いくつかの研究がカリウムの摂取量を増やすと気分が向上すると報告している［注41］。サツマイモ、バナナ、キノコ、オレンジ、エンドウ豆、キュウリにカリウムが多く含まれている。

亜鉛の不足も鬱病のリスクを高めることを示す数多くの証拠が見つかっている。亜鉛を補給すれば、鬱症状は軽くなる［注42］。十七の研究を調査したメタ分析を通じて、鬱病患者ではそうでない人よりも亜鉛の血中濃度が低い事実が確認された［注43］。亜鉛は脳の炎症を抑えると考えられる［注44］。魚介類（特に加熱したカキ）、赤身の牛肉、鶏肉《とりにく》に豊富で、濃度は下がるが、豆類、ナッツ類、全粒粉にも含まれている。

セレンを多く含む食べ物も気分を大きく上昇させることが、いくつかの研究で示唆されている［注45］。セレンに富む食べ物の代表格は、ブラジルナッツだ。

これらのミネラルを含む食品の一覧を巻末Bに収録しているので、参考にしてほしい。

調味料、スパイス、ハーブ

鬱病を追い払うのに、次に挙げるスパイスと調味料が役に立つ。効果を倍にするために、ここまで紹介してきた鬱に効く食品と組み合わせよう。

スパイスの重要な利点は抗酸化作用だと、大ざっぱに言うことができる。脳が有害なフリーラジカルを追い出すのをサポートして、組織に損傷を加える酸化ストレスを抑えるのだ。スパイスがもつ抗酸化能の尺度として、ORAC（酸素ラジカル吸収能）が知られている。どのスパイスが最も抗酸化作用が強いかを示すORACを巻末Cとして巻末に収録している。表にあるスパイスを優先して使うよう心がけよう。

［サフラン］ サフランの補給が大鬱病性障害患者の鬱症状にどう影響するかを調べた五つの無作為対照試験を包括するメタ分析が二〇一三年に行われた[注46]。研究者は、五つのどの試験でも、プラセボに比べてサフランを補給した患者で鬱症状が大幅に軽減した事実を確認した。二〇一七年の研究では、一五ミリグラムのサフランに、二〇ミリグラムのプロザックと同じぐらい、鬱を和らげる効果があるという結果が出た！　十九世紀に生きたイギリスの薬草学者のクリストファー・キャットンは「サフランは精神を目覚めさせ、その効果は心を満たし、笑いと喜びを引き起こす」と述べている[注47]。彼もサフランの隠された力に気づいていたのだろう。どのような仕組みで作用するのか、詳しいことはまだわかっていないが、動物ではサフランがグルタミン酸塩とドーパミン

——明るい気分の神経伝達物質——を増やすことも知られている[注48]。
一ポンドあたりの値段は純金よりも高くて、味もほかの食材を圧倒することがあるため、サフランを使うなら、ほんの少しだけにすること！　少量のサフランスレッドをしばらく水に浸《つ》けたあと（３７０ページのサンフランシスコ風シーフードシチューを参照）、それをサフランリゾットやビリヤニなどの野菜もしくは米料理に加える。サプリメントやエキスも市販されているが、使用前に必ず主治医に相談すること。

【ターメリック】 ターメリック（ウコン）に含まれる有効成分はクルクミンと呼ばれている。鬱病に対するクルクミンの作用を調べた六つの臨床試験を対象にしたメタ分析が二〇一七年に行われた[注49]。その結果、プラセボに比べてクルクミンは鬱症状を顕著に抑えることがわかった。

有効量は一日五〇〇ミリグラムから一〇〇〇ミリグラム。クルクミンはターメリックの重量のおよそ二パーセントに相当するので、大さじ一杯（小さじ三杯）の六・八グラムのターメリックには、〇・一三六グラム（一三六ミリグラム）のクルクミンしか含まれていない。一つの料理に小さじ一杯のターメリックをかけるのはやりすぎだろうが、複数の料理に分けて、一日かけて小さじ一杯か二杯を消費するだけでも強力な鬱対策になる。スープやシチュー、あるいはスムージーに少しずつ加えればいい。温かいお茶にしたり、サラダドレッシングにひとつまみ振りかけたり。ちなみに、黒コショウの成分であるピペリンは体内でのクルクミンの吸収と効果（生体利用効率）を二〇〇〇パーセントも向上させる[注50]。だから、ターメリックを使うときは、挽《ひ》き立てのコショウも加えよう。

［オレガノ］ マウスを使った実験で、オレガノの有効成分であるカルバクロールには抗鬱作用があることが確認されている[注51]。また、動物を使ったほかの研究では、カルバクロールと神経保護および抗鬱作用との関連が見つかった。ただし、人間でそのような効果を証明する研究はまだ行われていない。しかしながら、私はカルバクロールが脳組織の保護を促すと考えている。オレガノはさまざまな料理に用いられ、私のお気に入りのギリシャ風ドレッシングの主成分でもある。野菜のオーブン焼きにも欠かせない。

ラベンダーとパッションフラワー、あるいはカモミールも鬱病に効くと考えられるが、この三つについては第三章で不安症との関係で詳しく説明する[注52]。どれも、ハーブティーにして手軽に楽しめる植物だ。

どの食品にどの成分が多く含まれているのか、混雑したスーパーのなかで思い出すのは無理だと思ったことだろう。

鬱病との闘いにおいて、食べるべきものを食べて、食べないほうがいいものは食べないという姿勢を徹底するのにとても簡単な方法は、脳にいい食べ物が多く、気分を害する恐れのある食べ物が少なくなるような食事法を実践することだ。幸いなことに、そのような食事法はすでに存在する。

地中海式食事法

地中海食はメンタルヘルスのことを考えてつくられたわけではないが、すでに指摘した抗鬱食品のすべてが使われているので、適量を摂取すると、脳機能と気分の調節を最適に保つための栄養バランスを維持する助けになる。

地中海食の健康作用は一九五七年に生理学者のアンセル・キーズとフランシスコ・グランデ・コビアンが発見し、その後、数々の研究で洗練されてきた。伝統的な地中海食の一日分には次の内容が含まれている。

・3〜9皿の野菜
・0・5〜2皿の果物
・1〜13皿のシリアル（パンやほかの穀物食品、理想は全粒粉食品）
・大さじ8以下のオリーブオイル[注53]

量にとても大きな範囲が指定されているが（特にシリアルがそうで、現在の栄養学の知識からは一日に13皿は推奨できない）、合計で一日およそ二二〇〇カロリーに相当し、その三七パーセントが脂肪分（そのうちの一八パーセントが単価不飽和脂肪酸で九パーセントが飽和脂肪酸）で、食物繊維が三三グラム含まれている。

私は伝統的な地中海食を厳格に守るのではなく、同様に抗鬱作用のある「地中海式摂食パターン（MEP）」に従うよう患者に勧めることが多い［注54］。患者の多くは食事療法という言葉をネガティブにとらえるので、私はあえて「地中海式ライフスタイル」と呼ぶことも多い。食事療法には制限がつきものだが、この方法に関しては、食べ物が本当においしいので、食生活が充実し、気分も改善するだろう。それに、食べ物を制限している気にならないので、ほかの制限的な食事療法では必ず生じるリバウンドが起こりにくい。MEPは地元で収穫された果物や野菜や最小限に加工された食品（豆類、ナッツ類、全粒粉食品など）を中心にしている。菓子は制限され、使われる脂肪は高品質なものだけ。脂肪のおもな源はオリーブオイル。乳製品の摂取量はそれほど多くなく、おもなタンパク源は魚介類で、赤身肉や卵は頻度も量も少ない。少量から中程度の量のワインを食事といっしょにたしなみ、塩ではなくてハーブやスパイスが味付けの中心になる。そのうえ、その味付けはじつに幅広い。

調理法や入手可能な食材が異なるため、地中海地方の食事を世界のほかの部分へもたらすことが可能かどうかについては、まだ議論が続いている［注55］。しかし、私はそれができると思っている。なぜなら、調理法や味付けよりも、食事の構成のほうがよほど重要だからだ。結局のところ、地中海食が鬱病に効くのは、果物と野菜——ニューロンを傷つける酸化ストレスを抑える働きをもつ抗酸化物質を多く含む作物——、そしてこちらも抗酸化物質とほかの健康な成分を多く含むオリーブオイルの占める割合が多いから［注56］。栄養密度の高い果物と野菜、そして高品質なオリーブオイルは、以前と違ってスーパーやオンラインショップで簡単に買えるようになった。もちろん、魚もナッツも全粒粉も、多くの食料品店や市場で手に入る。

ＭＥＰの実例

ＭＥＰの力を示す例として、私のクライアントの一人であるジョセフィンのケースを見てみよう。ジョセフィンは五十一歳の既婚女性で体重と血糖に問題を抱えていて、その結果として鬱症状を呈していた。初めての診察に来たとき、彼女はすっかり疲れている印象だった。まだ朝の九時だというのに！　目は悲しげで、生気がなかった。くたくたに疲れていて、食べ物も間違った選択ばかりしてしまうと言う。いくらがんばっても体重は減らないし、血糖をうまく抑えることもできない、と。何が一番のストレスかと尋ねてみると、ジョセフィンは迷いなく答えた。「正しいものを食べること」。自分には食事をコントロールする能力がない、と考えると悲しくなり、最後には抗鬱薬の使用を検討するほどになっていたのだ。

そこで私は彼女に数日間、食事を記録してもらった。すると、すぐに危険信号が見つかった。ジョセフィンはだいたい毎日朝食をとる（チーリオスというシリアル製品と低脂肪乳）のだが、職場に着くころにはもう〝気分がふさぎ込んでいて〟しかもおなかもすいていた。のちにピーナツバターを塗ったトーストを一枚だけ食べる。だから、ほぼ一日中おなかがすいていて、満腹や活力を感じることがまったくない。しかも、それよりも問題だったのは、ランチもスナックももたずに出勤していたので、職場の自販機や社内食堂に依存していたことだ。

セッションを数回繰り返したのち、私は地中海式摂食パターンについて話した。その際、体にいいランチ用サラダのレシピも教えた。新鮮な緑の野菜（ブロッコリー、サヤインゲン、パプリカ）にオーブンで焼いたサーモン、さらにヒヨコ豆やアボカドで健康なタンパク質と脂肪分を加えた、栄養がたっぷりのサラダだ。そこに、食物繊維とタンパク質を増やすためにチアシードを彼女が自分で足し、さらには簡単な自家製ドレッシング（新鮮なレモン果汁にオリーブオイル、塩とコショウ）もつくった。ジョセフィンが次の報告をしたときのうれしそうな顔を、私は今もよく覚えている。「こんなにおなかがいっぱいになるものだとは知りませんでした。ランチのあと、私は元気もおなかもいっぱいになって、午後にピーナツバターとクラッカーに手を伸ばすこともありません」

朝食には、アーモンドミルクとシナモンを加えた全粒オーツ麦を作り置きすることにした。五回分をガラス瓶に入れて密封し、冷蔵庫で冷やしておく。毎朝それをもちだして、電車のなかで食べるのだ。時間の節約にもなるし、正しい食べ物を選んで健康な食事をしていると自覚もできる。以前は朝から憂鬱で元気もなかったのだが、気分がゆっくりと改善していくのが実感できた。

三回目の訪問の時点で、ジョセフィンはすでに二キロ以上やせて、糖尿病の専門医が計測を続けている血糖値はここ数年で初めて下がりはじめた。しかも、ひもじい思いをせずに、食事を楽しむことができたのだ。おいしくて体にいいものを昼に食べていれば、夜になってチョコレートやアイスクリームが無性に欲しくなったりしないという事実に、彼女は気づいた。実際、夜にはひとかけらのダークチョコレートとイチゴを何粒か口にするだけで、もう満足する。総合的に見て元気が戻ってきた、と彼女は表現する。夫も、仕事仲間も、ジョセフィンの変化に気づいた。彼女は運動を再開するほどエネルギーを取り戻したし、瞑想《めいそう》レッスンで学んだ方法でマインドフルネスを実践するほど前向きにもなった。すべて、憂鬱も暗い気分も和らいだおかげだ。彼女自身は、まるで鬱の重みが肩から取り除かれたような気がすると言っている。

研究でわかったこと

数多くの研究を通じて、地中海式摂食パターンには糖尿病と心臓病に対する予防効果があり、寿命を延ばす作用があることも確認されている。それに、鬱病の予防、あるいは鬱症状の緩和にも役立つという私自身の医師としての経験を裏付ける文献も存在する。

おそらく、最もよく知られているのはＳＭＩＬＥＳ（情動低下時におけるライフスタイルの変更のサポート）と呼ばれる研究だ。私の同僚で、オーストラリアのディーキン大学でフード・アンド・ムード・センターの長も務めているドクター・フェリス・ジャッカを中心とした研究チームが、十二週間にわたる試験を行い、通常の治療に意図的な食事療法を加えることで、中度から重度の鬱病の治療の効果が上がるのかどうかを調べた。その際に研究チームが用いた食事法が、地中海式摂食パターンだ。ただし彼らは「モディメド食」と呼んでいた。具体的に言うと、彼らは「十二の主要食材グループの消費を増やすことで食事の質を高める」ことに焦点を当てていた。次の量が推奨された。

全粒粉食品　日に5〜8皿
野菜　日に6皿
果物　日に3皿
マメ科植物　週に3〜4皿
低脂肪・無糖乳製品　日に2〜3皿
生で無塩のナッツ類　日に1皿
魚　週に最低2皿
低脂肪の赤身肉　週に3〜4皿
鶏　週に2〜3皿
卵　週に最大6個
オリーブオイル　日に大さじ3杯

〝追加の〟食品　ワインは食事といっしょに日に2杯まで。スイーツ、精製シリアル、揚げ物、加工肉、加糖飲料は週に3皿・杯まで。

十二週間後、従来の治療だけを行った人々では八パーセントで鬱症状の改善が見られた一方で、食事療法を組み合わせた人々では、ほぼ三分の一で鬱症状が軽くなっていた。食事療法が効いたのだ！

最近では二〇一九年に、調査の開始時点、もしくは調査を開始してから最初の二年で鬱病を発症していなかった一万五千九百八十人の成人のその後を追跡する調査が行われた[注57]。研究者は基準として被験者の食品の消費量を調べてから、その後の期間、地中海式の食事を行った人と、そうでない人の食生活を記録した。調査が始まってからおよそ十年が過ぎた時点で、六百六十六人が鬱病を発症していた。しかし、地中海式の食事を忠実に行っていた人では、鬱病になる確率が明らかに低かった。

ちなみに、ここで紹介したような調査のほとんどは観察研究であることを指摘しておく。つまり、研究者は観察した事象から推論を立てているに過ぎない。アルムデナ・サンチェス＝ビジェガスらが行った臨床試験が、地中海食に抗鬱効果がある事実を決定的に示した[注58]。

憂鬱を吹き飛ばすほかの食事法

研究を通じて、ほかにも鬱病の予防に効果的な〝伝統食〟があることが知られている。例えばノルウェー式の食事、いわゆる北欧食だ［注59］。MEPと同じで、北欧食も肉や動物性食品ではなく植物性食品を中心にしていて、海と湖の産物や野生の食材が多く含まれる。北欧食と地中海食の大きな違いは、北欧食ではオリーブオイルの代わりに、キャノーラ油が使われる点だ。二〇一三年に、食事と鬱病の関係を調べるために、二十五の先行研究の再調査が行われた。その際、エビデンスはさほど多くはないが、北欧食と地中海食で鬱病の確率が低くなることが確認できた［注60］。

また、日本食が鬱病のリスクを下げる証拠も、いくつか見つかっている。日本食は北欧食や地中海食で多く含まれているものに似た食品に加えて、プロバイオティクスに富む漬物や発酵食品を多く含む。

食がよければすべてが変わる

私のアドバイスを受けて、患者のテッドはMEPを基礎にした独自の食事法を実践することに決めた。職場での昼食は、ヘルシーな緑の野菜サラダにオーブンで焼いたサーモンやローストした七面鳥の胸肉。午後は、自販機でスナックを買うのをやめて、スライスした新鮮なリンゴにアーモンドバターを塗って食べたり、クルミとダークチョコレート、セロリとグレープトマトを加えたフムス、ミカンと少量のブドウなどを食べたりする。空腹に悩まされることも、悪いものを食べているという自責もないので、気分がよくなっていった。そのうち、旅行をしているときも同じように健康な食事を心がけるようになり、空港でもピザやホットドッグに手を出さなくなった。

晩に帰宅すると、ディナーとしてオーブンで焼いてケールのペストで味付けしたサーモン（３１３ページ）と栄養満点で風味豊かなグリーンサラダを楽しむ。日中にじゅうぶんな量を食べているので、夕食後にアイスクリームやクッキーを食べたいと思わない。体重が落ちているかどうかは自分でもよくわかっていないが、ズボンはあまりきつくなくなってきた。会社の同僚たちは、彼がスリムになったようなので、ジムにでも通っているのかと尋ねてきたそうだ。

また、テッド自身、気分がよくなってきていると自覚するようになった。心が以前よりも晴れていて、活力を感じ、プロザックがなくても自分の気分障害に立ち向かえるようになったそうだ。三年がたち、テッドは理想の体重を維持したまま暮らし、鬱に陥ることもなくなった。

栄養精神医学の考えを応用することで、鬱病の予防と緩和に役立つ食事やライフスタイルを形づくることができる。テッドがその完璧な例だ。

もちろん、鬱病はメンタルヘルスのほんの一側面に過ぎない。鬱が発症すると同時に不安症が現れることも多い。次章では、健康でおいしい食べ物の力を借りて不安症を克服する方法を紹介する。

鬱病対策のカンニングペーパー

地中海式摂食パターンは、鬱病を追い払い、脳を健康に保つための完全食を生活に取り入れる優れたガイドラインになる。

［どんどん食べよう］

- **プロバイオティクス**——活性乳酸菌の入ったヨーグルト、テンペ、味噌、納豆、ザウアークラウト、ケフィア、キムチ、コンブチャ、バターミルク、特定のチーズ。
- **プレバイオティクス**——豆類、オーツ麦、バナナ、ベリー類、ニンニク、タマネギ、タンポポの葉、アスパラガス、キクイモ、リーキ。
- **低GI炭水化物**——玄米、キヌア、スティールカットのオートミール、チアシード。
- **適量の中GI食品**——ハチミツ、オレンジジュース、全粒粉パン。
- **体にいい脂質**——オリーブ、ナッツ類、ナッツバター、アボカドなどの単価不飽和脂肪。
- **オメガ3脂肪酸**——魚類、特にサーモン、サバ、マグロ、ニシン、イワシなど、脂肪分の多い魚。
・**ビタミン**――B9、B12、B1、B6、A、C。
・**ミネラルと微量栄養素**――鉄、マグネシウム、カリウム、亜鉛、セレン。
・**スパイス**――サフランとターメリック。
・**ハーブ**――オレガノ、ラベンダー、パッションフラワー、カモミール。

[できるだけ避けよう]
・**砂糖**――焼き菓子、キャンディ、ソフトドリンクなど、砂糖や高果糖液糖を添加した飲食料品。
・**高GI炭水化物**――精白パン、白米、ジャガイモ、パスタ、その他精製した小麦粉製品。
・**人工甘味料**――特に有害なのはアスパルテームだが、サッカリン、スクラロース、ステビアもとりすぎには気をつけること。
・**揚げ物**――フライドポテト、フライドチキン、魚介のフライなど、油で揚げた食品。
・**体に悪い脂肪**――マーガリン、ショートニング、硬化油などのトランス脂肪は完全に避け、植物油、コーン油、ヒマワリ油、ベニバナ油などのオメガ6脂肪の摂取は控えめに。
・**硝酸塩**――ベーコン、サラミ、ソーセージなどの加工肉に用いられる添加物。

第三章

不安――発酵食品と食物繊維とトリプトファン神話

うっとりとするほど美しい爽《さわ》やかな秋の日、私はボストンにいた。木の葉は赤みがかった金色に輝き、街はリンゴとカボチャで飾り立てられていた。窓から日の光が差し込む私のオフィスに、ホスエとフェルナンドという名の二人の息子をもつ三十九歳の母、マリソールが入ってきた。マリソールは座るとすぐに泣き崩れた。

「これ以上は耐えられません」と彼女は言った。「毎朝起きると、胃がキリキリして。ホスエが通学路でバスにはねられないだろうか？　フェルナンドはまた留年するのだろうか？　学校で銃の乱射事件が起こったりしないだろうか？　そんなことばかり考えてしまって。子供たちが家にいるときも、私は文字通りずっと爪をかんでいるのです。おなかが痛くて、便秘気味になるほどで。感謝祭《サンクスギビング》の日が近づいているのに、不安です。二十人のゲストをお迎えしてディナーを振る舞うので、やることがたくさんあるのに」

マリソールは夜になってもずっと胸がドキドキして眠れないと話した。私には彼女が全般性不安障害を患っていることがすぐにわかった。ごく普通の日常的な不安が抑えきれなくなる症状だ。

珍しい話ではない。不安症にはさまざまな形がある。全般性不安障害、パニック障害、広場恐怖症、社会不安障害、一連の特定恐怖症などだ。原因や発症のしかたはさまざまだが、どの場合も脳が不健全なパターンに陥り、パニックや身動きできないほどの恐怖を覚え、満足のいく幸せな生活が送れなくなる。

アメリカで最も一般的な精神障害が不安症で、全国民の三人に一人が、生涯で一度は患うとされている［注1］。ただし、不安症は診断や治療がなされないケースが多いので、実際の数はもっと多い。現代のストレスに満ちた社会では、不安は避けようのない人生の一部だとする考え方が広まりつつある。確かに、不安を完全になくすことは不可能だ。だからといって、放置していいということにはならない。

不安症の治療法はいくつか知られているが、薬物療法や心理セラピーが効く患者は五〇パーセントから六〇パーセント程度で、完治する人にいたっては二五パーセントほどでしかない。不安症の克服でとても大切なのは、気持ちを和らげる食べ物をたくさんとって、不安にさせる食品はできるだけ避けることだ。

マリソールは不安に対して何度か薬物療法を行ったが、ほとんど効かなかった。その後もいくつかの薬を試してみたが、それらも効き目が薄かった。そこで、食べ物に注目することにした。

不安になった腸

不安な気持ちと胃腸は大きく関連している。緊張しているとき、胃のあたりがどうなるか思い出してみよう。学校で大切なテストがある日の朝、トイレに駆け込んだことがないだろうか？　職場でプレゼンテーションをするとき、気分が悪くなったり、吐き気を覚えたりしたことは？　言葉にも不安とおなかの関係が反映されていて、少し緊張すると「胃のあたりがモゾモゾする」、恐怖を感じると「胃がすくむ」などと言う。そのような表現が生まれたのは偶然ではない。意識していたかどうかにかかわりなく、胃腸と脳が互いに作用していることに気づいていたからこそ、生まれた言い回しだ。

二〇一八年、ジリヤード・ラックらが不安障害と腸の生理学的な関連を調べる研究を行った［注2］。関心のおもな対象は腸内ペプチド。ペプチドとは、シグナル伝達分子として腸と脳のあいだで情報を運ぶ働きをもつ短鎖アミノ酸のことだ。腸内では腸内分泌細胞と呼ばれる特殊な細胞が、ペプチドをはじめとした二十種以上のシグナル伝達分子をつくりだす［注3］。どのシグナル伝達分子がつくられるかを決めるのは、腸内細菌の仕事だ。マウスの腸内細菌を操作しながら、腸と脳に生じるペプチドの種類の変化を記録したラックのチームは、腸内細菌叢《さいきんそう》の移り変わりにともなって生じる不安症状の変動を追跡することに成功した。

腸内細菌叢の様子が変わることによって特に影響を受ける脳の場所は扁桃体《へんとうたい》と呼ばれている。脳の深い場所にあって、あなたが不安になるとうまく働かなくなる[注4]。実際、腸内細菌叢と扁桃体の発達のあいだにはとても密な関連があるようで、不安を減らすためには、扁桃体の活性を安定させるように腸内細菌叢に働きかければいいと主張する研究者もいる。

無菌マウス（完全に無菌なので腸内細菌もいない）は正常な腸内細菌叢をもつマウスよりも扁桃体が大きくなることが、研究を通じて知られている[注5]。大きいだけでなく異常に活発で、不健全なほどに働きつづける[注6]。扁桃体が大きくて活発なのは、決して喜ばしい状態ではない。人間の場合、扁桃体が活発になりすぎると、感情のコントロールが難しくなる。脳がずっと警報を鳴らしているような状態になるのだ[注7]。腸内細菌が欠けると扁桃体の大きさと働きが変わるという事実は、腸内細菌叢が脳の健康にも重要な役割を果たしていることの強力な証拠だと言える。

二〇〇四年、無菌マウスでは、ストレスに対して視床下部－下垂体－副腎軸《ふくじん》（ＨＰＡ軸）が過剰に反応する事実を、須藤信行《すどうのぶゆき》を中心とした研究チームが発見した[注8]。ところが信じがたいことに、たった一種類の細菌種をマウスの腸に移植するだけで、過剰反応がなくなったのである。たった一種——腸内にいるたくさんの細菌種のうちのたった一種類——でストレスに対してよりよく反応できるようになるのだ！

最近、人間を対象に行われた調査でも、同じような結果が得られた。二〇一八年に、全般性不安障害患者と健康な人の細菌叢を比較する調査が行われた[注9]。その結果、全般性不安障害患者の細菌叢は健常者のそれと比べて、細菌の数という点でも種類の点でも明らかに少ないことがわかった。具体的には、短鎖脂肪酸を生成する細菌が乏しい一方で、〝悪玉菌〟が異常に増えていた。これもまた、腸の健康が脳の健康を左右する証拠の一つだとみなせる。

この研究の成果で興味深いのは、食事療法を用いない単純な不安症治療では、患者の腸内細菌に変化が現れないことがわかった点だ。つまり、腸は脳の活動に大いに影響するのに、その逆は真ではないということだ。抗不安薬や心理セラピーで精神の症状を取り除いても、乱れた腸内のバランスが自然と改善するわけではない。問題を根っこから取り除くには、意図的に腸内の細菌にも働きかけなければならないのだ。

腸内の細菌叢に乱れが生じると、腸壁が弱くなることもある。腸壁があるから、本来なら細菌がつくった代謝産物や異分子が血流に交ざることはない[注10]。ところが腸壁が弱まると、細菌が腸の内壁を通り抜けて血液循環に入り込んで（最後には脳に届いて）しまう。これがいわゆる「リーキーガット（腸漏れ）症候群」という症状だ。一部の化合物は腸を出たり入ったりする必要があるが、基本的に細菌は腸内にとどまってもらわないと困る。腸から逃げた細菌は、全身のあちこちで害をなす可能性がある。脳も例外ではない。一例を挙げると、細菌の細胞壁の構成要素であるリポ多糖体が、マウスの不安行動を引き起こすことを示す証拠が見つかっている[注11]。

腸疾患

不安症と腸疾患のあいだにも、強い関連がある。不安症患者の六〇パーセント近くが過敏性腸症候群（ＩＢＳ）を患っている[注12]。ＩＢＳは慢性疾患で、原因不明の腹痛や腸活動の変化を引き起こす。マリソールの便秘もＩＢＳのサインだが、ガスや膨満感、あるいは下痢などが生じることもある。さらに悪いことに、不安症が重くなれば、ＩＢＳもひどくなる[注13]。つまり、感謝祭のディナーの準備などのストレスがあると、ＩＢＳの症状が悪化しやすい。

ＩＢＳ患者は脳にも変化を示す[注14]。ＩＢＳに苦しむ人々では、日々のタスク、感情の知覚、痛みの制御に関係する脳の領域が、ほかの人ほど働かなくなる。この脳の異常は、パニック障害や全般性不安障害などの不安症患者が示す脳パターンととてもよく似ている。つまり、ＩＢＳと不安症は同じような形で腸と脳に影響すると考えられる。

潰瘍《かいよう》性大腸炎やクローン病などのように腸組織に損傷を引き起こす炎症性腸疾患（ＩＢＤ）に悩む人々も、不安症を併発していることが多い。炎症性腸疾患患者の四〇パーセント近くが不安症にも悩まされている。

不安を強くする食べ物

ここからは、不安を鎮めるのに有効な食事法を見ていく。まずは、食卓にのせるべきでない食べ物に注目しよう。

ウェスタン食

ウェスタン食と聞くと、カウボーイがキャンプファイアで肉を焼いているイメージが浮かんだかもしれないが、そのイメージはあながち間違いではない。ここでは標準的なアメリカの食べ物のことをウェスタン食と呼ぶ。典型的なウェスタン食といえばやはりファストフードだ。その主成分は質の悪い脂肪（飽和脂肪酸、トランス脂肪、揚げ油として広く使われている植物油などの不健康な多価不飽和脂肪酸）と高ＧＩ炭水化物。つまり、揚げ物、（おもに高果糖液糖で甘くした）甘味飲料、大量の赤身肉が中心の食事だ。この食事法は体にもメンタルヘルスにも間違いなくネガティブに作用する。

数多くの動物実験が、高脂肪・高炭水化物食が不安を高めることを示唆している。例えば、神経学者のソフィー・デュテイユらが二〇一六年に、脂肪を多く摂取したラットは糖尿病と不安症にかかりやすくなることを実証した[注15]。二〇一七年には別の研究チームが、飽和脂肪と果糖に富む食事でラットの不安行動が増えることを確認した[注16]。また、マウスを使った実験で、低カロリー食で不安が減り、脳内の血流が増える事実も観察されている［注17］。

人間でも同じような発見がなされていて、いくつかの研究が高炭水化物食が肥満と不安につながることを示唆している［注18］。高脂肪・高炭水化物食が脳にどのような化学変化を引き起こし、不安を発生させるのか、非常に複雑なため正確なことはわかっていないが、おそらく不健康な食べ物が脳内のいくつかの領域でセロトニンの減少を引き起こすのだと考えられる。それが原因で、不安に陥りやすくなるのだ［注19］。ただし、実際にはもっと複雑で、遺伝や化学物質などほかの要素も関連しているに違いない［注20］。したがって、たくさんの要素のなかで、セロトニンの量が大きな役割を果たす、と覚えておけばいいだろう。ここで最も注目すべきは、高脂肪・高炭水化物食が脳の化学物質に作用して不安を引き起こすことがある、という点だ。

体重の増加、あるいは肥満のおもな原因になるという事実も、ウェスタン食を避けるべき理由の一つだ。ある研究によると、肥満の人は気分障害や不安症になる可能性が二五パーセントも高まる［注21］。また、不安から来る慢性のストレスにより、内臓脂肪（腹部の臓器まわりにたまる脂肪）、二型糖尿病、そのほかの代謝性障害も増える［注22］。

肥満になれば腸内の細菌にも変化が生じ、それが不安につながる。ただし動物実験を見る限り、肥満そのものが直接不安を引き起こしているわけではないようだ。例えば、肥満のマウスが特に不安症を示すことはなかった。しかし、高脂肪食の人の腸内細菌を正常な体重のマウスに移植すると、マウスは肥満ではないのに不安症を発症した［注23］。

この事実は、肥満そのものではなく、肥満により変性した腸内細菌が不安を強めると考える強力な証拠だと言える。

あなたが不安症に苦しんでいるなら、減量をするために脂肪や炭水化物を減らすのは間違ったことではない。しかし、やりすぎないように注意することも大切だ。私の患者にはとても小食――一日に八〇〇カロリー未満――なのに不安を訴える人もいる。パニック障害や全般性不安障害を抱える人は、食べるのを忘れて血糖値が激減すると、重い不安症状に陥ることもあるのだ。

健康な体重を保つには、第二章で紹介した地中海式摂食パターンに従えばいいだろう。大切なのは質の高い単価不飽和脂肪酸と多価不飽和脂肪酸（特にオメガ3類）をじゅうぶんに摂取すること。低ＧＩの炭水化物も食べていい。何より重要なのは、食べる量を抑えて摂取カロリーを適度に保つことと、質の悪い脂肪（トランス脂肪や飽和脂肪）と高ＧＩ炭水化物（精粉や砂糖）の量を厳格に制限することの二点だ。

ウェスタン食が不安症を引き起こした例として、私の患者のヘレンを見てみよう。ヘレンは穏やかな人だったのだが、妊娠してからパニック発作に苦しめられるようになった。何の前触れもなく、鼓動が激しくなって息が上がり、汗をかき、めまいがするので座らずにいられない。気分が落ち着いたあとも、いつパニックが起こるかと思うと怖くてしかたがない。

食事について尋ねると、ヘレンは妊娠する前は朝食にシリアルを、昼食にはサラダを、夕食には野菜といっしょに魚、鶏《とり》、またはその他の肉を食べていたと答えた。ときどき、ハンバーガーやパスタ、あるいはデザートを楽しむこともあったが、全体的に見ると、比較的健康な食事だったようだ。ところが妊娠してからは、コチュジャンとカルビに首ったけになった。

コチュジャンを口にしたことがある人には、彼女が夢中になった理由がわかるだろう。コチュジャンはスパイシーで甘くてピリッと辛く、ほとんどどんなものにも合う。しかし残念なことに、何につけてもおいしいからといって、体にいいとは限らない。コチュジャンにもさまざまな種類があるが、ヘレンが口にしていたものには米粉、小麦粉、コーンシロップ、大量の砂糖が含まれていた。どれも多く食べるべきでない素材だ。ヘレンはこのソースをカルビに塗って食べていた。カルビの七一パーセントは脂肪なので、彼女の食の質はかなり低かったと言える。

貧しい食事がパニック発作のおもな原因だった。それだけではない。彼女のおなかの赤ちゃんのメンタルヘルスも危険にさらしていた。動物実験を通じて、母親が脂肪分の多いものを食べていると、子の生理機能にも変化が現れることが確認されている。例えば、二〇一二年にダリア・ペレク＝ライプシュタイン率いる研究チームが、母親が高脂肪食を摂取していたラットは不安になりやすいと報告している［注24］。人間でも、疫学研究を通じて、母親の肥満と子供の不安やそのほかの精神症状の関連が確認されている。妊娠期に肥満の母親が炎症を起こし、それが胎児の脳の発達に悪影響を及ぼすためだと考えられる。

ヘレンの場合、妊娠中とはいえ、正常な範囲を超えて体重が増えていたので、食生活の大幅な改善が必要だった。コチュジャンとカルビを断って野菜と健康な脂肪を中心にした食生活に戻したところ、彼女のパニック発作は和らぎ、赤ん坊も無事に生まれてきた。

カフェイン

カフェインは現代社会を生き抜くのに欠かせない要素のように思えるが、とりすぎは不安症を誘発あるいは悪化させる。カフェインは脅威を処理する脳領域を過剰に刺激する。二〇一一年に行われた心理実験で、十四人の健康な男性被験者に二五〇ミリグラムのカフェインまたはプラセボのカプセルを投与した[注25]。その後、被験者に怒った顔や普通の顔などの表情を見せると同時に、さまざまな脳領域の血流を調べた。その結果、中脳中心灰白質《かいはくしつ》と呼ばれ、通常は肉食獣のような脅威が迫ってきているときに活性化される脳領域がカフェインの影響で活発になる事実が発見された[注26]。さらにやっかいなことに、カフェインは不安の調節をつかさどる脳領域をシャットダウンしたのである。

もしあなたが不安を抱えているのなら、カフェインの量を減らすことは検討したほうがいいだろう。その際、時間をかけてゆっくりと減らすこと。急にカフェインを断絶すると、それが引き金になって強いパニック発作や不安症が生じることがある。私もそのような患者を何人か知っている。

では、どの程度の量までなら、カフェインは問題にならないのだろうか？　数多くの研究から、一日一〇〇ミリグラムまでなら、カフェインが不安を促すことはほとんどあるいはまったくないと考えられる［注27］。一日一〇〇ミリグラムから四〇〇ミリグラムの場合、見解は一致していない。九つの研究では不安への影響は確認できなかったが、十二の研究では不安が明らかに促されたという結果が出ている。一日の摂取量が四〇〇ミリグラムを超えた場合は、ほとんどの研究が、不安が大幅に増えると示唆している。

つまり、一日に四〇〇ミリグラムを超えないように最善を尽くそう、ということだ。具体的には、スターバックスの「ベンティ」サイズ（約五九〇ミリリットル）のコーヒーだと、一杯で一日の許容量を超えてしまう（カフェイン四七五ミリグラム）ので、小さめのサイズを選ばなければならない。一方、ネスプレッソのカプセルは一杯約三〇ミリリットルで、カフェインが五〇ミリグラムから八〇ミリグラムしか含まれていないので、カフェイン量を抑えながら一日に数回コーヒーを飲みたいのなら、こちらのほうが適している［注28］。もちろん、カフェインは減らしたいけれどコーヒーの味が恋しくてたまらないというのなら、カフェインレスのコーヒーに切り替えればいい。ただし、カフェインレスコーヒーといえども、少量のカフェインが含まれていることに注意。

アルコール

私のもとを訪れる人の多くは、ストレスに満ちた生活を送っている。彼らの多くは

「よく働き、よく遊ぶ」をモットーにしているので、週末にはアルコールを大量に飲んでストレスを発散しようとする。飲酒によってその時間はリラックスできるかもしれないが、翌日に楽しみの代償を払うことになる。罪悪感にさいなまれて目を覚まし、体が震え、全身を脱ぎ捨てたくなるような感覚に襲われる。どれも軽度から中度のアルコール禁断症状だ。しかも、不安症を抱える人が定期的にアルコールを飲むと睡眠が損なわれることが知られている[注29]。ちなみに、アメリカの〝予防可能な〟死因としては、アルコール――およびその飲みすぎ――の率が非常に高いと言われている。したがって、アルコールがもたらす〝リラックス効果〟には多大な犠牲がともなっていると言わざるをえない[注30]。社会不安障害を患っている人は、特に悪循環に陥りやすい。社会との関係で不安を覚える人は、〝酔った勢い〟で人間関係を改善しようとする。酒の力を借りれば社交的になれる気がするからだろうが、それにより問題は悪化する。社会不安がアルコール依存症の発症リスクを四倍以上に高めるのだ[注31]。

一般的に、男性の場合は週に十五杯以上、または毎月最低一回は一日で五杯以上飲む人、女性では毎週八杯、または一日に四杯以上飲む人が、ヘビードリンカーとみなされる[注32]。しかし、アルコールをたくさん飲んだときの（脳の）反応は人それぞれだ。アルコールを飲む不安症患者を相手にするとき、私は必ずどんなときにアルコールに手を出してしまうかをよく考え、飲む量を減らすことを検討するように促す。もちろん、アルコール依存症の兆候を示す患者の場合、アルコールの離脱が不安を強める可能性があることも忘れてはならない。精神科医または主治医の指示のもとで禁断症状を安全に管理しながらアルコールを断つ計画を立てて、断酒を実践することが重要だ。

グルテン

レックスは四十五歳、人生を前向きに楽しむ電気技師だ。私のところに来たのは、パニック発作が出はじめ、特に人前に立つとひどくなったからだ。前触れもなく動悸《どうき》が激しくなり、息が上がり、気を失いそうになる。甲状腺ホルモンの亢進《こうしん》や原発性の心疾患など、医学的な原因が不安症を引き起こしているのではないことがわかったので、私はレックスに抗不安薬を投与することにした。しかし残念なことに、薬では症状がわずかしか改善しなかった。

米国独立記念日の直後、レックスは私のもとを訪れた。記念日をどう過ごしたか尋ねると、家族や友人といっしょに過ごしていたにもかかわらず、不安に陥る瞬間が何度もあったと言う。何を食べたか尋ねると、ソーセージとベイクドビーンズ、そしてケチャップをかけたホットドッグと答えた。飲み物はウオッカ。そこまで聞いたとき、私は彼が挙げたすべてにグルテンが含まれていることに気づいた。そこで彼を消化器専門医に紹介したところ、数週間後に、レックスは無症状のセリアック病であると診断された。グルテンを含む食品を口にするのをやめた日から、レックスの気分は軽くなりはじめ、五カ月後には不安はなくなっていた。

食生活をグルテンフリー（無グルテン食）にすることはレックスにとっては正しい選択だったが、セリアック病患者の不安に関する研究を全体として眺めると、話は少し複雑になる。ドナルド・スミスが二〇一一年にセリアック病患者はそうでない人よりも不安症を発症する確率が高くなるのか、メタ分析を行って調べてみた［注33］。研究チームは健康な成人に比べてセリアック病患者のほうが不安症が頻繁に発症することも、症状が重くなることもないと結論づけた。しかしその一方では、グルテンフリーの食事に切り替えて一年で、セリアック病患者の不安が減ったとする研究結果も公表されている［注34］。セリアック病の男性に比べて、女性のほうがグルテンフリーにしても不安が減りにくいことを示す研究も存在する［注35］。

グルテンに過敏な人が必ずセリアック病になるわけでもないし、セリアック病を患っている人でも、脳への影響は一様ではない［注36］。しかし、もしあなたが不安症に悩んでいるのなら、セリアック病の検査をしてみることをお勧めする。検査はしなくても、しばらくのあいだグルテンを含まない食品に切り替えて、不安症状が軽くなるか確かめてみるのもいいだろう。私の患者の場合、グルテンフリー食を試してみた人はかなり早い時期に不安症に変化が現れたので、グルテンフリー食を続けるようになった。

人工甘味料

栄養のない人工甘味料を使うと、腸内で悪玉菌が増えて気分や不安に悪影響が出ることがある。研究を通じて、アスパルテームのような甘味料は不安と直接関連していることがわかっているので、完全に避けるか、できるだけ控えめに使うこと［注37］。

不安を和らげる食べ物

不安を和らげるのに役立つ食品を食事に取り入れよう。

食物繊維

二〇一八年、アンドリュー・テイラーとハンナ・ホルシャーが食物繊維に富む食事が鬱《うつ》と不安とストレスのリスクを下げる事実を発見した［注38］。食物繊維とは幅広い分類で、人間の消化酵素では消化できない成分全般を指している。しかし、人間の腸が分解できなくても、一部の腸内細菌にはできるのである。細菌によって分解される食物繊維は、「発酵性」であると定義されている。発酵性食物繊維は腸内の〝いい〟細菌、いわゆる善玉菌の増殖を促す。例えば、食物繊維が特定の小さな糖分子に分解されると、善玉菌のビフィズス菌とラクトバシラスが増え、それらが脳の経路と神経伝達を活性化するので、不安が和らいで気分が向上する［注39］。

食物繊維はさまざまな作用を通じて体重の維持にも役立つ。繊維質の食べ物はよく噛《か》まないと飲み込めないため、早食いができない。そのため満腹感も得られやすい。少ないカロリーで胃を満たすので、食べすぎることなく満足できるうえ、胃と小腸を通過するのにも時間がかかるため、満腹感が長続きする[注40]。

加えて、食物繊維には脳も含め、全身の炎症を抑える働きもある。不安症患者では脳(と体)の炎症のリスクが高まることを示す有力なエビデンスが見つかっている[注41]。二〇一六年、ヴァシリキ・ミコポウロスらが不安症患者では炎症を示すバイオマーカーの濃度が上昇する事実を見つけた[注42]。脳内の炎症は不安と関連する領域(扁桃体など)に影響を及ぼすので、食物繊維が脳と体の炎症反応を和らげる役に立つ[注43]。

優れた食物繊維源として、豆類、玄米、ベリー類、麦ふすまを挙げることができる。ふすまと果物を朝食の、玄米と豆を昼食の中心にするだけで、上記のうち四種を摂取できる。

ほかにも、洋ナシ、リンゴ、バナナ、ブロッコリー、芽キャベツ、ニンジン、アーティチョーク、アーモンド、クルミ、アマランサス、オーツ麦、ソバ、丸麦などが高繊維食に数えられる。

オメガ3類

第二章でオメガ3類に鬱病を追い払う力がある可能性が高いことはすでに説明したが、オメガ3類は不安の克服でもとても重要になる。

二〇一一年、ジャニス・キーコルト＝グレーザーらが六十八人の医学生を対象に、オメガ3類の作用をテストしてみた。ストレスの少ない時期と試験直前の二回に分けて、医学生の不安レベルを測ったのだ[注44]。すると、オメガ3類を多く与えられたグループは、与えられなかった比較対照グループよりも不安が二〇パーセント少ないことがわかった。また、体内の炎症も（インターロイキン6と呼ばれる炎症マーカーを計測したところ）オメガ3を多く得たグループのほうが一四パーセント少なかった。

二〇一八年の研究では、オメガ3脂肪酸の一種であるエイコサペンタエン酸を多く摂取する人ほど、不安になりにくいこともわかった。同じ研究で、オメガ3類に対してオメガ6類の比率が増えれば増えるほど、不安のレベルが高まることも確認された。また二〇一八年には、十一カ国における合計二千二百四十人の被験者を対象にした十九の臨床試験を総括するメタ分析が行われ、オメガ3類が不安症状を軽くすることも明らかになった[注45]。

不安が減るのは、オメガ3類が抗炎症作用と神経化学作用を通じて脳に働きかけるからだと考えられている[注46]。もう一つの可能性として、オメガ3類は脳のドーパミン経路を介して有効作用を発揮しているとも考えられる。脳が炎症を起こすと、炎症マーカーであるインターロイキン1が側坐《そくざ》核《かく》におけるドーパミン濃度を高める。側坐核とは、不安に関係する脳細胞の集まりのことだ。いくつかの研究で、動物でも人間でも、オメガ3類が側坐核のドーパミンを抑制することが確かめられた[注47]。

私がオメガ3類のすごい力を初めて目の当たりにしたのは、アンバーという二十三歳の女性に対応しているときだった。アンバーは社会不安障害を患っていて、ミーティングやプレゼンテーション、人が集まるイベントなどを避けていた。薬はわずかな効き目しか見せなかった。しかし、単純にオメガ3を多く含む魚介類を増やし、オメガ6を減らしてオメガ3と6の比率を理想に近づける（第二章を参照）ために植物油からキャノーラ油に切り替えたことで、彼女の世界は一変した。変化を取り入れてから三カ月もたたないうちに、不安症状が明らかに改善したのである。

熟成・発酵食品

活性菌入りのヨーグルトやキムチのような発酵食品には生きた細菌が豊富に含まれていて、摂取すると脳機能を健全に保って不安を減らしてくれる[注48]。また、発酵食品は脳にもいくつかの利点をもたらすと考えられる。いくつかの研究を通じて、発酵食品が人の認知機能を改善することも知られている[注49]。四十五の研究を再調査したところ、発酵食品が動物の脳を保護し、記憶を改善し、認知機能の低下を緩やかにする働きをもつ可能性も見つかった[注50]。詳しい仕組みはまだ明らかではないが、発酵食品には次の三つの作用もあると考えられる。一、腸内細菌の化学副産物と生物活性ペプチドが神経系を保護する。二、腸内細菌を変化させ、HPA軸を通じたストレス反応を抑制する。三、脳由来神経栄養因子、ガンマアミノ酪酸、セロトニンなどといった神経伝達物質や〝脳組織の構成要素〟が増える。

二〇一五年、マシュー・ヒリマイアを中心とした研究チームが七百十人を相手に、発酵食品の消費と社会不安および神経質な性格に関するアンケートを行った［注51］。医学論文では、神経質な人は普通の人に比べて怒りっぽくて、不安を感じやすく、自意識が過剰で、イライラしていて、感情が不安定で、鬱になりやすいとされている［注52］。また、神経症は両親から受け継ぐ基本的な性格だとも考えられている。しかし、ヒリマイアの研究で、頻繁に発酵食品を食べることで、神経症患者における社会不安の症状が軽くなることが確認されたのだ。以前に行われたほかの研究と照らし合わせた場合、プロバイオティクスを含む発酵食品に、遺伝的にリスクの高い人々において社会不安症状を和らげる効果があると予想できる。

プロバイオティクスに富むヨーグルトが、あなたの食生活で大きな力を発揮できるということだ。ただし、加熱処理されたヨーグルトには、有益な細菌は残っていない。また、砂糖が加えられていないヨーグルトを選ぶこと。

すでに紹介したヘレン――コチュジャンとカルビに心を奪われた患者――に、私は一つだけ食べつづけてもいいと言った食品がある。韓国風の白菜のおいしい漬物、そうキムチだ。キムチは乳酸菌で発酵させた白菜でできている。ケフィアやザウアークラウトと同じで、キムチも社会的不安を減らすことができる発酵食品だ。

ほかの発酵食品としては、コンブチャ、味噌《みそ》、テンペ、リンゴ酢を挙げることができる。もちろん、ニンジン、カリフラワー、大根、ブロッコリーなどの野菜を発酵させることもできる。第一一章では、オクラのピクルスとサツマイモの味噌焼きを紹介している。

トリプトファン

アミノ酸についてよく知らなくても、「トリプトファン」という言葉は耳にしたことがあるのではないだろうか。毎年、感謝祭の定番の豪華な七面鳥料理を楽しんでいると、「七面鳥に含まれるトリプトファンのせいで食後に眠くなってしまう」などと言う人が必ず現れる。

しかし、医学の専門家にとっては、トリプトファンは使い古された祭日の雑学以上の存在だ。学者は、トリプトファンはセロトニンの前駆体なので、トリプトファンに富むものを食べれば不安になった脳で減ったセロトニンの量が増えるはずだと考えた。そこで動物実験を行ったところ、トリプトファンが不安を増やしたり減らしたりする脳領域に到達することが確認された[注53]。人間の場合、精製されたトリプトファンのサプリメントを飲めば、脳内のセロトニンが増加する[注54]。

二〇一四年、グレンダ・リンドセスらが、四日間にわたる高トリプトファン食が被験者の不安レベルをどう変化させるかを調べる目的で実験を行った[注55]。二十五人の健常者に、二種類の食事を与える。最初は体重一キロにつき五ミリグラム（アメリカにおける現在の摂取推奨量）のトリプトファンが含まれる食事を四日間。それから二週間の休憩を挟んでから、二種類目の食事として、二倍のトリプトファンを含む食品を四日間。予想通り、トリプトファンを多く含む食品を食べた被験者は、憂鬱やイライラ、あるいは不安が明らかに減った。

不安を追い払うために毎日七面鳥を食べようと思ったかもしれないが、その前に一つ聞いてほしいことがある。純粋なトリプトファンサプリは脳内のセロトニンを増やすが、食品に含まれるトリプトファンはセロトニンを増やさないのだ[注56]。トリプトファンはタンパク質のなかで最も量の少ないアミノ酸なので体内にはトリプトファン専用の輸送経路が存在しない。だから、ほかのアミノ酸を運ぶための輸送経路を通って脳に入るのだが、食事を通じてタンパク質を摂取したあとは、ほかのアミノ酸の輸送が優先されるため、経路から閉め出されて脳に入れないのだ。

もしそれが本当なら、リンドセスの実験の結果はどう説明できるのだろうか？　タンパク質といっしょに炭水化物を食べると、脳が利用できるトリプトファンの量が増えることを示す一連のエビデンスが見つかっている[注57]。炭水化物（感謝祭ディナーのマッシュポテトなど）を摂取すると、体がインスリンを放出する。インスリンはほかのアミノ酸を筋肉に取り込むが、トリプトファンには手を出さない。その結果、トリプトファンが脳に入れるようになる。

この説明は筋が通っていると思えるが、一部の専門家は疑問を呈している。したがって、あなたがトリプトファンの量を増やすことを検討しているのなら、サプリメントを利用するのが賢明だろう。ある研究では、たった十五日間だけ純粋なトリプトファンを摂取することで、（特に男性で）機嫌も気分もよくなることが示唆されている［注58］。

感謝祭ディナーのトリプトファンにどれほどの効果があるのかは議論の余地があるが、ほかにも意外なところにトリプトファンが潜んでいる。例えばヒヨコ豆。ヒヨコ豆のことをプロザックの祖先と呼ぶ人もいるほどだ。トリプトファンを確実に吸収するために、ヒヨコ豆をフムスにしたうえで、炭水化物として全粒粉のピタ（丸パン）と組み合わせるのがいいだろう。朝食や間食として、全粒粉トーストにアボカドフムスを塗って食べるのもいい（レシピは316ページ）。

ビタミンD

研究を通じて、鬱や不安に悩む成人は血中のビタミンDが少ないことが実証されている。二〇一九年、シアヴァシュ・ファゼリアンらが糖尿病およびビタミンD欠乏症を患う五十一人の女性にビタミンD剤を二週間ごとに投与し、不安レベルがどう推移するかを調査した［注59］。十六週間後にプラセボを服用した人々と比べてみると、ビタミンD剤を服用した人は明らかに不安が減っていた。鬱と不安に悩む八千人以上を対象に、微量栄養素治療の一環としてビタミンDの投与も行われたほかの調査を通じても、ビタミンDレベルを高く保つことが不安への対抗策として有効であることが確認されている。

次第に、ビタミンDは血液脳関門を通って脳細胞に入る「神経ステロイド」の一種とみなされ、人体に欠かせないものと考えられるようになった［注60］。脳内のビタミンDは細胞の炎症や毒による破壊を抑え、神経成長因子の放出を制御する。神経成長因子とは海馬と皮質のニューロンの生存に欠かせない大切な物質だ。海馬はストレスが存在するときにHPA軸（視床下部－下垂体－副腎軸）にフィードバックを返す大切な役割を担っていて、扁桃体とも密接に関連している［注61］。皮質も、不安やストレスに対する反応に関与している。つまり、これらの領域に異常があると不安につながるのだが、ビタミンDが組織を保護する重要な役割を果たしているのだ。

体内のビタミンDのおよそ八〇パーセントは、肌を日光に当てることで生じたものだ。ここで重要なのは、窓から差し込んでくる光は直射日光と同じではないという点だ。窓ガラスが紫外線B波をすべて吸収してしまうのだ。現在のライフスタイルは屋内での活動が主流になっているので、肌に直射日光があたることが少ない。そのため、ビタミンD欠乏症が全世界で蔓延《まんえん》している［注62］。

日光以外のビタミンDの供給源としては、ビタミンDを強化した牛乳をはじめとして、卵黄、サーモン、天日干しにしたキノコ類、タラ肝油を挙げることができる。厳格なビーガン食を実践している人はビタミンDが不足する可能性が高いので、食事にできるだけ多くのビタミンDを含めることや、じゅうぶんな日光を浴びることを、普段から心がけなければならない。

ほかのビタミン

脳の健康にとって欠かせないビタミンは、ビタミンDだけではない。一連のビタミンがなければ、細胞は呼吸することも生存することもできない。活力に満ちた生活や優れた気分を保つのに欠かせない数多くの化学反応で、ビタミンが中心的な役割を担っている。神経伝達物質の形成や合成、あるいは脳脂質の代謝に不可欠だし、脳を毒素から守り、免疫力を高め、不安を左右する数多くの化学物質を調節する働きももっている[注63]。

三十五歳のアダムは重度の不安症と過食に悩んでいた。平日は普通の食事でやっていけるのだが、週末に酔っぱらって家に帰ると、ポップコーン、クッキー、アイスクリームなどをむさぼるように食べてしまうのである。そうこうするうちに、慢性疲労、不眠症、悪夢、鬱、不安の悪化、頻繁な頭痛、吐き気や嘔吐《おうと》、下痢、腹痛などの症状がひどくなっていった。一連の医学検査をやってみたが、症状の原因はわからなかった。しかし、彼の不安症は過食や深酒と関連していることから、チアミンとも呼ばれるビタミンB1が不足しているのではないかと疑われた。そこで私はセラピーに加えて、規則的にチアミンを摂取するよう指導したのである。すると六カ月後までに、ときどき飲みすぎることはあったが、症状は劇的に改善した。

最大二五〇ミリグラムのチアミンが不安症に効果的であることが証明されている[注64]。動物実験の結果を見る限り、チアミンは海馬の保護作用を通じて、ストレス反応を抑えるようだ[注65]。

ほかのビタミンB類も、それぞれ異なる抗不安作用をもっている。高齢の女性や月経前ストレスに悩む女性の場合、ビタミンB6がよく効く可能性がある［注66］。また、数多くの研究が、ビタミンB複合体が脳の酸化ストレスを和らげ、その結果として不安を減らすと示唆している［注67］。

不安に効くのはビタミンB群だけではない。二〇一二年、抗酸化作用をもつビタミンA、C、そしてEが、全般性不安障害患者の血液にどれぐらい含まれているかを調べる試みが行われた［注68］。すると、三種ビタミンのすべてが不足していることがわかったので、六週間にわたって補給したところ、不安症状が改善したのである。ほかにも、総合ビタミン剤が二十八日間でストレスと不安を減らしたことや、三十日にわたる補給で三百人のストレスが軽減した結果を示す研究も知られている［注69］。二〇一三年に行われたメタ分析でも、総合ビタミン剤のストレス軽減効果が確認されている［注70］。

総合すると、総合ビタミン剤の日常的な服用が不安の克服に役立つと考えられる。

マグネシウム

人間の場合、マグネシウムが欠乏すると、高いレベルの不安が生じる。試験中に不安を覚える人は、尿を通じて普段よりも多くのマグネシウムを排泄《はいせつ》する。結果、体内のマグネシウムが減るので、不安がさらに強くなる［注71］。

二〇一七年、ニール・バーナード・ボイルらが不安に対するマグネシウム補給の効果を調査した[注72]。その結果、不安に対して特に弱くなっているときに、マグネシウムの補給が効果的であることがわかった。おそらく、マグネシウムが脳内における有害なストレス性化学物質の濃度を下げるため、ストレス反応が弱まるのだと考えられる[注73]。

西洋人の食事には、マグネシウムがあまり多く含まれていない。アメリカ人では六八パーセントで、フランス人の中年では七二パーセントで、マグネシウムが足りていない。マグネシウムに富む食品には、アーモンド、ホウレンソウ、カシューナッツ、ピーナッツなどがある。煮た黒豆、枝豆、ピーナツバター、アボカドにも比較的多くのマグネシウムが含まれている。

数多くの研究で、マグネシウムの補給を六週間から十二週間続けることで不安症に変化が現れることが確認されている[注74]。

栄養補助とハーブサプリ

栄養補助食品やハーブサプリのなかにも、不安を抑える働きをもつものがある。二〇一〇年、シャヒーン・ラクハンとカレン・ヴィエイラが、パッションフラワーやカバハーブなどの抽出物とLリジンやLアルギニンなどのアミノ酸を含むハーブサプリが不安を抑制することを示す強力なエビデンスが見つかったと発表した[注75]。パッションフラワーは不安を抑えるガンマアミノ酪酸を増やす。従来の抗不安薬は、医薬品を使った治療ではよくあるように、鎮静作用が強いのだが、パッションフラワーは鎮静作用がそれほど強くない。これは大きな利点になるだろう。また、パッションフラワーは手術後の不安の軽減に特に効果的であることが知られている。

一日に四十五滴のパッションフラワーエキス、または九〇ミリグラムの錠剤でじゅうぶんな効果があるようだ。しかしながら、抗凝血薬（ワルファリンやプラビックス）あるいはモノアミン酸化酵素阻害剤（ＭＡＯＩ）と呼ばれる種類の抗鬱薬（ナルジルやパルネートなど）を常用している人はパッションフラワーを避けたほうがいい。

ほかにも、セレン（ブラジルナッツに含まれる）やカリウムに富む食品（カボチャの種など）、フラボノイド（ダークチョコレートなど）、テアニン（緑茶など）が不安を軽くする[注76]。赤身肉、ラム、テンペ、グルテンミート（セイタン）、レンズ豆、黒豆、キヌアなども役に立つ。一方、小麦ふすまは避けたほうがいい。小麦ふすまには亜鉛の吸収をブロックして不安を引き起こすフィチン酸が含まれている。

不安を減らすスパイスの代表格は、ターメリック（ウコン）だ。ターメリックの有効成分であるクルクミンは不安を減らし、脳内の化学組成を変化させ、海馬を守る。動物実験だけでなく、人間を対象にした三つの試験でも、クルクミンが不安に有効であることが確かめられている[注77]。

ヒナギクに似た花を咲かせるキク科植物のカモミールはハーブとして用いられる。何世紀にもわたり、さまざまな疾患に対する自然薬品として利用されており、いくつかの研究で、不安を軽くする作用も確認されている[注78]。カプセルとして服用することもできるが、お勧めは伝統的なカモミールティーだ。抗凝血薬を使っている場合と、手術を目前に控えている場合を除いて、一日三杯までなら安全だと言える。ただし、妊娠中の女性は、カモミールティーを飲む前に医師に相談すること。

ラベンダーオイルの服用も、いくつかの実験で不安を抑える作用が確認された[注79]。ラベンダーオイルはサプリメントとして入手できるが、ラベンダーティーとして飲んでもいいし、アロマセラピーでラベンダーを使うのもいい。サプリメントを使う場合は、前もって主治医に相談すること。

最後になったが、不安と闘うときに忘れてならないのは水だ。水分補給の大切さについては、今後の調査を通じてさらなる証拠を集めなければならないが、私は個人的に、水分が足りていないことに自分では気づいていない患者で、不安症が悪化したり、強度のパニックが発症したりする現場に遭遇してきた。全般的な健康のためにも、不安を抑えるためにも、水分補給が欠かせないということだろう。

不安になった腸を落ち着かせる方法

私の患者のマリソールは私の指導の下で食生活の改善に熱心に取り組んだ。目的は、不安を追い払う食べ物を増やして、不安を高める食品を排除すること。そしてできあがったレシピは予想を超えるできで、栄養たっぷりなうえに、彼女の家族全員にとってすばらしいものだった。不安が減って睡眠も改善したマリソールは、食事と家族活動の両方の意味で、日々の計画や週の予定を立てられるほど元気になった。異常なまでの心配から解き放たれた彼女は、子供たちと過ごす時間を心から楽しめるようになった。六カ月後、食生活も睡眠も改善し、胃の痛みで目覚めることもなく、落ち着いた生活を送っている。

たとえあなたの不安がマリソールほどではないとしても、次に紹介するガイドラインに従うことで、あなたの心も平静を取り戻して日々の不安から解放されると、私は確信している。

不安対策のカンニングペーパー

［どんどん食べよう］

・**高繊維食品**――豆類、玄米、ベリー類、麦ふすま、洋ナシ、リンゴ、バナナ、ブロッコリー、芽キャベツ、ニンジン、アーティチョーク、アーモンド、クルミ、アマランサス、オーツ麦、ソバ、丸麦。

・**熟成・発酵食品**――ヨーグルト、コンブチャ、味噌、テンペ、リンゴ酢、野菜の漬物。

・**トリプトファン**――七面鳥、ほかの肉類、ヒヨコ豆。炭水化物と組み合わせるのがよい。
・ビタミンD、B1、B6、A、C、E。
・**ミネラル**――マグネシウム、カリウム、セレン。
・**スパイス**――ターメリック。
・**ハーブ**――ラベンダー、パッションフラワー、カモミール。

［できるだけ避けよう］
・**ウェスタン食**――質の悪い脂肪（赤身肉、揚げ物）と高GI炭水化物（精白パン、白米、ジャガイモ、パスタ、そのほか製粉からつくられた食品すべて）。
・**カフェイン**――カフェイン摂取量は一日四〇〇ミリグラムまで。
・**アルコール**――男性は週に十四杯、一日では二杯まで。女性は週七杯、一日は一杯まで。ゆっくりと減らしていくことで、不安が和らぐだろう。
・**グルテン**――セリアック病、非セリアック・グルテン過敏症を患っているのなら、パン、ピザ、パスタなど、すべての小麦食品とアルコール飲料の多くを避けること。
・**人工甘味料**――特に有害なのはアスパルテームだが、サッカリンも避けるべき。使うならスクラロースとステビアの適量を慎重に。

第四章
PTSD――グルタミン酸塩とブルーベリーと〝古き友〟

私の患者にレティシアという弁護士がいる。家庭内暴力の被害に遭った若い女性たちの権利を守るために働いていて、法の専門家としての重圧にさらされるのはもちろんのこと、苦しい人生を歩む女性たちに救いの手を差し伸べるのは心情的にも大変な仕事だ。普段からすさまじいストレスにさらされている彼女が、あるクライアントの自宅を訪問したときに事件は起こった。扉を開けたクライアントの夫が、レティシアの顔を見て怒りを爆発させたのだ。夫は銃を抜き、レティシアの脚に向けて発砲した。

幸いなことに体の傷は癒《い》えたが、クライアントの家を訪問するのが怖くなって、仕事を以前のようにはできなくなった。誰かが待ち伏せしているかもしれないと考えてしまい、自分のオフィスに入るのすら恐ろしい。そんなことはありえないと頭ではわかっていたが、怖さを克服することはできなかった。薬物療法はある程度効いたし、毎週心理セラピーも行ったのだが、症状は消えず、事件の日の記憶が頭から離れなかった。

レティシアのケースは、典型的な「心的外傷後ストレス障害（ＰＴＳＤ）」の例だと言える。ＰＴＳＤを確実かつ迅速に治す方法はまだ見つかっていないが、適した食事と心理セラピーと薬物療法の組み合わせが、症状の改善につながることは知られている。食事が間違っているとＰＴＳＤが悪化し、回復がさらに難しくなることもある。本章では、心の傷《トラウマ》が体と頭にどう影響するのか、ＰＴＳＤ患者が症状を抑えながら、回復の道を歩むにはどうすればいいのか、見ていくことにする。

トラウマと腸

私たちのほとんど誰もが、人生のなかで何らかの形で心に傷を負う。愛する人の死、自然災害、性的暴行、離婚のもつれなどが大きな負担になる。一回きりの出来事の影響か、時間をかけて深まってきたものかに関係なく、トラウマを抱える人は、ＰＴＳＤを発症する恐れがある［注1］。ありがたいことに、ほとんどの人ではトラウマ体験がＰＴＳＤに発展することはない［注2］。しかし、長い時期にわたって繰り返しＰＴＳＤに向き合わなければならない人では、話は別だ。そのような人でも最終的には症状がなくなることもあるが、改善するのに十年以上かかることもある［注3］。さらにやっかいなことに、トラウマになる体験をしたあと、数年がたってから急に発症することもある。

レティシアの場合もそうだったように、PTSDにはさまざまな症状がある。例えば、原因となった出来事を何度も思い出してしまう人もいるし、夢にうなされる人もいる。騒音などに過剰に反応して、恐怖におののく患者も少なくない。これらの症状は、扁桃体《へんとうたい》の過剰な活性と前頭皮質および海馬の不活性と関連していることが確認されている。どれも恐怖反応とトラウマ処理と記憶に直結している脳領域だ。脳内の恐れの回路と記憶の回路が有害な形で互いに干渉し、脳がトラウマになった出来事を何度も追体験してしまうのが、発症の基本的な形だ［注4］。

不快な状況が視床下部－下垂体－副腎軸《ふくじんじく》（HPA軸）を介して脳の〝闘争・逃走系〟を活性化すると、本能的に身体が最善の形でストレスに対処しようとする。しかしPTSDがトラウマの瞬間を何度も何度も追体験させると、HPA軸に絶え間ない混乱が生じてしまう。すでに見てきたように、HPA軸は腸と脳を結ぶ経路の一つだ。そのため、トラウマは腸にも影響する［注5］。実際のところ、本書で扱うすべての精神的な疾患のなかで、心と体の関係が最も色濃く出るのがPTSDだと言える。トラウマ体験の繰り返しが繊細な組織を消耗させてしまうのだ［注6］。胃潰瘍《いかいよう》、胆嚢疾患《たんのうしっかん》、腸障害など、PTSDはさまざまな身体的な症状を引き起こす。例えば、PTSD患者はそうでない人よりも過敏性腸症候群を発症しやすいことが、八つの研究を対象にした二〇一八年のメタ分析を通じて確認されている［注7］。かつて、これらの身体的な症状は、感情が正常ではなくなった影響で生じた想像の産物だと考えられていた。しかし、PTSDが実際に体に影響することは研究が示しているし、私の患者にも当てはまる。

ほかの精神障害との関係で見てきたのと同じで、腸内細菌を健康に繁栄させることが、トラウマに対処するときも重要な鍵《かぎ》になる。心に傷を負ったマウスに正常な腸に見られる二種類の細菌――ラクトバシラス・ラムノサスとビフィドバクテリアム・ロンガム――を与えると、そのマウスは穏やかになる[注8]。そして、そのように腸内細菌を変えると、脳内化学物質にも変化が現れるのだ。特に、脳由来神経栄養因子とN－メチル－D－アスパラギン酸受容体の発現量が増え、その結果、脳の成長と順応性をつかさどる受容体が、再び正常に機能できるようになる。

腸内細菌はトラウマの有害な力を吸収するクッションのようなものだ。腸内細菌叢《さいきんそう》が健康に繁栄していれば、あなたの体は適切に反応できるようになる。

ＰＴＳＤと〝古き友〟

二〇一七年、シアン・ヘミングス率いる研究チームが、トラウマを体験した人々の腸内細菌は、彼らが実際にＰＴＳＤを発症したかどうかに関係なく、とても似通っている事実を発見した[注9]。しかし、そこにはごくわずかな違いがあって、ＰＴＳＤ患者のほうが放線菌門、レンティスファエラ門、ウェルコミクロビウム門の細菌が少ないのである。この三種の細菌は、以前から人類の〝旧友〟とみなされてきた種類だ。

過去の社会では、人はアレルギーやぜんそくなどの炎症性疾患から私たちを守ってくれる有益な細菌（旧友）を増やす生活習慣を身につけていた、と考えるのがいわゆる「旧友説」だ[注10]。ところが社会の都市化が進むにつれ、人は土や動物、自然環境とふれあうことが減ったため、そのような友好的な細菌も減ってしまい、結果としてさまざまな炎症性疾患が広がったのだ（この基本的な考え方は「衛生仮説」と呼ばれている）[注11]。そのような形で蔓延《まんえん》した疾患のうち、おそらく最もやっかいなのが精神障害だ。その範疇《はんちゅう》に、不安症やPTSDも含まれる。

体内に旧友菌がいなくなったから、炎症が制御できなくなって脳に悪影響が及び、PTSDにかかりやすくなった。さらには、PTSDがより広範な脳の炎症を引き起こすので、事態が悪化する[注12]。

三種の〝旧友〟たちは脳の回復過程の制御に欠かせないものだ。それらが不在になれば、脳は自分の力だけで心の痛みに立ち向かわなければならなくなって、限界を超えてしまう。

脳内の炎症を抑えることに加えて、旧友菌は腸壁の門番としても働く[注13]。でもストレスが旧友をノックダウンすると、腸と脳のあいだのバリアが効果的に機能しなくなって、数多くの化学変化が生じる（第三章を参照）。その結果、人それぞれの弱さともろさに応じて、鬱病《うつびょう》や不安症やPTSDが発症する。

では、個人のもろさは何によって決まるかというと、食べ物だ。本章の残りの部分では、PTSDを悪化させ、トラウマに対する反応を強くしてしまう食べ物やトラウマの影響に対して腸と脳を強化する食べ物を見ていくことにする。

トラウマを深める食べ物

ＰＴＳＤによくない食生活の例として、もう一度レティシアに登場してもらおう。初めて会ったとき、私は彼女が自分に合った食生活をしていないと感じた。彼女は最近糖尿病と診断されていたこともわかった。仕事と子育てを両立させようとして忙しい日々を送る多くの母親と同じで、レティシアも自分で料理する時間がほとんどなかった。外食することが多く、お気に入りは鶏肉《とりにく》専門のファストフード店「チックフィレイ」。少なくとも週に三回はチックフィレイのデラックス・サンドイッチ、加えて大サイズのフライドポテトとおよそ六〇〇ミリリットルのダイエット飲料を注文する。

チックフィレイのデラックス・サンドイッチは五〇〇カロリーに過ぎないが、その四一パーセントが脂肪分で、三四パーセントが炭水化物。タンパク質は二五パーセントしかない。大サイズのフライドポテトが四六〇カロリーで、そのうちの九〇パーセントが脂肪と炭水化物だ。合計すればおよそ一〇〇〇カロリー。推奨される量の二倍だ。

レティシアは健康な選択をしていないことを自覚していたが、気軽で満足感も高いお決まりのパターンから離れられずにいた。私は彼女のＰＴＳＤも貧しい食生活の原因になっていると考えた。トラウマがなければ、より健康な選択について考えるだけの余裕が脳にあるはずだからだ。しかし、恐れや苦しい記憶に追い詰められた脳が望むのは、ほんのつかの間の休息だ。そんなとき、ファストフードとソフトドリンクは鎮静剤のようなもので、逆らいがたいほど快適なのである。

レティシアにとって、チックフィレイを完全に断つのは無理な話だったので、私は彼女にグリルドチキン・サンドイッチに切り替えるように勧めた。三〇〇カロリーで、脂肪分は一七パーセントしかない商品だ。また、フライドポテトは味覚を満足させるために五本までに限り、時間をかけて完全にやめるようにも提案した。六〇〇ミリリットルのダイエット飲料には、一〇〇ミリグラムを超えるカフェインが含まれている。第三章で見たように、カフェインは不安を強くすることがあるので、サイズを三五〇ミリリットルにするか、ダイエット飲料の代わりに炭酸水を飲むようにも伝えた。ただし、一気にカフェインをやめると禁断症状が出て不安がひどくなる恐れがあるので、ソフトドリンクから水への切り替えは時間をかけてゆっくりと行うようにも指導した。

レティシアはさらに、塩とコショウだけで味付けしたロティサリーチキン（回転式オーブンで焼いた丸焼きチキン）を買い、それを家族との食事に取り入れることにした。例えば、半切りにしたロティサリーチキンに蒸したブロッコリーを添えたり、スライスにした胸肉をアーモンドを加えたヘルシーでおいしいグリーンサラダと合わせたり。子供たちが大好きなミカンを加えることもある。チキンが余ったら、レタスで包んでランチにする。家で料理する機会を増やすまでの橋渡しとして、外で買うのではあるが、より健康な方法で調理されたチキンを食事の中心に据えたのだ。不健康な脂肪を減らしながら、生野菜や蒸し野菜から優れた炭水化物を摂取する。

わずか数カ月後、レティシアは不安症状が明らかに減っていることに気づいた。気持ちが落ち着いていて、夜中に恐怖から汗だくになって目を覚ますこともなくなった。朝もすっきりと目覚めることができる。新しい食事法と主治医との頻繁な対話セラピーのおかげで、六カ月が過ぎたころからレティシアは大切な仕事にも集中して取り組めるようになった。トラウマ体験の記憶に縛られることはもうない。

高脂肪食

レティシアのチックフィレイ習慣には、第三章で扱ったウェスタン食の二つの主要な側面が反映されている。高脂肪および高血糖インデックス（高ＧＩ）炭水化物の二点だ。ウェスタン食はＰＴＳＤ患者には特別に有害だ。まず、脂肪の多さがもたらす影響について考えてみよう（念のため指摘しておくが、私が高脂肪食と言う場合、飽和脂肪やトランス脂肪など揚げ物に多い不健全な脂肪に富む食品のことを指していて、オメガ３類やオリーブオイルに含まれる健康な脂質のことではない）。

動物の場合、典型的な高脂肪ウェスタン食を摂取すると、ＰＴＳＤに陥りやすくなる。二〇一六年、プリヤ・カリヤン＝マシヒらがマウスをネコのにおいにさらすという形で

〝トラウマ〟をモデル化し、この事実を証明してみせた［注14］。彼らはマウスを二つのグループに分け、一つのグループには高脂肪のウェスタン食を、もう一つの対照群には低脂肪食を与えた。一週間後、高脂肪食を与えられたマウスは、対照群のマウスよりも不安になりやすいことが確認された。また、高脂肪群では海馬が明らかに萎縮《いしゅく》していた。ほかの研究から、ＰＴＳＤ患者の脳では海馬が萎縮することがすでに観察されている。つまり、高脂肪食はこの現象をさらに悪化させるということだ［注15］。小さくなった海馬はストレスホルモンと脳の恐怖反応に効果的に対処できなくなる。ほかの動物実験でも、高脂肪食とＰＴＳＤのあいだに同様の関係が確認されている［注16］。

人間を相手にした調査では、ＰＴＳＤが代謝に作用して過食や肥満を促すことが知られている［注17］。例えば、ベトナム戦争を経験したアメリカ人男性のじつに八四パーセントが過体重あるいは肥満と分類される。これはほかの人に比べると明らかに高い数字だ［注18］。退役軍人やその家族との交流を通じて、私自身が目の当たりにしている事実でもある。

警察のストレスの専門家として知られる（自らも二十三年にわたりニューヨーク州の警察官だった）ジョン・ヴィオランティを中心としたチームが、二〇〇六年に警察官におけるメタボリック症候群の発生率を調べてみた［注19］。メタボリック症候群とは、心臓病、脳卒中、二型糖尿病のリスクを高めるさまざまな症状の集合体のことだ。症状には血圧の上昇、高血糖、腰回りの贅肉《ぜいにく》、コレステロール値やトリグリセリド値の異常、肥満などが含まれる。調査の結果、軽いＰＴＳＤの警察官に比べて、重いＰＴＳＤに苦しむ警察官のほうが、メタボリック症候群が発生する確率がほぼ三倍も高くなることがわかった。二〇〇七年に行われた同じような研究でも、ヴィクター・ヴィーウェグらがＰＴＳＤを患う男性退役軍人はＰＴＳＤでない退役軍人よりもボディマス指数（ＢＭＩ）が高く、その多くが肥満と呼べるレベルである事実を確認している［注20］。

二〇一六年、エリカ・ウルフらがＰＴＳＤとメタボリック症候群の関連を調べた。この関連が脳にどのように作用するかを知るためだ［注21］。彼らはイラクあるいはアフガニスタンに派遣された経験がある三百四十六人の米軍退役軍人の脳を検査した。特に注目したのは、脳の外層である皮質の厚さがＰＴＳＤやメタボリック症候群と関係しているのか否か、という点だ。調査の結果、メタボリック症候群を発症した人々は皮質が薄くなり、ＰＴＳＤがそのリスクをさらに高めることがわかった。

つまり、ＰＴＳＤ患者はメタボリック症候群になるリスクが高く、脳が老化しやすいのである。高脂肪食を口にすると、短期的には症状が改善するかもしれないが、健康状態は悪化する。軍人として戦争を経験した人を相手にすると、私は彼らが降伏したかのような印象を受ける。戦争のトラウマの影響で、生きる意志が弱くなっているかのようだ。心が記憶や不安に苦しめられるだけでなく、肉体的にも同様に苦しんでいる人がいる。向精神薬の副作用、例えば体重の増加などに苦しむ人も多い。食べ物が心の慰めの一つになっているわけだが、高脂肪食を食べつづけるのは自己破壊に等しい行為で、脳をさまざまな形で傷つけてしまう。

　ＰＴＳＤ患者が食生活を改善するための最善の方法は、気晴らしになる食品を食べてしまうのはそれらの味に病みつきになってしまっているからだと理解し、不安を減らして脳を守るためには、そのような依存症を克服しなければならないと納得することだろう。ＰＴＳＤ患者を相手にするとき、私は彼らに、彼らが普段食べているものに含まれる脂肪を、貴重な脳の灰白質の細いひだや溝を埋めてしまう泥だとみなすようにアドバイスする。それぐらい強烈なイメージをもたせなければ、脂肪を減らす気にならないからだ。

砂糖と高ＧＩ炭水化物

　砂糖と高ＧＩ炭水化物もトラウマを抱える脳に害をなす。二〇一〇年、ベッティーナ・ノヴォトニーらが肥満した十五人のボスニア紛争難民を対象にして、急性の心理ストレスがグルコース（ブドウ糖）の代謝にどう影響するかを調べたところ、ストレスにより食後のコルチゾールと血糖の値が上昇することがわかった［注22］。ほかの調査でも同じ結果が得られ、そこではＰＴＳＤの女性はそうでない女性よりも二型糖尿病になる恐れが二倍高まることも証明された［注23］。いくつかの双生児研究を通じても、人はＰＴＳＤによって二型糖尿病になりやすくなることが確認されている［注24］。実際のところ、ＰＴＳＤと肥満のあいだの関連はあまりにも明らかなので、ＰＴＳＤを糖尿病と同じように代謝障害の一種とみなそうとする研究者も増えているほどだ。レティシアのように糖尿病とPTSDを併発している患者は少なくない。

PTSD患者が糖尿病を併発する可能性が高いという事実があるのだから、ソフトドリンクなど、糖分たっぷりの飲み物が問題になるのは当然のことだ。ところが残念なことに、ジャクリーン・ハースらが三千百八十一人の女性を対象に行った調査の結果を信じるなら、一日に平均して一杯以上のソフトドリンクを飲む人の率は、PTSDを患う女性のほうが高いそうだ[注25]。

血糖値が高くなると、海馬がストレスにうまく対処できなくなる[注26]。つまり、トラウマと闘わなくてはならないときに糖分の多い食品を口にすると、ストレスに対処する脳の力が損なわれてしまいかねないのだ。しかも、すでに第二章で見たように、血糖値を急上昇させるのは甘いものだけではない。ジャガイモ、精白パン、白米などの高GI炭水化物も同じように作用する。GI値が低い食べ物(低GI食)は、血糖値が急上昇するのを防ぐ役に立つ。大切なのは、どの食品がほかの食べ物よりも血糖値を上げるのか、知っておくことだろう。例えば、炭水化物の量を等しくした場合、バナナのほうがリンゴよりも血糖値を上げる。ゆでたサツマイモのほうが、ゆでたニンジンよりも血糖値を上げやすい。

こういった個々の食材の血糖インデックスを知るのは最初のステップとしては重要だが、実際の食事では食材が組み合わされるので、血糖値に対する作用も違ったものになる。例えば二〇一九年にキム・ジョンの研究チームが発見したのだが、高GI食である米も、卵、ごま油、そしてモヤシと交ぜた場合、同じ炭水化物量でもGI値が下がるのだ。おもな炭水化物源として米を主食にしている文化圏にとってはとても重要な発見だ。

実例として、私の患者の一人であるクシャルを見てみよう。クシャルはスリランカ人の医師で、PTSDに苦しんでいた。二〇〇四年、インド洋で地震が発生し、スリランカ南部の海岸を巨大な津波が襲った。三万人近くもの人が命を失う大惨事だった。その後ボストンへ移住したクシャルは、数々の症状を抱えて、私の診察を受けに来た。ほんの些細《ささい》なきっかけで、彼はパニックに陥る。家族を奪った海岸から、できるだけ遠く離れて生活することにこだわっていた。

クシャル自身も医師なのでPTSDに関する知識はある。しかし、薬も心理セラピーもあまり効かなかった。彼が来たとき、私はどのような食生活を送っているのか、詳しく尋ねてみた。そのときわかったのだが、彼は地中海式の食事法を実行しようとして、とても苦労していたのだった。どうして伝統的なスリランカ料理を食べないのかと尋ねると、クシャルはPTSDと糖尿病のあいだに関連があることを知っていて、米を避けているのだと答えた。スリランカ料理は味付けが濃くてスパイシーなので、米がなければおいしくないという。食生活の改善に前向きなのはすばらしいが、彼の場合は、それがうまくいっていないのは明らかだった。

組み合わせると個別の食材のGI値は変わると私が話すと、彼の表情がパッと明るくなった。私は米のような食品も、食物繊維に富む食材や酢あるいは豆や乳製品を足すことで、GI値を下げることができると説明した［注27］。実際に、そのような方法で白米のGI値が二〇パーセントから四〇パーセントも下がることが、ある研究で確認されているのである［注28］。

安心したクシャルは家に帰って、お気に入りのスリランカ料理をつくった。また、玄米も使うようになった。私のレシピを参考にして「カリフラワー・ライス」（341ページ）もつくるようになったので、野菜も増えた。次に私のもとを訪れたときの彼の表情は、本当に明るかった。クシャルは週に二回か三回、郷土料理を食べるようになったのだが、不安やPTSDが次第に軽くなってきたことに、自分でも驚いていた。その後三年にわたって経過を観察したところ、糖尿病の兆候もほかのメタボリック症状も消えてなくなり、体重も安定した。

食材を組み合わせた〝料理〟としてのGI値を知るのは容易なことではないが、個々の食材のGI値を単純に足し算したものではないことは、この例からも明らかだろう。もちろん、食材を組み合わせる場合でも、炭水化物の摂取量に気をつけなくてはならないし、健康な食材を選ぶべきだ。しかし、このクシャルの例は、人の、特にトラウマに苦しむ人の気分にとって、食べ物が非常に重要な役割を果たすという事実を思い出させてくれる。不健康なものは量をほどほどに抑えるという条件付きではあるが、食べ物が自分の体と脳にどう影響するかを理解し、個人の敏感さなどを意識しながら、自分の好きな食べ物を食生活に取り入れてポジティブな効果を期待することは可能だ。

グルタミン酸塩

グルタミン酸塩は千二百年以上も前から、食べ物の風味を高めるために利用されてきた[注29]。グルタミン酸塩は「うまみ」と呼ばれる独特な味のもとで、甘味、酸味、苦味、塩味のどれとも印象が違うため、人間の舌が感知できる五つ目の味覚だと言われている。うまみはさまざまな食材に自然に含まれているが、料理にうまみを加える最も一般的な方法は、調味料としてグルタミン酸ナトリウム（MSG）を加えるやり方だろう。

これまでの長い年月、MSGは有害か否か、という議論が激しく続けられてきた。いくつかの研究は、MSGが腸内の食べ物の消化と代謝を促す可能性を示している[注30]。平均的な大人の場合、一〇グラムのMSGを添加しても、グルタミン酸塩濃度が高まることはない。そのため、専門家の多くは、MSGが危険だとみなす必要はないと考えている[注31]。

しかしながら、敏感な人がMSGをとりすぎると、脳などを害する恐れがある。PTSD患者が特に過剰なグルタミン酸塩にやられやすいようで、脳が炎症を起こしたり、脳細胞が傷ついたりする可能性が高くなる[注32]。グルタミン酸塩は神経を興奮させる物質で、神経細胞内に電気インパルスを発生させる。インパルスが増えすぎると、神経細胞間の接続に乱れが生じるのだ。乱れが特にひどくなるのが海馬と内側前頭前野で、どちらもストレス反応の調節に関係する部位である。

エリザベス・ブランドリーらが二〇一九年に、低グルタミン酸塩食がPTSDに与える影響について報告している［注33］。研究チームは湾岸戦争を経験した退役軍人でPTSDを患っている人々を対象に、彼らの半数には低グルタミン酸塩食を、残りの半数には普通の食事を与えた。すると予備分析の結果が、低グルタミン酸塩食は不安やPTSD症状の緩和に効果的であることを示唆していたのだ。

MSGとほかの種類のグルタミン酸塩は、魚醤《ぎょしょう》、オイスターソース、トマトソース、味噌《みそ》、パルメザンチーズ、甘くないスナック、ポテトチップス、インスタント食品、キノコ、ホウレンソウに多く含まれている。グルタミン酸塩の前駆体であるグルタミン酸は、海藻、チーズ、醤油、発酵豆、トマト、あるいは肉や魚介類などの高タンパク質食品にも含まれている。

ここに挙げた食品のすべてが症状を悪化させると考える必要はないが、PTSDに悩んでいるのなら、これらのいくつかを断ってみて、症状が改善するか確かめてみるのもいいだろう。トラウマを抱えていない人も、グルタミン酸塩を完全になくさなくてもいいが「多すぎも少なすぎもせず、適量に」を心がけるようにしよう。

幸いなことに、食品を制限することだけがトラウマに立ち向かう方法ではない。ここからは、トラウマを負った脳をもとに戻してくれる食品に注目しよう。

ブルーベリー

二〇一六年、フィリップ・エベニーザー率いる研究チームが、前頭前野と海馬にPTSDに起因する炎症とフリーラジカル障害を抱えるラットを用いて、ブルーベリーのもつ抗炎症作用を調べた［注34］。ラットを二つのグループに分けて、一方にはブルーベリーに富む餌を、もう一方の対照群にはブルーベリーを含まない餌を与える。その結果、ブルーベリーを多く含む食べ物では、脳内のセロトニンが増え、フリーラジカルが減って炎症が軽くなった。

同じチームが行った一連の研究の成果を詳しく検証してみると、ブルーベリーの抗炎症作用は一般に考えられているよりもはるかに強くて、人のメンタルヘルスに大いに働きかけることがわかる。研究で使われたPTSD誘発ラットではSKA2遺伝子の発現が明らかに低かった。この遺伝子は、自殺する人で発現量が減ることが知られている。ラットに自殺願望があるか尋ねることはできないが、PTSDで発現量が減るのは偶然だとは考えにくい。しかし、研究者が毎日ブルーベリーに富む餌を与えていると、ブルーベリーのない普通の餌を食べているラットに比べて、血中と脳内のSKA2遺伝子が増えたのだ。

要するに、ブルーベリーは遺伝子の発現低下に働きかけると考えられるのだ。人間でも同じことが言えるのか、確実に知るにはさらなる研究が必要だが、今の食事にブルーベリーを増やすのは造作もないことだろう。おいしいし、しかも健康だ。一日に半カップから一カップをお勧めする。新鮮なブルーベリーはもちろんのこと、砂糖やジュースあるいは防腐剤が添加されていないのであれば、冷凍でも同じ効果が期待できる。

オメガ３脂肪酸

オメガ３類がメンタルヘルスに有益であることはすでに紹介したが、ＰＴＳＤも例外ではない。数多くの研究が、オメガ３類がＰＴＳＤ治療に効果的であることを示している。二〇一九年、ライアリ・アルクラーンらがＰＴＳＤラットを使った実験を行い、オメガ３類が脳、特に海馬を保護する事実を見つけた［注35］。東日本大震災の災害派遣医療チームを対象にして行われた魚油に関する無作為対照試験でも、オメガ３類がＰＴＳＤを軽くすることが確かめられている［注36］。二〇一三年には松岡豊《まつおかゆたか》を中心にした研究チームが、自動車事故でＰＴＳＤを患った三百人を対象に、血中のオメガ３レベルがＰＴＳＤの症状と関連しているか調べたところ、オメガ３類が多い人はＰＴＳＤの程度が低いことが確認できた［注37］。

私の患者では、レスリーがＰＴＳＤ対策としてのオメガ３類の力を証明している。初めて会ったとき、私はレスリーがPTSDに悩んでいることを知らなかったのだが、彼女がずっと不安を抱えていることには気づいた。彼女は、忙しいホテルの厨房《ちゆうぼう》で副コック長として働いていた。そのようなキッチンで働いたことのある人なら、そこがどれほど〝うるさい〟場所か、よくわかっているだろう。鍋《なべ》やフライパンがシュージュージューと音を立て、スタッフたちが大声で叫び合う。皿がテーブルに置かれる音、グラスが落ちて割れる音。そのような環境で働くのが、レスリーには耐えられなくなっていた。騒音が我慢できない。どこかで突然音が鳴ると、すくみ上がってしまう。

でも話しているうちに、私は職場でのストレスだけが問題ではないと感じるようになった。するとレスリーは、八歳から十三歳まで父親から性的に虐待されていたと涙を流して語りはじめた。大学へ行くようになって父親のもとを離れることができたが、父親に逆らったことも、セラピスト以外にこのトラウマ体験について話したこともなかったそうだ。不安を鎮めるために体に悪いものをたくさん食べるようになったので、体重が増えてしまった。週に数回は記憶がよみがえり、悪夢も見るので、よく眠れない。翌日の仕事にも支障が出た。薬とセラピーもある程度は効いたが、完治にはほど遠かった。

レスリーの話には心が痛んだ。性的に虐待される子供の数は、多くの人が考えるよりもはるかに多い［注38］。全世界で、少女の八パーセントから三一パーセント、少年の三パーセントから一七パーセントが性的に虐待され、犠牲者の多くがPTSDを発症する。

食事について質問したところ、レスリーは自分のことを「肉とジャガイモでできている」と答えた。においが嫌いなので魚はめったに食べない、とも。難しいケースだ。なぜなら、彼女にはオメガ3類が必要なことは明らかなのだから。すでに指摘したように、魚こそがオメガ3類のおもな源なのである。

そこで、アマニ油、キャノーラ油、大豆油など植物性の油を勧めることにした。オメガ3類のなかでも特に重要なアルファリノレン酸は枝豆、クルミ、チアシード、ラディッシュシード（大根の種）などから補給することができるが、そのような食材にはエイコサペンタエン酸やドコサヘキサエン酸など、ほかの種類のオメガ3脂肪酸は含まれていないことも伝えた。また、肉は牧草飼育牛の肉を選ぶようにも促した。そのほうが（決して優れた摂取源ではないが）含まれるオメガ3類が多いからだ。卵、牛乳、ヨーグルトなどは、オメガ3類を添加した製品を買うようにも勧めた。

オメガ3脂肪酸を多く摂取するには、次の三つの大原則を覚えておこう。

・魚、特に養殖された脂ののった魚を食べる。
・肉なら、牧草飼育された牛の肉。
・菜食主義者の場合は、有機キャノーラ油を使い、オメガ3類を強化した食品を買い求める。

ビタミンE

第二章で、フリーラジカルが脳に作用して、酸化ストレスを引き起こすと説明した。

フリーラジカルは正常な生理機序でも、ストレスからも、あるいは炎症の影響でも増えることがある。同じように、X線やオゾン、タバコの煙、汚染した大気、工業用化学物質などとの接触でも増える。この点をよく考えてみよう。人はストレスにさらされるたびに、強烈な環境汚染物質にさらされたときと同じように体内の細胞が傷む。慢性のPTSDとは、脳がつねにストレスにさらされているという状態だ。つまり、脳内はフリーラジカルであふれかえっている［注39］。

そんなとき、フリーラジカルに対抗する防衛システムの要《かなめ》になるのがビタミンEだ。二〇一九年、カミラ・パスクイーニ・デ・ソウザたちは、ビタミンEがPTSDマウスの不安レベルを大幅に下げる事実を発見した。おそらくフリーラジカルを減らすのだろう［注40］。また、人間を対象にした調査でも、前向きな結果が得られている。脳に損傷のある患者で、ビタミンEがさらなる損傷を防ぐのに役立つことも、数多くの研究で示されている［注41］。つまり、PTSD患者にビタミンEを勧める強い理由があるということだ。

一日に大さじたった一杯の小麦胚芽《はいが》油で、ビタミンEの必要量を完全にまかなえる。そのほか、ヒマワリの種、ドライロースト・アーモンド、ヘーゼルナッツ、ピーナッツバター、ホウレンソウ、ブロッコリー、生のトマトなどがビタミンEの摂取源になる。

スパイスとサプリメント

イチョウ葉（ギンコビロバ）はイチョウの木からとれる天然製品だ。重要な働きをいくつかもち、その一つがフリーラジカルによる攻撃から細胞を守ることだ[注42]。そのため、ビタミンEと同じように脳を守る力がある。

ジャマール・シャムスの研究チームが、イランのバム市で起こったマグニチュード六・三の地震でPTSDに陥った人々に十二週間にわたってイチョウ葉またはプラセボを与える実験を行った[注43]。その結果、二〇〇ミリグラムのイチョウ葉はプラセボよりも効果的に不安と鬱とPTSDの症状を和らげることがわかった。通常の食品からイチョウ葉の有効成分を摂取することはできないので、サプリメントを利用するしかない。ただし、前もって主治医に相談すること。イチョウ葉は薬局や健康食品店で入手できる。

ここで、おなじみのターメリック（ウコン）を料理に加えて、その有効成分であるクルクミンの力を借りるのもいいだろう。クルクミンを摂取したラットは、恐怖にまつわる記憶が定着することも、思い出すことも少なくなった[注44]。人間のPTSD患者を対象にクルクミンの効力を調べる研究は行われたことがまだないが、これまでの見識から、やってみる価値はあると思える。

ターメリックの効果を得やすくするために、ひとつまみの黒コショウを加えるのを忘れないこと。

食事によるトラウマの克服

どんな患者が相手でも、食事の改善を通じて彼らのメンタルヘルスを強化する手助けができるのは、私にとって充実の瞬間だ。レティシアやクシャルやレスリーのような人々が壊滅的なトラウマを乗り越えることができれば、喜びはさらに大きくなる。苦難に直面しながらも回復する彼らの強さを見ていると、こちらも勇気をもらえる。彼らの脳と心を治す旅のお供ができるのは、本当にありがたいことだ。

人間の脳には苦い経験を克服するすばらしい能力が備わっているが、回復をサポートする手段――健康な食事と頼りがいのある腸の支援――を脳に与えるのを忘れてはならない。

ＰＴＳＤ対策のカンニングペーパー

［どんどん食べよう］

・ブルーベリー――一日半カップから一カップ。
・オメガ３脂肪酸――魚類、特にサーモン、サバ、マグロ、ニシン、イワシなど、脂肪分の多い魚。

・**ビタミン**——E。

・**スパイス**——ターメリック。

・**サプリメント**——イチョウ葉。

[できるだけ避けよう]

・**ウェスタン食**——質の悪い脂肪（赤身肉、揚げ物）と高GI炭水化物（精白パン、白米、ジャガイモ、パスタ、そのほか製粉からつくられた食品すべて）。

・**砂糖**——焼き菓子、キャンディ、ソフトドリンクなど、砂糖や高果糖液糖を添加した飲食料品。

・**MSGなどのグルタミン酸塩とグルタミン酸**——魚醤、オイスターソース、トマトソース、味噌、パルメザンチーズ、甘くないスナック、ポテトチップス、インスタント食品、キノコ、ホウレンソウ、海藻、チーズ、醤油、発酵豆、トマト、肉や魚介類などの高タンパク質食品。これらのいくつかはポジティブな作用をもつ食品としても紹介した。大切なのは、個人の状況に合わせて食事の計画を立てること。

第五章
ADHD——グルテンとミルクカゼインとポリフェノール

サンジャイは三十歳のコンピュータプログラマーで、衰弱するほどの心配性とパニック発作を理由に私のところへやってきた。仕事では問題が絶えず、締め切りも守れなくなった。成果が落ちている理由を尋ねられても、精神的に問題を抱えていることは怖くて打ち明けられない。そのうち欠勤も増えて、状況は悪化するばかりだ。

薬で不安は少し和らいだが、それでも締め切りが迫っているのに仕事を先延ばしにしてしまう。仕事や生活での問題について話し合っているうちに、私はサンジャイが注意欠陥多動性障害（ＡＤＨＤ）を患っているのではないかと疑いはじめた。実際、サンジャイの話を深く掘り下げていくと、彼は高校時代からＡＤＨＤの症状に苦しんでいたと考えられた。教師や学友たちが、彼は頑固で言うことを聞かない、それどころか、知性に欠けているとまで書き記していたのだ。

精神刺激薬（リタリン）の服用と食生活の改善で、サンジャイは最終的に仕事を、そしておそらく自らの命も救うことができた。衝動的にアルコールを飲むのもやめた。落ち込んだり不安になったりすることが減り、世界は再び制御可能になったように思えた。ジャンクフードや加工度の高いファストフードやソフトドリンクの代わりに、自然食品を口にする。職場では仕事に集中でき、チームに欠かせない一員になれた。そして何より、他人から「愚か者」とみなされなくなったことが、サンジャイはうれしかった。

サンジャイのようなケースは珍しいものではない。私たちは今、注意力が絶え間なく攻撃にさらされる時代に生きている。スマートフォンからの通知音、ソーシャルメディア上の終わりなきおしゃべり、仕事や私生活での膨大な量の情報。それらすべてが集中を妨げる。その影響で、脳がまったく健康な人でもイライラが募る。ADHDに悩まされている人がそのような破壊的な日常を送っていると、自分ではどうしようもなくなって、孤立したような気分になる。

ADHDでは注意の欠如、多動性、衝動性などが顕著になるが、実際にはさまざまなタイプの患者が存在する[注1]。学習するのが困難な人もいれば、気分にむらのある人や、不安や反対行動が主症状の人もいる[注2]。ADHDは一般に広まりつつあるようで、二十五人に一人の割合でADHDと診断される。普通は子供のころに発症し（もっと遅くなってから始まることもあるが）、何年も続く。小児期にADHDが発症した人の六五パーセントで、成人になっても症状が残っている[注3]。サンジャイの例で見たように、職場でも、家庭でも、そして社会生活でも、才能が発揮できなくなる[注4]。

投薬や心理セラピーで対処できなくはないが、ADHDを治療するのは多くの場合でとても難しい［注5］。この意味でも、ほかの治療法に食事療法を加えるのが有益だろう。

本書で扱うほかの病気と異なるＡＤＨＤの特徴は、極めて頻繁に子供が診断される点にある。私自身、サンジャイのような成人患者を多く知っているが、実際問題として、ＡＤＨＤは早い時期に定着することが多く、子供たちに数々の困難を突きつける。ＡＤＨＤとよく似た二つの障害——感覚処理障害と自閉症スペクトラム障害——にも同じことが言える。私は成人患者との臨床経験をもとに、本書を執筆した。ここで紹介する研究のいくつかは子供を対象にしているが、私は小児精神科医ではないので、本書においては小児期のＡＤＨＤやほかの疾患については深入りしない。しかしながら、自然で健康な食事の利点は、成人だけでなく子供にも当てはまる。

ＡＤＨＤと腸

ＡＤＨＤを発症すると、脳の各領域間の接続が乱れる。特に顕著なのが、〝考える脳〟こと前頭前野と、報酬行動に関連する脳部位として知られる線条体の接続だ。加えて、脳内化学物質も影響を受け、特に〝報酬〟ホルモンのドーパミンと〝闘争・逃走〟ホルモンのノルアドレナリンの量が変化する［注6］。

ＡＤＨＤが脳内化学物質のバランスの崩れによって引き起こされているのなら、それに腸はどう関わっているのだろうか？　ドーパミンやノルアドレナリンは大きな分子なので、血液脳関門を通過することができない。だから、脳内に閉じ込められている。しかし、それらの材料になる前駆体の分子は通過できる。では、前駆体分子はどこでつくられるのか？　そう、腸だ。

腸内細菌はADHDに大いに影響する。前駆体化学物質の多くを合成するのが腸内細菌なのだ［注7］。腸の多様な細菌種がさまざまな化学物質をつくるので、腸内の細菌に変化が生じれば、脳内の化学的な安定が混乱しかねない［注8］。また、ほかの疾患との関連でも見たように、腸内細菌の多様性が損なわれることが特に大きな問題になる［注9］。

二〇一七年、エスター・アーツ率いる研究チームがADHD患者と健常者における腸内細菌叢《さいきんそう》の違いを調べた［注10］。その結果、対照群と比較した場合、ADHD患者のほうがフェニルアラニンをつくる細菌を多く保有していることがわかった。フェニルアラニンはドーパミンとノルアドレナリンの合成に欠かせない物質だ。

さらに研究チームは、両グループで報酬に対する脳の反応がどう違うかを調べてみた。ADHDの特徴として、報酬に対する期待の低下を挙げることができる。特定の行動をすれば報酬をもらえるとわかっていても、あまり乗り気にならないのである［注11］。脳を調べてみると、予想通りADHD患者では報酬に反応する部位の活性が弱いことがわかった。しかも、報酬に対する反応が弱ければ弱いほど、フェニルアラニンを産生する細菌の数が腸内で増える。研究チームは、ADHD患者は脳の弱まった反応を埋め合わせるためにフェニルアラニンをつくる細菌を増やさざるをえないのだと結論づけた。

ＡＤＨＤでは、精神的に重い症状が出るだけでなく、身体的な症状が生じることもある。二〇一八年に行われた別の調査では、健常者に比べてＡＤＨＤの児童では便秘と膨満が増えることがわかった［注12］。この研究も、ＡＤＨＤ患者における胃腸管障害は腸内細菌叢の変化によるものと結論づけている。

ＡＤＨＤの治療には、適切な薬品と正しい食事を組み合わせる必要がある。集中力を取り戻そうと努力する患者を妨げ、害をなす食品から見ていこう。

ＡＤＨＤを悪化させる食べ物

最近、スージーという大学四年生を診察する機会があった。聡明《そうめい》で熱心な学生だ。本来まじめで明るい性格なのだが、四年生になってから成績が下がりはじめ、気分が落ち込むことも増えていった。胃のむかつきも治まらないが、スージーはその状態を普通として受け入れていた。彼女は子供のころにＡＤＨＤの診断を受けていて、リタリンのおかげでそれまでは勉強に集中することができていたのだが、薬に対する耐性が強くなったのか、効き目が薄くなっているように感じていた。

学生寮での生活が集中を妨げていることが原因だと本人は考えていたが、同時に、以前の成績優秀だった学期と比べても、寮生活には大きな変化がないとも言った。話を続けるうちに、私はスージーの食生活が手軽な食事のほうへ傾いたように思えた。朝食はインスタントのオートミールと牛乳。昼食はだいたいパンやパスタ。一日中、おやつとしてキューブ型のチーズを口にして、夕食には少なくとも週に三回はピザを食べる。

彼女の食事が乳製品とグルテンに偏っていることが明らかだ。そして、そのどちらもADHD症状を悪化させる。

グルテン

第三章では不安症との関連で指摘したが、グルテン過敏症やセリアック病はADHDとも密接に結びついている。二〇〇六年、ヘルムート・ニーダーホーファーとクラウス・ピットシーラーがADHDとセリアック病の関係を調べるために、さまざまな年齢層の人を調査した[注13]。まず被験者のADHD症状を評価してからグルテンを含まない食事を六カ月続け、もう一度検査する。その結果、セリアック病患者はADHDを発症する可能性が高く、グルテンフリーの食事を六カ月続けると症状が改善したことがわかった。

スージーの場合、セリアック病の検査は陰性だったが、セリアック病ではなくてもグルテンに過敏である可能性はある。非セリアック・グルテン過敏症と呼ばれる状態だ[注14]。非セリアック・グルテン過敏症とADHDが本当に関連しているのか、まだ結論は出ていないが、数多くの研究がこの二つの状態のあいだに何らかのつながりがあることを示唆している。第三章で紹介した〝無症状〟のセリアック病患者だったレックスの場合がそうだったように、グルテン過敏症が消化障害を起こさないまま、神経あるいは精神的な症状を引き起こすことがある［注15］。

グルテン過敏症と脳の機能障害がなぜ結びつくのか、正確なことはまだわかっていない。二〇〇五年、パエヴィ・A・ピンネネンらがセリアック病と行動障害を抱える若者を調査したところ、若年セリアック病患者は血中のトリプトファン濃度が明らかに低い事実を発見した［注16］。

その後三カ月間、患者にグルテンフリーの食事をしてもらったところ、三カ月前に比べて患者の精神症状は大幅に減少すると同時に、セリアック病症状とプロラクチン量は明らかに減り、LチロシンとLトリプトファン、そのほかセロトニンのような脳内化学物質の前駆体であるアミノ酸の量は有意に増えていた。そこで研究者たちは、ADHDで発生する行動障害は、グルテンを摂取していると特定の重要なアミノ酸前駆体の量が不足するという事実と部分的に関係していると考えられる、と結論づけた。それが正しいなら、グルテンフリーの食事に切り替えることで、ADHDに関連する神経伝達物質であるセロトニンの前駆体の量を増やせるはずだ。

そこで私は、スージーにグルテンフリーの食事を勧めた。すると彼女はすぐに効果を実感した。最近グルテンフリー食への関心が高まってきているおかげで、グルテンを含まない食品が数多く市販されているので、お気に入りの食品を断念することなくグルテンだけを減らすのは、スージーにも難しいことではなかった。グルテンを避けるようになってから、成績ももとに戻り、予定通り卒業することができた。

乳製品

スージーの食事には、乳製品も多く含まれていた。乳製品をたくさん食べるということは、カゼインを大量に摂取するということだ。ところが、カゼインはＡＤＨＤを悪化させる恐れがある[注17]。カゼインとは、牛乳、チーズ、ヨーグルト、アイスクリームなどの乳製品に含まれるタンパク質の一種なのだが、乳製品の代替品とみなされるコーヒーフレッシュやマーガリンなどにも見つかることがある。

カゼインにもさまざまな種類がある。最も中心になるのはベータカゼインで、ベータカゼインにもＡ１とＡ２と呼ばれる二つの主要なタイプがある。普通の牛乳には両タイプが含まれているが、研究の結果から、Ａ１はＡ２にはない有害な働きをもっていると考えられる。

二〇一五年、孫建琴《スンジヤンキン》率いる研究チームが四十五人の被験者を集めてＡ１およびＡ２乳タンパク質の両方を含む牛乳を飲んでもらい、その後Ａ２タンパク質だけを含む牛乳に切り替えた[注18]。その結果、Ａ１も含む牛乳を飲んでいた時期に胃腸内で頻繁に炎症が起こり、被験者の思考も緩慢で、情報処理テストを行うと間違いが多かったことがわかった。いわばA1タンパク質が思考を濁らせるのであり、そのような状況は特にADHD患者では不利に働く。加えて同研究は、乳糖不耐症は乳糖そのものではなく、A1カゼインに対する過敏が引き金になっている可能性も示唆している。

今後の研究に期待されるが、ADHD患者は自分が摂取するカゼインの種類に注意する必要があることは間違いない[注19]。

A2乳タンパク質だけが含まれている牛乳も市販されている。北欧由来の牛種の乳はA1乳タンパク質が多い。品種でいうと、ホルスタイン、フリージアン、エアーシア、ブリティッシュ・ショートホーンなどだ。一方、チャネル諸島や南フランス産の牛の乳はA2乳タンパク質を多く含んでいる。ガーンジー、ジャージー、シャロレー、リムーザンなどだ[注20]。

A2牛乳が市販されているのはありがたいことだが、私たちはチーズやヨーグルト、バターや加工食品の形でも多くの乳製品を口にしているので、A1カゼインを断つには食生活を大幅に変える必要がある。ちなみに、ヒツジとヤギの乳は基本的にA2ミルクなので、チーズやヨーグルト選びの候補にするといい。カゼインを避ける方法として、ナッツミルクやナッツミルクのヨーグルトも優れている。

砂糖

砂糖を食べると人は（特に子供は）「ハイになる」という話を聞いたことがあるだろ

う。そのため多くの人が、砂糖がＡＤＨＤを引き起こすと考えている。実際、砂糖はいくつかの経路を通じてＡＤＨＤに影響するようだ。例えば、砂糖は心拍数と血糖値を上げる働きをもつアドレナリンを増やすので、砂糖が過活動を引き起こすと言える[注21]。その一方で、ドーパミンに対する脳の感受性を低下させるので、ＡＤＨＤでよく見られる衝動的に報酬を求める態度を強める[注22]。そのため、数多くの親や教師が砂糖の摂取量を制限することで子供たちの行動を改善できると考えているのだが、最近の研究結果は、砂糖がＡＤＨＤを引き起こすと考えるのは間違っていると示唆している。

二〇一九年、ビアンカ・デル＝ポンテらが六歳から十一歳の子供たちを対象に、砂糖の摂取量とＡＤＨＤのあいだに関連があるかを見極めるために、インタビューや食事の記録を行った[注23]。そうやって、子供たちがどれぐらいの量のスクロース（ショ糖）を摂取しているのか算出したのだ。加えて、経験豊かな面接官が、子供たちがＡＤＨＤの基準を満たしているかを審査した。

すると、六歳のＡＤＨＤ男児は健常な男児よりもスクロースの消費量が多かったのだが、ほかの年齢では、男女ともにそのような差は見られなかった。六歳から十一歳の男女ともに、スクロースの消費量を変えても、ＡＤＨＤの発症率に変化は現れなかった。総じて、砂糖の消費がＡＤＨＤの原因になることはない、と研究チームは結論づけた。

砂糖（特に砂糖で甘くした飲料）の消費がＡＤＨＤと関連していると示唆する研究もいくつか存在するが[注24]、近年の研究の大多数では、砂糖がＡＤＨＤを引き起こすという考えは支持されていない。

砂糖と多動性のあいだには一般に考えられているほど強い関連を示すエビデンスは見つかっていないとはいえ、砂糖は基本的に精神と肉体の健康によくないので、私は年齢に関係なくADHD患者には砂糖の摂取量に注意するように勧めている。

着色料と添加物と少食品数ダイエット

ADHDに対する食品の影響に関する研究の始まりは、四十年前にさかのぼる。小児アレルギーの専門家であるベンジャミン・ファインゴールドがサリチル酸塩に富む食品と人工食品添加物（着色料と香料）の両方が子供たちの注意を散漫にし、落ち着きをなくすという仮説を立てたのである。

サリチル酸塩は特定の果物、野菜、コーヒー、茶、ナッツ、スパイス、ハチミツに含まれている天然の化学物質だ。また、アスピリンやペプトビスモルなどの医薬品に使うために合成されてもいる。

一九七五年、ファインゴールドは食品添加物とサリチル酸塩を排除した食事法を提案した。これがのちにファインゴールド食として知られるようになった［注25］。カイザーパーマネンテ食と呼ばれることもある。当時とても人気を博したが、その効果についてはあまりよく知られていなかった。ファインゴールド以降も、人工着色料を排除することの効果を確かめる研究が続けられ、最終的には数多くの食品や添加物を取り除いた食事法が開発されて、少食品数ダイエットなどと呼ばれるようになった。この食事法は、基本的に食品アレルギーの専門家であるアルバート・ロウが一九二六年に提案し、現在も用いられている除去食療法の考え方にもとづいている［注26］。この考え方では、アレルギーの原因と考えられる食品の一つを抜き、症状に変化が見られるか慎重に見極めてから、それをまた食事に戻すという方法をとる。

一九八三年に行われたメタ分析では、ADHDに対するファインゴールド食の効果は低く、改善には除去食療法は適さないという評価が下された［注27］。しかし二〇〇四年に行われたメタ分析では、違う結果が出た。ADHD児童の食事から着色料を取り除くと、教師などの観察では行動に変化は生じなかったが、両親の目には違いが現れたのだ［注28］。

砂糖の場合と同じで、ここでもまた、ADHDのきっかけという点で、親の感じ方が研究の結果と食い違っている。親が間違った連想や極端に偏った見方をしていると考えることもできるが、私は親の感覚を切り捨てるべきではないと考えている。

ジョエル・ニッグらが二〇一二年に、そしてリドリー・ペルサーが二〇一七年に行ったメタ分析が、着色料を取り除いた制限食は一部のADHD児童に有益であることを示唆している。おそらくADHD患者の一〇パーセントから三〇パーセントが、そのような食事で変化が現れると考えられる［注29］。

除去食療法にADHDを根絶する力はないが、ほかの食事療法が効かなかったときには試してみる価値があるだろう。

集中力を高める食べ物

予備調査を通じて、特定の食品でＡＤＨＤの症状が改善する可能性が示唆されている。個別の栄養について見ていく前に指摘しておくが、ＡＤＨＤを食い止めるには総合的な食事法が効果的であることが研究を通じて知られている。要するに、幅広い食材を使った健康的な食事を心がけることが大切だということだ［注30］。例えば、いくつかの研究で、第二章で見たような地中海式摂食パターンがＡＤＨＤにも効果的であることが示されている。二〇一七年にはアレハンドラ・リオス＝ヘルナンデスの研究チームが百二十人の青少年を調べ、地中海食になじみのない者ほどＡＤＨＤを発症する確率が高くなる事実を見つけている［注31］。ほかの研究でも、地中海食と共通項の少ない食生活でＡＤＨＤが増える傾向が確認されている［注32］。

地中海食以外にも、ＡＤＨＤに有益な食品や栄養素がいくつか知られている。

朝食

患者全員にとって、朝食はとても重要だ。朝食は脳（と体）に点火する毎朝の燃料になるからだ。しかしＡＤＨＤ患者の場合、精神刺激薬が食欲を損なって、朝起きても空腹を覚えないことがある[注33]。それでもきちんと朝食をとるために、私の患者の多くは、毎朝一連のルーチン（決まった手順）を行って、そこに朝食も含めることにしている。

二〇一七年、デヴィッド・Ｏ・ケネディを中心とした研究チームが、朝の栄養摂取がＡＤＨＤ患者にとって有益である事実を突き止めた[注34]。九十五人の被験者を集めて研究用につくられた非売品の栄養強化朝食バー（アルファリノレン酸、Ｌチロシン、Ｌテアニン、ビタミン、ミネラル、二一・五ミリグラムのカフェインを含む）もしくは比較対照とされる普通のバーを毎日食べてもらい、五十六日後に被験者の認知能力を比較したのだ。また、バーを食べる前、食後四十分、百六十分の時点における認知能力の違いも調べた。その結果、どのテストでも栄養を強化したバーを食べた人のほうが覚醒《かくせい》していて注意深く、情報を迅速に処理できることが明らかになった。

テストに使われた朝食バーは研究用につくられたものなので、当然ながらまったく同じ成分のバーを手に入れることはできない。３３１ページで紹介するチョコレートプロテイン・スムージーはこの研究で使われた朝食バーと同じような栄養を含んでいるので、ＡＤＨＤを克服する朝の力になるだろう。

カフェイン

朝食バーを使った研究で特に目を引く要素はカフェインだろう。動物では、カフェインが注意や記憶にポジティブな効果をもつことが示されている。二〇一一年の研究では、茶が成人ADHDの治療に効果的である可能性も示唆された[注35]。おそらく、茶に含まれるカフェインが人のやる気、覚醒、警戒心、効率、集中、認知能力などを高めるのだろう。その一方で、カフェインが過剰な興奮を引き起こすこともあるので、とりすぎには注意が必要だ[注36]。

第三章で見たように、カフェインは摂取する量が重要だ。成人も一日に四〇〇ミリグラム以上をとるべきではない。私は子供にはカフェインを勧めない。有効である可能性も捨てきれないが、小さな体に適した安全な量を見極めるのが難しいからである。

ポリフェノール

二〇一八年、アネリース・フェルレートらが、食事性ポリフェノールなどといった天然の抗酸化物質は脳の酸化ストレスを軽減するので、ADHD対策としても有効だと発表した[注37]。

いくつかの研究を通じて、ADHD患者は脳の酸化ストレスを被りやすいことがわかっている[注38]。酸化ストレスで脳細胞が損なわれ、神経伝達物質（ドーパミンなど）の濃度や電気信号の伝達に変化が現れて、結果、ADHDも悪化する。症状を和らげ、脳細胞の損傷を防ぐためには、できるだけ多くの抗酸化物質を食べ物から摂取することが特に重要になる。

とりわけ大切な抗酸化物質はポリフェノールだ。ポリフェノールは体の免疫反応を一気に上げてくれる化学物質で、低用量毒素として作用し、ホルミシスと呼ばれるプロセスを通じて免疫反応を開始するよう体に働きかける。そのほか、脳に有益な生物作用も発揮し、例えばニューロンの生存や回復を促す。

ポリフェノールを最も多く含むのは、ベリー類、サクランボ、ナス、タマネギ、ケール、コーヒー、緑茶である。

食事性微量栄養素

亜鉛が足りないと多動性が生じやすくなることが、動物だけでなく人間を相手にした研究でも確認されている[注39]。実際に、亜鉛の欠乏は小児期のADHDを引き起こす。亜鉛が不足すると、ドーパミンに依存する報酬系の活性が低下するからだ[注40]。

また別の研究では、ADHD児童はそうでない子供たちよりも鉄とマグネシウムが不足していることも確認されている。どちらもドーパミン合成に関係する物質だ[注41]。

二〇一七年、キム・ジョンの研究チームが三百十八人の健康な子供たちを相手に、認知能力に対する食事の影響力を調べた。情報処理の速さを測る目的で開発された記号数字モダリティ検査（SDMT）を応用して、どの栄養素が役に立つか見極めたのである[注42]。その結果、ビタミンC、カリウム、ビタミンB1、ナッツ類の摂取でSDMTの成績がよくなることがわかった。加えて、キノコをたくさん食べれば食べるほど推論の能力が高まり、麺類《めんるい》やファストフードを多く食べると成績が下がることも確認できた。

集中と食べ物

読み書きや考える力、社交性を育《はぐく》みつつある幼稚園児にも、スージーのような試験や論文のために勉強をしている大学生にも、忙しくて重圧のかかる仕事に取り組むサンジャイのような大人にとっても、何かに集中する能力はとても大切だ。リタリンやアデロールのような抗ADHD薬は、それらを必要としている人にとっては本当に天の恵みなのだが、リスクがないわけではない。依存が強まり、乱用につながる恐れがある［注43］。

だから、軽度のADHD患者は、ここまで論じてきたような形で食事を変えてみて、脳と腸のあいだの連携が強化されて頭がすっきりするか、確かめてみるのがいいだろう。

ADHD対策のカンニングペーパー

地中海式食事法は鬱病《うつびょう》だけでなく、ADHDの症状も改善する食事法だと言える。

[どんどん食べよう]

・**朝食**――331ページのようなスムージーで一日のスタートを切ろう。

・**カフェイン**――有効だと考えられるが、一日の摂取量は四〇〇ミリグラム以下に抑える。

・**ポリフェノール**――ベリー類、サクランボ、ナス、タマネギ、ケール、コーヒー、緑茶。

・**ビタミン**――CとB1。

・**ミネラル**――亜鉛、鉄、カリウム、マグネシウム。

[できるだけ避けよう]

・**グルテン**――セリアック病、非セリアック・グルテン過敏症を患っているのなら、パン、ピザ、パスタなど、すべての小麦食品とアルコール飲料の多くを避けること。

・**乳製品、特にA1カゼイン**――飲んだり調理に使ったりするのは、A2牛乳、ナッツミルク、ヤギやヒツジの乳を。

・**砂糖**――焼き菓子、キャンディ、ソフトドリンクなど、砂糖や高果糖液糖を添加した飲食料品。

・**着色料と添加物**――食事の内容を変えても症状が変わらないときは、ファインゴールド食や少食品数ダイエットなどのやり方に従って除去することも検討しよう。

第六章
認知症と頭のなかの霧——マイクログリーンとローズマリーとMIND《マインド》食

とても聡明《そうめい》な教授であるブライアンが不安を理由に私のもとを訪れたのは二十年以上前、彼が六十歳のころだった。医学分野でノーベル賞の候補者と目されていたほどの人物の精神の治療に携わることに、まだ若かった私は精神科医としてわくわくすると同時に不安でもあったが、毎週のセッションを続けるうちに、私たちは良好な関係を築くことができた。次に会う日のことを待ち遠しく感じたほどだ。

三月のある日、彼は確定申告の準備で不安を覚えていたのだが、そのとき私は彼がなんだか衰えたような気がした。本当にかすかな変化だった。そして、週を重ねるごとにゆっくりと表情がうつろになっていった。かすかな震え、ほかの兆候に気づかなければ聞き逃していたであろう小さな言い間違いもあった。初めのうち、私はそれらがストレスから来ているのだろうとメモしていたのだが、そのうち震え・うつろさ・言い間違えの三症状が目立つようになってきたので、何かがおかしいと疑わざるをえなくなった。

そこで私はブライアンに、記憶や注意力のテストも含む詳細な神経学的検査を受けるように勧めた。検査の結果、彼は初期のパーキンソン病であることがわかった。パーキンソン病では体に震えが出るが、同時に認知症が発症することも多い。この知らせは、ブライアンにとっても、私にとっても、社会にとっても衝撃だった。

パーキンソン病に治療法はない。できるのは対症療法のみである。私はブライアンに応用できる食事法やライフスタイルがないか、懸命に文献をあさった。しかし、当時はまだ栄養精神医学が生まれたばかりだったので、これだと思える情報は見つからず、私たちは行き詰まってしまった。

およそ十年後、ブライアンはパーキンソン病の合併症に屈して息を引き取った。悲しいかな、その十年のうちの八年間で、彼は記憶をほとんど失った。

当時の私に今の知識があれば、彼にもっと強く食生活の変化を迫ったことだろう。認知症を食事で治す方法はまだ見つかっていないが、認知症の予防や進行の阻止において食べ物がさまざまな形で重要な役割を果たすことが、数多くの研究を通じて明らかになっている。本章では、記憶を維持するにはどんな食べ物を選べばいいか、日常の生活に支障をきたす頭のなかの霧を振り払うには何を食べればいいか、見ていくことにする。

認知症にはさまざまな形がある。例えば、血管性認知症は血管が詰まって脳に血液が行き渡らなくなると発症する。前頭側頭型認知症は脳の局所異常の一種で、記憶の損失を引き起こす。ほかの認知症には、詳しいことがまだよくわかっていないものも多い。

アルツハイマー病もそうだ。アルツハイマーの脳に明らかな異常があるのはわかっているのだが、その機序や治療法についてはわからないことが多いのだ。

これらの症状は、それぞれ脳の違う場所において違う原因に端を発しているのだが、食べ物がそれらすべてに大いに作用する。ここまで見てきたすべての障害と同じで、ここでも腸と脳の関係を理解することがスタート地点になる。

腸と記憶

不安との関連ですでに見たように、腸は記憶とつながっている。昔からの知り合いにだまされていたことに気づけば、胃がムカムカしたり、以前おいしいものを食べたことがある道路を車で走っているだけで、よだれがあふれておなかがぐうぐう鳴りはじめたり。腸が昔のことを「覚えている」のだとしたら、そこには脳の記憶系が関係しているはずだ。このつながりの鍵《かぎ》になっているのは、脳と体の働きを促す化学物質であり、それらの多くは腸によって制御されている。

例えば、ストレスのホルモンとして知られるコルチゾールは長期記憶を呼び起こす能力に悪影響を及ぼす。腸内細菌は視床下部－下垂体－副腎《ふくじん》軸（ＨＰＡ軸）の調節を通じてコルチゾールの血中濃度に作用する[注1]ので、腸内細菌のバランスが崩れると、コルチゾールが急に増えて、記憶を呼び起こす能力が曇ってしまいかねない。

ノルアドレナリン、セロトニン、ドーパミンなど、ほかの神経化学物質の濃度も記憶に影響する［注2］。一例を挙げると、ノルアドレナリンは――特に感情が高ぶっているときに――記憶を促進する［注3］。また、セロトニンとドーパミンのバランスが崩れると脳組織に変化が生じて、学習能力や記憶力が損なわれることも、研究を通じて明らかになっている。これら神経化学物質のすべてが腸内細菌に依存している。前駆体をつくって神経化学物質を正常な量に保つ役割を、腸内細菌が担っているからだ。

迷走神経は記憶の中枢となる扁桃体《へんとうたい》や海馬などの脳組織に結びついている。そのため、迷走神経が刺激されると記憶が強化される［注4］。腸内細菌は迷走神経の活性を変えることもできるので、この経路でも記憶に影響すると言える［注5］。

重度の記憶障害に苦しむ患者では腸内細菌の組成に変化が生じる。例えば、ブライアンのようなパーキンソン病患者の場合、プレボテラ科の細菌がほかの人に比べて明らかに――七七・六パーセント――少なくなる［注6］。一方、アルツハイマー病患者の腸内細菌叢《きんそう》では、フィルミクテス門とビフィズス菌が減り、バクテロイデス門が増える。

ときにこの関係は方向が逆になって、腸内細菌における変化が精神障害の経過を左右することもある。例えば、顔に赤らみやほてりが出やすくなる症状は「酒さ《しゅさ》」と呼ばれ、これは基本的に皮膚疾患の一つだ。酒さ患者はわずかではあるが、認知症、特にアルツハイマー病になる確率が高くなる［注7］。ところが、腸内細菌を変えると、酒さ患者に大きな変化が生じる。酒さの際によく見られる小腸で異常に繁殖する細菌を根絶すると皮膚の症状が消える事実を、二〇〇八年にアンドレア・パロディらが実証したのだ［注8］。この微生物療法は九カ月ほど効果が持続する。酒さが治まっている限りは、認知症のリスクも下がっていると考えられる。

加えて研究者は、腸内細菌が記憶を左右する代謝過程と脳炎症を引き起こし［注9］、さらには脳内の血流を損なうとも考えている。また、腸内細菌がアミロイドの沈着を促して、アルツハイマー病を引き起こしている可能性もある［注10］。食事を通じて、あるいはプロバイオティクスを利用して腸内の細菌叢に働きかけることが、アルツハイマー病の新しい予防あるいは治療法になる可能性があるということだ。

これらすべてのエビデンスが、腸内細菌を損なう食品を避け、腸内細菌を強化するものを食べることで、認知症のリスクを減らすことができると暗に示している。

記憶力を弱める食べ物

どの食べ物が記憶によくて、どれが悪いかを知るにはまず、脳内の記憶にはさまざまな種類があることを知っておく必要がある。例えば、私たちがピアノ演奏やタイピング、あるいはゴルフなどの動作を覚えることができるのは、「手続き記憶」と呼ばれる記憶系のおかげだ。新しく知り合った人の名前や世界に関する事柄など、事実や出来事を記憶するのは「関係記憶」。一方、「作業記憶」は短期記憶であり、電話番号を思い出したり、まだ行ったことのない場所へ行くときの方角を覚えたりするときに必要になる。
それでは、さまざまな種類の記憶に害となる食品から見ていくことにしよう。

ウェスタン食

記憶に対しても、ウェスタン食は破壊的な力を発揮する[注11]。高脂肪・高血糖インデックス(高GI)食が学習と記憶に不可欠な脳経路に変化を促し、特に海馬と前頭前野のニューロンに影響を及ぼす[注12]。

海馬は関係記憶の形成にとりわけ深く関係している。興味深いことに、「覚えて思い出す」を頻繁に行っていると、海馬の大きさにまで変化が現れる。例えば、ロンドンのタクシー運転手の海馬は普通よりも大きいことが知られている。数が多くてとても複雑なロンドンの道路を覚えなければならないからだ[注13]。ところが、脂肪分と糖分の多い食事をしていると海馬が小さくなり、記憶が損なわれやすくなる。さらに、海馬は私たちの食べる量の調節にも関与している。そのため、海馬に損傷を負うと制御が利かなくなって食べすぎてしまう。止めるのが難しい悪循環だ[注14]。

ウェスタン食は第一に、脳由来神経栄養因子をはじめとする海馬の健全な働きを促すホルモンなど、重要な成長因子の発現を妨げる恐れがある[注15]。

第二に、体組織内のインスリンシグナル伝達やインスリン感受性が影響を受ける可能性がある。最近行われた調査では、飽和脂肪を多く摂取した雄のラットで海馬におけるインスリンシグナル伝達が乱れ、結果として海馬の機能と記憶能力が損なわれることが確認された［注16］。

第三に、飽和脂肪と精製糖を多く摂取した雄のラットは酸化ストレスが増し、その影響で脳細胞が傷つき、海馬における細胞間伝達の効率が悪くなる［注17］。海馬と関係記憶以外に目を向けると、二〇一九年の研究を通じて、貧しい食生活に起因する肥満では、認知制御や前頭前野の機能に変化が現れ、作業記憶にも悪影響が出ることが確かめられている［注18］。

以上のような脳への直接の影響以外にも、ウェスタン食は有害な物質の脳への流入を防ぐ血液脳関門を損なうことが知られている［注19］。

ウェスタン食に含まれる成分、例えば飽和脂肪だけでも、老化による認知能力の低下とアルツハイマー病発症のリスクを上げる脳内の炎症を悪化させる力がある［注20］。炎症によって記憶形成に欠かせない化学経路の多くが損なわれる［注21］だけでなく、神経そのものが鈍くなり、情報の伝達がはるかに遅くなる。

また、高脂肪食は年齢ごとに影響が異なることを示す証拠も見つかっている。クロエ・ボアタールらが行った実験では、若い時期に高脂肪食を摂取したマウスは記憶力と脳の成長が鈍くなった一方で、成体マウスではそのような変化は見られなかった［注22］。

人間を対象にした研究では、高脂肪食は成人でも記憶に有害であるという結果が得られている［注23］が、成長期にある青少年の脳が特に敏感である点は同じだ。

しかしありがたいことに、高脂肪食による変化は、どうやらもとに戻すことができるようだ。二〇一六年、ボアタールの研究チームが、高脂肪・高糖分食から標準的なバランスのとれたものに変えることで成体ラットの脳の変化が逆戻りになることを確認した。二〇一九年にポール・ロプリンジらが、十七件の研究において持続的な運動が齧歯類《げっしるい》における高脂肪食に起因する記憶障害を緩和していた事実を見つけた［注24］。つまり、悪い脂肪と悪い炭水化物、そして糖分を減らして健康な自然食を口にし、規則正しく運動すれば、損傷を治し、記憶力を高めることができると考えられる。

グルテン

認知症のタイプのいくつかは、セリアック病あるいは非セリアック・グルテン過敏症と関連している［注25］。セリアック病患者のなかには、言葉をうまく思い出せないなど、急性の記憶障害がときどき起こると報告する人が多い［注26］。なかには、混乱を呈したり単純な計算ができなくなったりするなど、もっと重い形の認知症状を示す人もいる。

いくつかの研究で、グルテンを避けることで腸管が修復されて記憶が回復するという結果が得られているが、その一方では認知症は一度発症すると、その後にグルテンを避けたところで損傷が生じることを示す証拠も見つかっている［注27］。グルテンを遮断するつもりなら、今すぐ始めたほうがいいということだ。とりあえず食事からグルテンを追放してみて、気分が向上して思考がすっきりするかどうか、試してみるといい。

記憶を守る食事

もう何世紀も前から、特定の食べ物で記憶力が向上すると考えられてきた。『ハムレット』のオフィーリアも「これがローズマリー、思い出の花よ」と言っている。食事が――実際には食事の量を少し減らすことが――どうして記憶の維持と認知症の対策に役に立つのか、最新の科学を通じて何が明らかになったのか見ていこう。

カロリーの制限

ある意味、あらゆる食べ物が記憶の消滅に一役買っている。特定の栄養が記憶に悪いのではなくて、カロリーを摂取しすぎると、記憶に悪影響が出ると考えられるのだ。二〇〇九年、ヴェロニカ・ヴィッテ率いる研究チームが健常な高齢者を対象に三カ月にわたってカロリーを三〇パーセント減らしたところ、記憶力の向上が確認できた[注28]。しかしカロリーを減らすとなぜ記憶力が向上するのか、詳しい理由はわかっていない。同研究では、記憶力の向上とともに、インスリンが、さらには炎症マーカーのC反応性タンパク質が減少することも確認された。ほかの研究では、低インスリンおよび高炎症の状態が認知能力の上昇と関連することが示唆されている。

カロリー制限はアルツハイマー病患者にとっても有益である可能性が見つかっている。マウスを使った研究で、カロリーを減らせば脳アミロイドも減ることが、別の研究では個々の脳細胞がよりよく保護される事実が観察されたのだ[注29]。

カロリー制限が役に立つのは高齢者だけではない。二〇一九年、エミリー・ルクレールらが健康な中年成人を対象に臨床試験を行い、何でも好きなものを食べてもいい人と、カロリー摂取量を二五パーセント制限した人で、二年後にどのような違いが現れるかを調べた[注30]。すると一年後と二年後で、カロリー制限をしたグループのほうがほかのグループよりも作業記憶が明らかに向上したのだ。研究の終わりには、ほかの栄養素に比べて、タンパク質の摂取量を減らすことが記憶の改善と最も強く結びついていることもわかった。

ただし、カロリーを大幅に制限しようと考えているなら、主治医と相談しながら体を壊さない方法を探すことだ。というのも、いくつかの調査で減量しすぎると記憶力が悪くなる可能性が報告されている。おそらくその理由は、記憶に必要な脳の領域までやせ衰えさせてしまったからだろう[注31]。しかし、医師の協力の下でカロリーの総摂取量を二五パーセントほど減らす計画を立てれば、記憶力は向上するに違いない。

大豆

大豆製品は記憶と認知をよくすると言われることが多いが、現実はそれほど単純ではない。大豆製品は非常に幅広く、脳への作用も一定していない。醬油《しょうゆ》、豆腐、発酵豆腐、味噌《みそ》、テンペ、大豆プロテインなど、どれも味も違えば、栄養成分も異なっている。

植物性のエストロゲンで、人間のもつホルモンの一種であるエストロゲンの活性を模倣する植物由来の化合物として、イソフラボンが知られている（エストロゲンについては第一〇章を参照）[注32]。二〇一五年、合計して千二十四の被験者を対象にした十件の無作為プラセボ対照試験をメタ分析したところ、大豆イソフラボンが閉経後の女性の認知能力と視覚記憶に好影響を及ぼすことがわかった[注33]。

しかし、イソフラボンの利点については、すべての研究の結果が一致しているわけではない。研究結果が食い違う理由として、人によって大豆の代謝が異なるからだとする説がある[注34]。イソフラボンの代謝の点で言うと、そもそもイソフラボンを代謝できる腸内細菌を有するのは、非アジア人の二五パーセント、アジア人の五〇パーセントだけだと言われている。つまり、人口の大半は、イソフラボンからポジティブな働きもネガティブな作用も得られないのだ[注35]。

一般には枝豆として知られる新鮮な大豆はチアミンを含んでいて、アルツハイマー病を患う人々の認知能力を底上げする可能性がある。また、大豆には記憶をよくする働きをもつホスファチジルセリンなどの微量栄養素も含まれている。

さまざまな大豆製品の効果は人種や個人によってまちまちなことに加えて、食べる量も控えめにするのがいいことを示す証拠もたくさん見つかっている。でも、新鮮な枝豆は健康なスナックで、脳を活性化するチアミンの源になることは確かだ。ただし、気になることがあるなら、必ず主治医に相談すること。

アルコール

二〇一八年、カリーナ・フィッシャーの研究チームがアルツハイマー病と記憶力の減退に対して有効な予防策となる万人向けの食品パターンが存在するかを見極めるために、幅広い食品を調査した[注36]。記憶への作用を知る目的で、赤ワイン、白ワイン、コーヒー、緑茶、オリーブオイル、新鮮な魚、果物と野菜、赤身肉、ソーセージを調べたのである。その結果、少なくとも男性では、赤ワインだけが効果を示した。女性の場合は、ワインは赤も白も記憶力低下のリスクを高める。

しかし二〇一九年に、ユルゲン・レームらが二〇〇〇年から二〇一七年までにアルコールと認知症の関連を調べるために行われた二十八件の研究を再調査したところ、成人期の中期から後期にかけて少量から中程度の量のアルコールを摂取すると認知障害と認知症のリスクが下がることがわかった[注37]。しかしアルコールの量が増えると、あらゆる種類の認知障害と認知症のリスクが高まる。

アルチャナ・シン＝マヌーらはアルコールと認知症の発症率の関係を調べるために、

二十三年間にわたって九千八十七人の被験者を追跡調査した。彼らが二〇一八年に『ブリティッシュ・メディカル・ジャーナル』で発表したところによると、アルコールを完全に断った人と週に十五杯以上飲む人で、アルコールを適度に飲む人よりも認知症になるリスクが高くなるようだ［注38］。

私の場合、患者には女性は週におよそ三杯まで、男性は五杯までとするようにアドバイスしている。

言うまでもないだろうが、アルコールには数多くのネガティブな働きもあるので、主治医とよく相談してから飲む量を決めてほしい。

コーヒー

ボウキエ・ファン・ヘルダーらが、コーヒーが認知能力の低下を防ぐかどうかを調べるために、六百七十六人の高齢男性を十年にわたって調査し、その結果を二〇〇七年に発表した［注39］。それによると、コーヒーを飲む人のほうが飲まない人よりも認知能力の低下が少ないことがわかった。予防効果が最も高かったのは一日に三杯のコーヒーを飲んだ場合で、それ以上でもそれ以下でも効果は弱くなる。

二〇〇九年には、マリヨ・エスケリネンらが平均二十一年かけて行った認知に対するコーヒーの作用の研究結果を報告している［注40］。それによると、中年期にコーヒーをたくさん飲んだ人は、一日に〇杯から二杯までしか飲まなかった人に比べて、のちに認知症とアルツハイマー病にかかるリスクが低くなった。認知症のリスクが最も低くなるのは、毎日三杯から五杯のコーヒーを飲んだ人だった。

コーヒーは、いくつかの経路を通じて脳を保護する[注41]。セロトニンとアセチルコリンを増やすカフェインには、脳を刺激し、血液脳関門を安定させる力があると考えられる。コーヒーに含まれるポリフェノールがフリーラジカルによる組織の損傷や脳血管の閉塞《へいそく》を防ぐとも想定できる。コーヒー豆に高い濃度で含まれているトリゴネリンも、抗酸化物質を活性化させるので、脳血管の保護に役立っていると思われる。

しかしながら、含まれるすべての物質が有益なわけではない。濾過《ろか》されていないコーヒーに含まれるジテルペンという天然油がLDLコレステロールを増やし、脳内の動脈の血管壁を厚く、そして硬くする恐れがある[注42]。コーヒー豆が焙煎《ばいせん》されると生じるアクリルアミドには、神経伝達を阻害し、ドーパミンニューロンを破壊し、酸化ストレスを強める力がある。コーヒーに含まれるアクリルアミドの量は一定していなくて、通常は深煎《ふかい》りの新鮮なコーヒー豆で最も少なくなる。

現在のところ、コーヒーを認知症の予防策として推薦する声がないのは、コーヒーにはあまりにも多くの成分が含まれていることから研究者の多くがコーヒーの予防効果はまだ確実に証明されていないとみなしているからだろう[注43]。しかしながら、ある程度の量（一日二杯から四杯）なら、コーヒーには悪い作用よりも優れた効果のほうが大きく、人生の晩年にメリットを発揮することは事実だ。ただし、コーヒー以外のものも含めたカフェインの総摂取量は、一日に四〇〇ミリグラムまでに抑えること。

オリーブオイル

数多くの動物実験やラボでの研究を通じて、エクストラバージンのオリーブオイル（ＥＶＯＯ）が認知能力の保護に役立つことがわかっている。オリーブオイルには、少なくとも三十種類のフェノール化合物が含まれていて、それらはどれも強力な抗酸化物質および脳保護剤として働く。

ＥＶＯＯは、野菜からのポリフェノールとカロテノイドの抽出も促す。二〇一九年、ホセ・フェルナンド・リナルディ・デ・アルバレンガらはソフリット法を用いてＥＶＯＯの効果をテストした［注44］。「ソフリット」とは、単純にＥＶＯＯで野菜（だいたいはタマネギとニンニク、ときにはピーマンやトマトやトウガラシなども）を炒《いた》める調理法だ。ソフリットは料理の風味を深めるため、さまざまな料理で調理の第一段階として行われる。研究を通じてわかったのだが、ＥＶＯＯを用いたソフリットでは、ナリンゲニン、フェルラ酸、クエルセチンなどといった脳の保護作用をもつポリフェノール類がほかの材料からＥＶＯＯに流れ出す。

すべての研究が、認知に対するオリーブオイルの利点に同意しているわけではない。とはいえ、健康な脂肪分の源でもあるので、オリーブオイルは積極的に活用すればいいだろう。特にＭＩＮＤ食の一環としてソフリットを調理するのが好ましい。ＭＩＮＤ食については本章の終わりで詳しく説明する。

スパイス

六十歳のマリナは、記憶力の低下を苦にして、私のもとを訪れた。一連の神経心理学的検査と脳画像診断を行ったところ、彼女の記憶も脳も、客観的には健全であることがわかった。ところが、詳しく心理検査をしてみると、マリナは長期にわたって鬱病《うつびょう》を患っていたことがわかった。

鬱病を患っている人は、一見したところ認知症にかかっているように見える。専門家はこれを「仮性認知症」と呼ぶ［注45］。鬱病を治療すれば、記憶の問題も消えてなくなる。マリナは回復したが、記憶を失ったと感じたときのショックが大きかったのだろう、認知症を予防するにはどうすればいいのかと尋ねてきた。

マリナはすでに地中海食に相当する食習慣を身につけていたし、のちに紹介するMIND食を実践する気にもなれなかった。そこで私は、記憶機能を改善すると考えられるスパイスを利用することにした。

ターメリック（ウコン）、コショウ、シナモン、サフラン、ローズマリー、ショウガなど、数多くのスパイスに記憶力を高める作用が確認されている。効果を確信するにはさらなる研究調査が絶対に必要ではあるが、多数の対照試験や事例証拠が、スパイスの記憶向上作用を示唆している。それに、スパイスは害がほとんどなく、カロリーも増やさないのに、料理の風味を高めることができるのである。マリナの場合、料理にそれまで使ったことのないスパイスを加えたことで、食事に好ましい変化が生まれた。六カ月後、彼女は意識が以前よりも研ぎ澄まされて、頭もすっきりしたと報告した。記憶力を高めるために、次のスパイスを試してみよう。

［ターメリック］　ここでもまた、ターメリックとその有効成分のクルクミンが中心的な役割を担う。クルクミンには抗酸化作用と抗炎症作用、そして神経栄養活性がある。最近行われた三十二の動物実験および基礎研究の再調査では、クルクミンにアルツハイマー病の脳損傷を回復させる力があることが確認された［注46］。二〇一九年には過去のクルクミン研究を総括する試みが行われたのだが、そこでもクルクミンに注意力や総合的な認知力、そして記憶力を改善する働きがあることが確かめられた［注47］。

クルクミンの有効量について、確実なことはわかっていない。クルクミンを摂取しても、血液に吸収される量はごくわずかであることも、その理由の一つだろう。しかし、すでに見たように、黒コショウがクルクミンの吸収を促す（それに、黒コショウはそれ自体に認知能力を改善する作用があると考えられる）［注48］。また、クルクミンは調理することで吸収されやすくなる。そのような働きを利用したのが、ターメリックと黒コショウで味付けしたスパイシーシュリンプ（353ページ）のようなすばらしい料理だ。

ターメリックはインドカレーにも使われているが、カレーにはカレー独自の保護作用があるようだ。二〇〇六年の研究で、高齢者のカレーを食べる量と認知機能の関係を調べたところ、カレーを「よく」（月に一回以上）または「たまに」（六カ月に一回以上）食べる人は、カレーを「めったに」（六カ月に一回未満）食べない人よりも、認知機能が優れていたのだ［注49］。また、インドにおける七十歳から七十九歳の人々のアルツハイマー病の発症率は、アメリカの四分の一でしかない事実も報告されている［注50］。

クルクミンを食べすぎるのはほとんど不可能なので、毎日小さじ四杯までは気軽に使えばいい。調理にターメリックを使うだけでなく、スープやスムージーに小さじ一杯か二杯を加えてもいいだろう。ターメリックを使った「ゴールデンミルク」（358ページ）もとてもおいしくて飲みやすい。

［黒コショウとシナモン］ 冬に長い時間寒い外にいると、低い気温が認知に悪影響を及ぼすことが、研究を通じて知られている。しかし、そのように低下した思考能力を上げられるのが、黒コショウとシナモンだ［注51］。

どちらも炎症を抑制するだけでなく、抗酸化物質としても働く。アセチルコリンを利用しやすくするので、記憶力が向上するのだ。さらに、アミロイド沈着も減らす。すでに指摘したように、アミロイドはアルツハイマー病ととても深く関連している。

［サフラン］ 二〇一〇年、サフランが認知にどう影響するかを、シャヒン・アーホンドザーデらが調べた［注52］。軽度から中度のアルツハイマー病患者にサフランを一五ミリグラム含むカプセルまたはプラセボを一日二回十六週間にわたって与えたところ、プラセボよりもサフランが明らかに認知能力を高めることが確認できた。

【ローズマリー】私の大好きな習慣のひとつは、新鮮なローズマリーを摘んで、人差し指と親指で茎を挟んでから指を茎に沿って動かして葉を落とすことだ。うっとりとするような香りが広がる。それが感覚を刺激して、意識が研ぎ澄まされながらも、同時に心が落ち着くような気がする。

そのうえ、ローズマリーの香りに対する愛着は私の個人的な好みではないことがわかった。ある研究で、ローズマリーの香りが人間の脳波に働きかけることによって、不安が和らぎ、覚醒《かくせい》度が増し、しかも数学の問題を解く力さえ向上することが示された［注53］。

二〇一二年、マーク・モスとロレイン・オリヴァーが認知機能に対するローズマリーの作用を調べた［注54］。二十人の被験者にローズマリーのエッセンシャルオイルの香りで満たした小部屋に入ってもらい、計算問題やパターンの認識などで構成される思考能力テストを解いてもらったのだ。すると、香りが強ければ強いほど注意力も実行機能（情報を維持し、それを柔軟に使ったり整理したりする能力）も高くなったのである。それ以前の研究では、モスはローズマリーが作業記憶を高める事実も発見している［注55］。

コーヒーと同じように、ローズマリーにもジテルペンが含まれている。すでに指摘したようにジテルペンにはいくつかの欠点もあるが、その一方で抗炎症作用ももっているし、細胞を酸化による死から守ることもできる。さらには、記憶に欠かせないアセチルコリンを活性化する力もある。

さらなる研究は必要だが、現時点で、ローズマリーは記憶力と注意力、そして幸福感を高める役に立つと考えることができる。焼いた野菜やジャガイモに振りかけたり、ローストチキンに加えたり、あるいはナッツ類の味付けに使ったりすればいいだろう（食品とローズマリーをうまく絡めるために少量のオリーブオイルを使うといい）。

［ショウガ］ ショウガには健康な中年女性の作業記憶を高める働きがあることが知られている［注56］。動物実験で、ショウガが大脳皮質と海馬におけるアドレナリン、ノルアドレナリン、ドーパミン、セロトニンの濃度を高めることが確認されている。ショウガは脳内化学物質を介して脳の主要部位における記憶を強化すると考えられる。

アルツハイマー型の病気を患うラットでは、ショウガの根もまた、記憶を改善する働きを見せた。同じような作用が人間でも見られるか、現在も研究が行われている［注57］。

［セージ］ セージにはさまざまな薬理成分が含まれているので、認知能力にも作用すると考えられる。セージは脳の炎症を抑え、アミロイド沈着を減らし、酸化による細胞のダメージを軽減し、アセチルコリンを増やして、ニューロンの成長を促す［注58］。

いくつかの研究で、セージが健康な成人の記憶力だけでなく、注意力、単語の想起、記憶の速さを向上させるという結果も得られている［注59］。また、セージは人の覚醒度も高めるし、幸せにもするし、心を落ち着かせてもくれるし、認知を高めてもくれる［注60］。

このような働きは新鮮なセージからも乾燥させたセージからも得ることができる。エッセンシャルオイルを用いたアロマセラピーも効果がある。

ＭＩＮＤ食

記憶をよくする食べ物は数が多すぎて混乱してきたと思っているあなたに、ここでうれしい知らせを。研究者たちが、ここまで紹介してきたすべての基礎をひっくるめたうえで、認知能力を最大限に守るのに適した食事法を提案している。それがＭＩＮＤ《マインド》食（正式名称のMediterranean-DASH Intervention for Neurodegenerative Delay――地中海・ＤＡＳＨ《ダッシュ》食を用いた神経変性を遅延させる介入法――の頭文字をとってＭＩＮＤ）で、認知能力の低下とアルツハイマー病の予防および回復に力を発揮するとされる［注61］。

その名が示すとおり、ＭＩＮＤ食は地中海食とＤＡＳＨ食を組み合わせた食事法だ。地中海食についてはすでに第二章で詳しく述べたが、認知能力の保護の側面で特に重視される特徴は、飽和脂肪が少なくて健康な脂肪分が多く、赤身肉があまり使われないという点だ。

一方のＤＡＳＨ食は「高血圧を予防する食事法（Dietary Approaches to Stop Hypertension）」という意味で、基本的に一日につき五皿の野菜、五皿の果物、七皿の炭水化物、二皿の低脂肪乳製品、二皿以下の赤身肉製品、加えて週に二回から三回のナッツと種子類を含んでいる［注62］。

以前の研究でも、地中海食とＤＡＳＨ食の両方に患者を認知機能の低下から守る力があることが示されていたが、二〇一五年にマーサ・クレア・モリスらが、長期にわたって脳の健康を守るための方法として、両食事法を組み合わせたMIND食を開発したのだ[注63]。以前の研究の成果にもとづいて、モリスらは認知能力にとって有益なあるいは有害な食材のリストを作成した。そのうえで、緑葉野菜、ほかの野菜（ピーマン、ニンジン、ブロッコリーなど）、ナッツ類、ベリー類、豆類、全粒粉食品、シーフード、鶏肉《とりにく》、オリーブオイル、ワインの十グループを脳の健康に有益と定義した。一方、赤身肉、バターとマーガリン、チーズ、ペストリーとスイーツ、揚げ物やファストフードの五つのグループは脳にとって不健康と評価した。

これらの項目にはそれぞれMIND食スコアが決められていて、モリスらの研究チームは被験者がどれぐらいうまく食事できているかを容易に知ることができた。例えば、一週間で緑葉野菜を食べた量が二皿に満たないのなら0ポイント、二から六皿までなら0・5ポイント、七皿以上なら1ポイントとなる。不健康な食品の場合は逆に数える。一週間で七食以上の赤身肉を食べれば0ポイント、四から六食なら0・5ポイント、三食以下なら1ポイントだ。

そのうえで、被験者の〝認知障害〟を次に挙げる五つの側面で検査した。エピソード記憶（個人的な事実にまつわる長期記憶）、作業記憶（今その瞬間に必要とされている情報の短期記憶）、意味記憶（世界に関する事実や知識の記憶）、視空間能力（身のまわりの物事のサイズや空間を視覚的に把握し理解する能力）、知覚速度（視覚的に物事をとらえる速さ）の五つだ。

モリスの研究チームは、数年にわたって（平均四・七年）被験者のＭＩＮＤスコアと認知スコアを記録し、両スコアを関連付けた。結果は明らかだった。ＭＩＮＤ食スコアが高ければ高いほど、認知能力の低下は遅かった。ＭＩＮＤ食スコアで上位の三分の一に入る人は、下から三分の一の人に比べて、認知年齢が七歳半も若かった。そのような傾向が最も強かったのはエピソード記憶と意味記憶と知覚速度だったが、個別の認知能力だけでなく、総合的な認知スコアでも明らかだった。また、ＭＩＮＤ食はアルツハイマー病の発症を抑える力ももつ。

モリスの研究以降も一連の調査が行われ、モリスの結論が正しく、ＭＩＮＤ食が個別の疾患に有効であることが証明されている。二〇一九年、ダイアン・ホスキングが中心のオーストラリアの研究チームが、ＭＩＮＤ食でアルツハイマー病の進行を十二年間以上食い止められるだろうと発表した［注64］。二〇一八年にはプジャ・アガーワルらが、ＭＩＮＤ食で老年期のパーキンソン病の発症や進行を遅らせることができる事実も突き止めた［注65］。

要するに、ＭＩＮＤ食は記憶の保護に確実に役立つと、専門家は考えているのだ。だから、ＭＩＮＤ食の利点のできるだけ多くを日常の食生活に応用するといいだろう。

MIND食から見た〝優れた〟食品と、それらの最適な摂取量［注66］

緑葉野菜（ケール、コラードグリーン、ホウレンソウ、レタス・トスサラダ）週に6皿以上

ほかの野菜（緑・赤ピーマン、カボチャ、ニンジン、ブロッコリー、セロリ、ジャガイモ、エンドウやライマ豆、トマト、トマトソース、サヤインゲン、ビート、トウモロコシ、ズッキーニ・ペポカボチャ・ナス）日に1皿

ベリー類（イチゴ、ブルーベリー、ラズベリー、ブラックベリー）週に2皿以上

ナッツ類　週に5皿以上

オリーブオイル　普段使いの油をオリーブオイルにする

全粒粉食品　日に3皿以上

魚（特にオメガ3脂肪酸を多く含むサーモンなど、フライはだめ）週に1食以上

豆類（豆、レンズ豆、大豆）週に3食以上

鶏または七面鳥　週に2食以上

ワイン　日に1杯（1日1杯以上でも以下でも、MIND食スコアが下がるので注意）

ここでは、緑葉野菜の大切さを特に強調しておきたい。緑葉野菜には葉酸、ビタミンE、カロテノイド、フラボノイドが含まれている。認知症や認知能力の低下を阻止するのに役立つ栄養素だ。患者に緑の野菜がいいと話すと、鼻で笑われることが多い。しか

し、しなびたレタスだけが〝緑の葉っぱ〟ではない。スーパーマーケットやファーマーズマーケットへ行って、さまざまな種類の緑葉野菜を試してみればいい。

例えば、発芽してすぐ、とても若い時期に収穫される〝マイクログリーン〟。とてもおいしくて、普通の緑葉野菜の代わりになるし、栄養密度も抜群に高くて、同じ野菜の成長したものよりも四十倍も多くの栄養を含んでいる。ビタミンCとEとKがぎゅっと詰まっていて、普段は葉っぱを食べようとは思わないような野菜のマイクログリーンもある。人気のマイクログリーンには、ルッコラ、チャイブ、コリアンダー、赤キャベツ、ケール、バジル、さらにはブロッコリーや大根、ヒマワリもある。マイクログリーンには、もう一つの大きな利点がある。自宅で栽培できるのだ。浅いトレイと少しの栽培用の土、マイクログリーンの種（地元の農家やオンラインで購入できる）、そしてきれいな水を種に振りかけるための霧吹きがあれば、ほかに何もいらない。発芽から七日から十四日間で収穫して食べることができる。サラダに加えたり、アボカドトーストにトッピングしたり、タコスに彩りとして添えたりできる。

頭のなかの霧

認知症は記憶の損失をともなう病気のなかでも最も深刻で、人生を一変させるほどの一大事なのだが、認知症だけが思考の隙間を引き起こす病気ではない。うまく考えることができない、集中やマルチタスクができない、短期記憶や長期記憶が思い出せない、などといった状態は「ブレインフォグ（脳霧）」と呼ばれる。ときには、ブレインフォグが深刻な認知症の存在を指していることもある。例えば、初期のアルツハイマー病患者は、症状としてブレインフォグを体験することが多い。自閉症スペクトラム障害や慢性疲労症候群や線維筋痛症でも、ブレインフォグが頻繁に発症する。しかし、私の経験から、ブレインフォグは病気でない人でも生じることがある。

ブレインフォグの原因についてははっきりしたことはわかっていないが、研究者は脳の過剰な炎症が関係していると考えている。ここまで見てきたほかの病気の多くと同じで、ブレインフォグもとても基本的な自然食を中心にした食事で軽減することができる。だから私は、地中海式摂食パターンやMIND食に準じた食生活を勧めることにしている。

それ以外に、炎症を抑え、鋭い思考と決断能力を取り戻すために、以下のヒントを参考にしよう。

【ルテオリン】 二〇一五年、テオハリス・テオハリデスらが、フラボノイドの一種であるルテオリンにブレインフォグを和らげる数多くの神経保護特性があることを証明した[注67]。抗酸化および抗炎症物質として、ルテオリンは脳の神経細胞に対する毒性作用を妨げる。

ルテオリンは、ジュニパーベリー、新鮮なペパーミント、セージ、タイム、トウガラシと甘トウガラシ、ラディッキオ（赤チコリ）、セロリの種、アーティチョークに含まれている。ルテオリンの最大の摂取源としてオレガノも挙げることができるが、これは乾燥したメキシコオレガノに限られる。新鮮なオレガノ一〇〇グラムにはおよそ一ミリグラムのルテオリンが含まれているだけだが、この数字が乾燥メキシコオレガノ一〇〇グラムでは一〇二八ミリグラムになる。

［プロバイオティクスはつねに役立つとは限らない］ 現在、プロバイオティクスは大人気だ。本書でも良質な腸内細菌を増やす手段として何度か紹介してきたので、とにかく体にいいのだという印象をもったかもしれない。しかし二〇一八年にサティシュ・ラオらが、プロバイオティクスを常用すると消化速度が遅くなり、それがブレインフォグを引き起こすと発表した［注68］。もしあなたがプロバイオティクスを摂取していて頭がすっきりしないのなら、サプリメントを変えるか、できるなら活性菌入りのヨーグルトなどの食べ物からプロバイオティクスをとるようにしよう。

［グルテン］ 二〇一八年、ルーシー・ハーパーとジャスティン・ボールドが、グルテンがブレインフォグの原因になると発表した［注69］。グルテンを摂取したあと、思考が散漫になり、一日中眠気を覚える人がいるのだ。つまり、ブレインフォグに悩んでいるのなら、グルテンを断てば改善する可能性がある。加えて、セリアック病や非セリアック・グルテン過敏症であることがわかるかもしれない。

【ホスファチジルセリン（PS）】PSは、健全な神経の細胞膜や被覆に欠かせない物質で、ブレインフォグを防ぐ保護作用がある。二〇一〇年、加《か》藤《とう》豪人《あきと》が六カ月にわたる大豆由来PSの補給で日本人高齢者の記憶機能が向上したと報告した［注70］。

PSはサプリメントとして入手できるし、大豆にも含まれている。それ以外ではあまり一般的ではないが、白インゲン豆、卵、乳製品の摂取を増やしてもいいだろう。

【シチコリン】ブレインフォグの原因を自分で突き止めるのはかなり難しいが、もし、アセチルコリンとドーパミンの不足がブレインフォグを引き起こしているとわかったのなら、牛レバーや卵黄など、シチコリンを含むものを食べることを検討するのがいい［注71］。

記憶と腸

記憶は、人間のアイデンティティの土台だ。私たちが何かを学び、歴史を記録し、人生の歩みを測るとき、記憶がその中心を占める。記憶がなければ、私たちは仕事をうまくこなせないし、歯も磨けなければ、車で家に帰ることもできなくなる。出会った人を認識することもできない。だからこそ、記憶は大切なのだし、認知症やブレインフォグで記憶が失われるのが悲しいのだ。

ブライアンを治療した当時、もし今と同じだけの知識があったなら、私は彼に記憶を少なくとも数年長持ちさせる食べ物で満ちた食生活を提案することができただろう。あなたが今何歳であろうと、関係ない。年をとったときに認知症にならないように、頭を毎日すっきりと鋭く保つ食生活を今すぐ始めよう。早すぎることなど、ないのだから。

記憶対策のカンニングペーパー

記憶を健全に保つ最高の食事法はMIND食だと言える。緑葉野菜、色とりどりの野菜、ベリー類、ナッツ類、オリーブオイル、全粒粉食品、魚、豆類、鶏肉を食べて、赤ワインを飲もう。

［どんどん食べよう・実践しよう］

- **カロリー制限**――主治医と話し合いながら総摂取カロリーを二五パーセント減らす計画を立てる。
- **アルコール**――断酒も飲みすぎもよくない。女性は週に三杯から五杯、男性は五杯から七杯が理想。
- **コーヒー**――優れものだが、カフェインの摂取量は一日に四〇〇ミリグラムまでとすること。

・**オリーブオイル**――保護作用は、ソフリットに使われたときに特に高くなる。

・**ハーブとスパイス**――ターメリック、黒コショウ、シナモン、サフラン、ローズマリー、ショウガ、セージ。

・**ブレインフォグ対策**――ルテオリンに富む食品（ジュニパーベリー、新鮮なペパーミント、セージ、タイム、トウガラシと甘トウガラシ、ラディッキオ、セロリの種、パセリ、アーティチョーク、乾燥メキシコオレガノ）。ホスファチジルセリン（PS）を含む食品（白インゲン豆、卵、乳製品）。シチコリンが豊富な食べ物（牛レバー、卵黄）。

［できるだけ避けよう］

・**ウェスタン食**――質の悪い脂肪（赤身肉、揚げ物）と高GI炭水化物（精白パン、白米、ジャガイモ、パスタ、そのほか製粉からつくられた食品すべて）。

・**グルテン**――セリアック病、非セリアック・グルテン過敏症を患っているのなら、パン、ピザ、パスタなど、すべての小麦食品とアルコール飲料の多くを避けること。

第七章
強迫性障害——NACとグリシンとオルトレキシアの恐ろしさ

外出中に、ストーブをちゃんと消しただろうか、玄関に鍵《かぎ》をかけただろうか、と落ち着かない気分になった経験は誰にでもあるだろう。そのような考えがまったく消えずに、ずっと頭を支配していると想像してみよう。実際にそのようになるのが、強迫性障害（OCD）と呼ばれる本当につらい状態だ。

私のオフィスに入ってきたとき、アダムは自信満々な若者に見えた。しかし、いったんガードを下ろすと、強迫的な考えとあれやこれを何度も確認する態度が表に現れた。反復行動は儀式と呼べるほどのもので、車のサイドブレーキを何度も引き直したり、歯磨き粉のキャップを繰り返し閉めたり、キッチンのゴミ箱がきちんと閉じられているかを見返したり。そんなことで一日のうち数時間を費やしてしまうのだ。

私たちは、少しずつ症状を改善するよう工夫した。例えば私の助言にしたがって、アダムはライドシェア（相乗り）サービスを使って出勤することにした。ドライバーを待たせたくないという気持ちが勝って、儀式が終わっていなくても家を出ることができるようになった。使ったあとに自動で蓋《ふた》が閉まるゴミ箱もオンラインショップで見つけた。そうした努力でアダムの症状はある程度落ち着いたのだが、それでも私と面会したあとは、車に戻ってから、サイドブレーキを解除したほうがいいか、しないほうがいいか、何時間も考え込んでしまったりする。解除したとたん、車が後ろに動いたらどうしよう？　アクセルを踏みすぎて、通行人にぶつかってしまうかもしれない。そのような考えが頭のなかをぐるぐる回るのである。

長年にわたり、強迫性障害は不安障害と同じものだとみなされていた[注1]。強迫スペクトラム障害と名付けられたほかの障害とともに、独立した病気として分類されるようになったのはごく最近のことだ。統計上、強迫性障害患者の三〇パーセントまでが生涯のうちに全般性不安障害を発症する[注2]。

強迫性障害はほかの精神疾患とも密接に関連している。トゥレット症候群のようなチック障害、身体醜形《しゅうけい》障害、抜毛《ばつもう》症、皮膚むしり症、病的賭博《とばく》症（強迫性ギャンブル依存症）、窃盗強迫、性的強迫などが強迫スペクトラムに含まれる。また、強迫性障害に悩む人は神経性無食欲症や過食障害などの摂食障害を抱える人と性格特性が共通していて、両障害を併発する患者も多い。

今からおよそ十五年前、私がアダムを治療していたころは、強迫性障害の治療法といえば、ごくわずかな治療薬と認知行動療法しか知られていなかった。しかし今では、いくつかの対照試験や観察された多数の症例から、有効な食事療法を導き出すことができる。本章では、強迫性障害および関連障害に対する食事療法について説明する。

強迫性障害と腸

不安症などでもそうであったように、強迫性障害でも腸と脳のつながりが重要になる。腸内細菌の状況が変われば障害の経過も変わるし、強迫性障害を発症すれば腸内細菌叢《さいきんそう》にも変化が現れる。

ノースダコタ大学のプラニシュ・カンタクを中心にした研究チームがマウスに強迫性障害に似た行動を引き起こしてから、プロバイオティクスが症状を抑えるか確かめてみた。最初の実験では前処理として、二週間または四週間にわたって、マウスに一種類のプロバイオティクまたは生理食塩水を与えた。その後、強迫性障害に似た行動を引き起こしたところ、生理食塩水だけを得ていたグループに比べて、プロバイオティクを得ていたマウスのほうが明らかに症状が少なかった[注3]。

二回目の実験では三つ目のグループを用意して、新しいグループのマウスに一般的にプロザックという商品名で知られているフルオキセチンを四週間にわたって投与した。フルオキセチンは選択的セロトニン再摂取阻害剤（ＳＳＲＩ）で、強迫性障害の治療でおもに用いられる。予想通り、フルオキセチンはマウスの強迫性障害を緩和したのだが、その効果はプロバイオティクを与えたグループとほぼ同じだった。つまり、プロバイオティクスは主要薬品と同じぐらい強迫性障害に効くのである。

腸が脳に作用するだけでなく、逆に脳が腸を変えることがあると証明するために、マクマスター大学でトニー・ユング率いる研究チームが、マウスに強迫性障害の症状を引き起こす薬品を投与してから、腸内細菌を検査した[注4]。その結果、強迫性障害の発症をきっかけに、ラットの腸内細菌が変化したことがわかった。研究チームは腸内細菌が強迫的な行動に費やされた時間とエネルギーによって変化すると結論づけた。

動物実験で得られた結論は、人を対象にした研究でも実証されている。例えば、健康な人間におけるプロバイオティクスの心理効果を調べるために行われた一般的な調査で、三十日間プロバイオティクスを摂取した被験者は強迫的な症状が和らいだ。

二〇一五年にはジャスミン・ターナらが、強迫性障害は腸と脳の双方向の関係性の結果だと考えられると発表した[注5]。腸内細菌の変化が視床下部－下垂体－副腎《ふくじん》軸（HPA軸）に影響を及ぼし、それが引き金になってホルモンや免疫系に連鎖反応が起こり、結果として強迫性障害が発症するのだ。

強迫性障害患者ではHPA軸が正しく働いていないことを示すエビデンスは数多く見つかっている。例として、強迫性障害患者においてストレスホルモンことコルチゾールがどう変化するかを見てみよう。健康な人の場合、基本的にコルチゾール濃度は低い。

しかしその人がストレスを感じると、体が危機に反応してコルチゾールを放出するので、濃度が一気に高まる。ところが強迫性障害の患者では、基準値が普段からすでに上昇している一方で、危機的な状況に直面しても、コルチゾール濃度が急上昇しない[注6]。それどころか、強迫性障害の場合、ストレス下でコルチゾール濃度が下がることも多い。普通とはまったく逆のパターンだ。健康な人と違い、脳が外からのストレスに対処できない状態だ。

では、何が腸内細菌の変化を引き起こすのだろうか？　二〇一四年、認知心理学者のジョン・リースが、ストレスと抗生物質の二つが腸内細菌叢を変性させると説明した[注7]。さまざまな種類のストレスが腸内細菌叢の変化を促し、それが強迫性障害につながる。数多くの調査を通じて、その際のストレスは人生を一変させるような大きなストレスに限られるわけではないことがわかっている[注8]。健康の悩み、学校でのストレス、大切な人を失った悲しみなど、あらゆるストレスが強迫性障害を誘発する。妊娠ですら、腸内細菌叢に変化を引き起こし、強迫性障害につながることがある。

小児では、強迫性障害の一種であるＰＡＮＤＡＳ（連鎖球菌による小児自己免疫性神経精神疾患）が連鎖球菌の感染および免疫機能不全によって引き起こされると考えられてきた。しかし最近では、連鎖球菌ではなく、連鎖球菌感染症の治療に使われる抗生物質がＰＡＮＤＡＳの引き金になっているのではないかと疑う研究者が増えてきた。連鎖球菌を駆逐する抗生物質が腸内細菌叢を混乱させ、その影響で強迫性の症状が始まる、という考え方だ。

すべてをひっくるめると、研究の成果は腸内細菌叢に変化が生じることで強迫性障害が発症するだけでなく、その逆もまた真であることを示唆している。

強迫性障害を悪化させる食べ物

強迫性障害は不安症と切っても切り離せない関係にあるので、私は患者に不安症対策と同じような食事を勧めることにしている。基本的に第三章で説明した食品を避ければいいが、強迫性障害の場合には、次に挙げるものも口にしないほうがいいだろう。

グルタミン酸塩

グルタミン酸塩は数多くの食材に含まれ、料理にうまみを足す手段としても使われている。一般に使われている量の食事性のグルタミン酸塩はほとんどの人にとって無害なのだが、強迫性障害患者は摂取しすぎないほうがいい。グルタミン酸塩は強迫性障害の症状と深く結びついている神経伝達物質として、脳内で重要な役割を担うからだ。

二〇一八年、キャスリーン・ホルトンとエリザベス・コッターが五十歳の男性の例を発表した。その男性は三十九年にわたり強迫性障害の症状に苦しみ、薬物治療を続けてもまったく改善が見られなかった［注9］。男性が強迫性障害に加えて、線維筋痛症（慢性の痛み）と過敏性腸症候群も患っていたことから、食事療法は強迫性障害にも効くという画期的な発見につながった。

あるとき、グルタミン酸塩の量を低く抑えた食事が線維筋痛症と過敏性腸症候群に効くかどうかを調べる無作為二重盲検プラセボ対照臨床試験が行われ、その男性も参加した。低グルタミン酸塩食を一カ月続けたところ、線維筋痛症と過敏性腸症候群の症状が減っただけでなく、強迫性障害も明らかに改善した。そこでホルトンとコッターは、グルタミン酸塩が関係している化学的な異常が強迫性障害を引き起こしているに違いないと結論づけたのだった。

二〇一七年、プレミスル・ヴルチェックらが、強迫性障害の際の脳内回路において、グルタミン酸経路の異常が主要な役割を担っていることを示す幅広いエビデンスを発表した［注10］。グルタミン酸塩が中枢神経系における主要な興奮性神経伝達物質だったのだ［注11］。強迫性障害は、少なくとも部分的には、細胞に行動を促すシステムが正しく働かなくなることに起因していて、グルタミン酸塩のとりすぎが、その症状を重くしていると考えられる。

しかし、過剰なグルタミン酸塩だけが問題なのではない。二〇一九年、ヤン・リーらが強迫性障害は興奮性のグルタミン酸塩とその拮抗《きっこう》物質の抑制性神経伝達物質の一つであるガンマアミノ酪酸（ＧＡＢＡ）の両方の増加によって引き起こされる可能性が極めて高いと発表した［注12］。その名から理解できるように、抑制性神経伝達物質は興奮性の神経伝達物質と真逆の働きをもち、ニューロンの活性を抑える。

グルタミン酸塩とＧＡＢＡの両方が増えすぎると、脳のなかは「ゴー」と「ストップ」のサインが同時に出されたような状態になる。対立するメッセージが送られてくるので、脳は混乱して立ち往生してしまう。実際のＧＡＢＡ・グルタミン酸塩異常はもっと複雑な仕組みで成り立っているのだが、ここで大切なのは、強迫性障害患者は食事に含まれるグルタミン酸塩を減らすことで症状を緩和できるという点だろう。

食事性のグルタミン酸塩には二つの種類がある。一つは結合グルタミン酸塩で、これはタンパク質の一部として摂取され、消化も吸収もされやすい。もう一つは遊離グルタミン酸塩で、ほかのアミノ酸に結びついていないため、血中のグルタミン酸塩を一気に上昇させる。そのような急上昇は避けるに越したことはない。

遊離グルタミン酸塩は、塩漬肉、ロックフォールチーズ、パルメザンチーズ、魚醬《ぎょしょう》、醬油、完熟トマト、ブロッコリー、ブドウ果汁、キャビア、サラミ、味噌《みそ》、骨スープ（ボーンブロス）に含まれている。第四章で述べたように、グルタミン酸塩はグルタミン酸ナトリウム（ＭＳＧ）の成分として、数多くの包装・加工・調理済み食品にも使われている。例えば、チックフィレイのナゲット、スープの素《もと》、インスタント食品、あるいは大豆や酵母のエキスなどだ。強迫性障害や強迫性障害に似た症状に悩んでいる人は、そのような食品を控えてみて、改善が見られるか確かめてみるとよい。

グルテン

二〇一八年、消化器科医のルイス・ロドリゴらが研究を行い、強迫性障害とトゥレット症候群を併発した児童でグルテンの摂取量を減らすと強迫性障害の症状が軽くなるか調べてみた[注13]。すると予想通り、グルテンフリーの食事を一年間続けた患者は強迫観念が生活を脅かすことが少なくなり、苦しみが減った。

セリアック病の脳で、自己免疫細胞が破壊されやすく、グルタミン酸塩とＧＡＢＡの不均衡に陥りやすい[注14]。おそらく、それらが強迫性障害の発症にも関係しているのだろう。

グルテンフリー食が強迫性障害に効くという確証はないが、症状が緩和するかどうかを確かめるために、グルテンを避けてみる価値はある。

衝動強迫を追い払う食べ物とサプリメント

ヴィッキーは「フォーチュン５００」に名を連ねる企業で人事部門の最高責任者を務める五十歳の女性だ。職場では時間や期限に細心の注意を払いながら働いている。しかし家庭では、末っ子がもうすぐ大学進学で離れて行ってしまうかもしれないという考えに苦しみ、不満を抱えていた。

ほとんどの話題ではとても明るくて活発なのに、結婚生活の話になると急に不安そうなそぶりを見せる。最後には、このまま結婚生活を続けるべきか悩んでいると、ヴィッキーは私に告白した。夫婦生活がこじれているとか、夫とけんかしたとかそういう話ではない。ただ、夫のやり方に自分を合わせすぎているような気がしていたのだ。彼女は世界を旅したいと思っていたのに、夫は生活に変化を求めなかった。

不安を抑えて、何かを始めたいという欲求を満たすために、近藤麻理恵《こんどうまりえ》の『人生がときめく片づけの魔法』を読んでみたところ、とても気に入った。近藤の片づけ術が、ヴィッキーにはストレスのはけ口になった。そのうち、クローゼットと地下室を片づけるだけでなく、靴や衣類のすべてを色別に並べたりするようになった。

夫からしてみれば、彼女はいつ見ても片づけをしていた。自分の衣類を妻が整理しはじめたとき、夫は我慢ができなくなった。子供たちでさえ、家に帰って来ると部屋のドアに鍵をかけるようになった。ヴィッキーが入って来て勝手に部屋の片づけを始めるのではないかと恐れたのだ。次第に、彼女の片づけ癖は生活のほかの部分にも影響を広げはじめた。片づけのせいで仕事に遅れることもあったし、職場に着いても整理整頓《せいとん》のことばかり考えてしまう。

ヴィッキーは強迫性障害を発症していたのだ。強迫性障害は人生の早い段階で始まることが多いが、五十歳を超えてから始まるケースもなくはない[注15]。ヴィッキーは薬を用いた治療を断固として拒んだが、私とのセラピーを通じて、結婚生活に終止符を打つという不安に対する代償として強迫的な行動が始まったことを理解しはじめた。

彼女が薬品の服用に抵抗を示すので、私はいくつかの食事療法を試してみることにした。具体的には、ＳＳＲＩ（選択的セロトニン再摂取阻害剤）なしで強迫性障害を緩和すると目されている二つの治療法を試すつもりだった。Ｎアセチルシステイン（ＮＡＣ）とミオイノシトール（ＭＩ）の二つだ。

食事とサプリメントとセラピーの組み合わせを通じて、ヴィッキーは三カ月ほどで思考がすっきりしてきた。強迫観念は回数が減ったし、影響も弱くなった。結果、彼女は生活をうまくこなしていけるようになった。そして彼女は一年後に苦渋の決断を下した。夫との別居を試してみることにしたのである。十八カ月後、二人は合意のうえで離婚するに至った。

それからも私は定期的にヴィッキーに会った。食事療法がおろそかになるたびに、彼女は強迫的な症状を示した。離婚が正しかったのだろうかと考え込んだり、片づけにのめり込んだり。しかし、食事療法を再開すると、症状は消えてなくなった。

それでは、ＮＡＣとＭＩを皮切りに、強迫性障害患者に有効だと考えられる食事療法について見ていくことにしよう。

Nアセチルシステイン

Nアセチルシステイン（NAC）は数多くの病気の治療に使われるサプリメントだが、強迫性障害の治療にも有効であることが確認されている。NACは皮質、扁桃体《へんとうたい》、海馬、線条体など、強迫性障害と関係する数多くの脳領域で、細胞間のグルタミン酸塩の放出を阻害する［注16］。さらに強迫性障害患者の脳内で酸化ストレスと炎症を抑える［注17］。

二〇一七年には、NACが子供や成人の強迫性障害患者において、抗鬱薬のシタロプラムのもつ衝動強迫に対する抵抗力を高め、自制を促す効果を強めることが実証された［注18］。また、抗鬱薬のフルボキサミンで強迫性障害の治療をしている五十八歳の女性にNACを補給したところ、補給開始からわずか一週間で症状に明らかな改善が見られた［注19］。

強迫スペクトラム障害の一つで、患者が繰り返し自分の毛髪をむしり取ってしまうことで知られる抜毛症の治療にも、NACが効くことが確かめられている。二〇〇九年、一日に一二〇〇から一四〇〇ミリグラムのNACが抜毛症患者にどう作用するかを調べるために、ジョン・グラントが十二週間に及ぶ二重盲検無作為プラセボ対照試験を行ったところ、NACを投与された患者は、プラセボを受け取った患者に比べて、髪を抜く行為が格段に減ることがわかった［注20］。

NACが強迫的な爪かみ癖（咬爪症《こうそう》）や皮膚むしり症にも有効であることを示す症例も数多く見つかっている。これまでの成果を総合すると、プラセボよりもNACのほうが優れていると言える[注21]。また、NACは深刻な副作用がないので、安全だと考えられている。

NACを含む天然の食材は少ないので、サプリメントの形で摂取する必要があるのだが、じつは、NACは体内に入るとアミノ酸のシステインに変換される。そこで、私のクリニックで患者にシステインを多く含む食品を食べさせたところ、同様に優れた結果が得られた。肉、穀物、卵を筆頭に、リコッタチーズ、カッテージチーズ、ヨーグルト、ブロッコリー、赤トウガラシ、タマネギなどにシステインが含まれている。

ミオイノシトール

ミオイノシトール（MI）はグルコースの一種として体内でつくられるが、食品から摂取することもできる。脳内には大量のMIがある。特に脳の細胞膜に多く集まり、細胞に出入りする物質の制御に一役買っている[注22]。MIはホスホイノシチドの前駆体であり、ホスホイノシチドは脂質の一種として神経化学経路の多数——強迫性障害に関与するセロトニンとドーパミンの経路など——で細胞の反応を促す[注23]。

MIは脳にSSRIと同じように働きかけると考える研究者もいる[注24]。MIが強迫性障害に効くことを示す研究や実験も数多く行われている。例えば、一九九六年に精神科医のメンデル・フックス率いる研究チームが十三人の強迫性障害患者を相手に調べたところ、六週間にわたり一日に一八グラムのMIを投与すると、プラセボに比べて明らかな症状の緩和が見られたのである［注25］。

ＭＩそのものが有効であるにもかかわらず、例えばＳＳＲＩなど、通常の強迫性障害治療への追加療法としてのＭＩの有効性が証明されたことはない。また、ＭＩには下痢、鼓腸、吐き気などといった軽微な副作用も報告されている。ただし、そのような欠点よりも利点のほうがはるかに大きいと言える［注26］。

ＭＩは果物、豆、穀物、ナッツに多く含まれている。野菜の場合、冷凍や缶詰よりも、新鮮なもののほうが多い。朝食のグレープフルーツとブラン《ふすま》フレークが優れたＭＩ源になり、コーヒーにもわずかだが含まれている。ただし、グレープフルーツはほかの薬品と干渉する恐れがあるので、食事に加えるつもりなら、前もって主治医に相談する必要がある。昼食と夕食では、白インゲン豆やサヤインゲンを増やそう。芽キャベツとライマ豆もＭＩが豊富で、ニンジンとトウモロコシは少ない。ピーナツバター（無加糖）や全粒粉パンもＭＩが多い。一般的に、白いパンよりも全粒粉パンのほうがＭＩを多く含む。柑橘《かんきつ》系の果物には大量のＭＩが含まれているため、間食にお勧めだ。

グリシン

脳内のグルタミン酸塩の働きに影響するもう一つのアミノ酸として、グリシンを挙げることができる。研究を通じて、グリシンはＮ－メチル－Ｄ－アスパルテート（ＮＭＤＡ受容体）という脳内で見つかったグルタミン酸塩受容体の一種との相互作用を通じて、強迫性障害を緩和する可能性があることがわかった［注27］。グリシンは抑制性神経伝達物質でもあるので、ＧＡＢＡのようにグルタミン酸塩と競合することはなく、強迫性障害患者の脳内の混乱を落ち着かせる作用がある。

二〇〇九年、ウィリアム・グリーンバーグらが強迫性障害患者に、日に六〇グラムのグリシンまたはプラセボを投与し、四週間、八週間、十二週間後の症状を記録した［注28］。その結果、グリシンを得た被験者で症状の明らかな緩和が見られた。

同年、ウィリアム・ルイス・クリーヴランドらがグリシンの重要性を明らかにする別の症例について報告した［注29］。そのケーススタディの患者は十七歳で強迫性障害および身体醜形障害と診断され、その症状は通学が不可能なほど重篤だった。十九歳のとき、彼は家に引きこもり、両親以外の誰とも交流しなくなった。ＳＳＲＩ系抗鬱薬、向精神薬、点滴療法など、一連の治療法を試したが、効果が現れなかった。

二十二歳のころ、胃《い》潰瘍《かいよう》の原因のヘリコバクター・ピロリ菌に対処するために抗生物質の投与を受けると、症状が悪化した。臨床医は、彼のＮＭＤＡ受容体が正しく働いていないと結論づけた。そこで、ＮＭＤＡを励起するためにグリシンを投与することにした。五年を超えるグリシン投与により、彼の強迫性障害と身体醜形障害の症状はかなり改善した。投与を中断すると、部分的に再発する。新たなグリシン療法のおかげで、患者は学校に行くことも、社会的な生活を送ることもできるようになった。

これは単独の症例に過ぎないが、結果は劇的だと言える。グリーンバーグの試験の結果も加味すると、グリシンは強迫性障害の治療に極めて強力であると結論づけられる。

　グリシンを摂取するのに、サプリメントに頼る必要はない。肉、魚、乳製品、豆類に含まれている。豚肉や鶏肉《とりにく》よりも牛肉のほうが、牛肉よりも七面鳥のほうがグリシンを多く含む。最も優れた供給源は、コラーゲンとゼラチンだ。骨スープにはグリシンとグルタミン酸塩の両方が含まれているので、食すると相反する作用が現れるかもしれない。そこで私は患者に骨スープを試してみて、強迫性障害の症状がどう変化するか見てみることにしている。ある患者で骨スープによるネガティブな影響が現れれば、単純に、ホウレンソウ、ケール、カリフラワー、キャベツ、カボチャなどの野菜と、バナナ、キウイなどの果物だけをグリシンの供給源にする。

ミルクシスル（マリアアザミ）

　ヒマワリやヒナギクの仲間であるミルクシスル（マリアアザミ）は数世紀前から薬として用いられてきた。古い言い伝えでは、ミルクシスルの紫色の花と白い筋模様の葉は聖母マリアの母乳に由来すると言われている。

　強迫性障害に効くミルクシスルの有効成分は、フラボノイドのシリマリンだ。天然の抗酸化物質であるシリマリンのおもな働きは、脳からセロトニンを除去する作用をもつモノアミン酸化酵素（ＭＡＯ）を阻害することである[注30]。ＭＡＯを阻害することでセロトニンが増え、その結果として強迫性障害の症状が軽くなる（その仕組みはすでに紹介したMAOI抗鬱薬の作用とほぼ同じ)。

メヒディ・セイヤーらが強迫性障害患者にミルクシスルのエキス(一日六〇〇ミリグラム)またはフルオキセチン(一日三〇ミリグラム)を投与して効き目を比べてみたところ、両者ともに同じぐらいよく効き、副作用も同等だった[注31]。さらなる調査が必要だが、ネガティブな副作用はほとんどないのだから、試してみる価値はあるだろう。

ミルクシスルを日常的に摂取するにはサプリメントに頼るしかない。服用を始める前に主治医に相談すること。

ビタミンB12

ビタミンB12(コバラミン)はセロトニンなど、いくつかの脳内化学物質の合成に欠かせない。ある調査によると、強迫性障害患者の二〇パーセントでビタミンB12が不足しているそうだ。この結果はほかの研究を通じても裏付けられている[注32]。

二〇一二年、ヴィヴェク・シャルマとデヴドゥッタ・ビスワズが、ある強迫性障害患者について報告している。中年の男性で、ビタミンB12のレベルが低く、また、家族にもビタミンB12欠乏症を経験した者がいた[注33]。その男性の場合、B12の一形態であるメチルコバラミンを摂取することで、ビタミンB12のレベルが上昇し、強迫性障害の症状が軽くなった。この例から、強迫性障害患者にビタミンB12を補給することは、やってみる価値のある治療法だと言える。

ビタミンB12は鶏などの肉や魚に多く含まれているので、菜食ではない人がじゅうぶんな量を摂取するのは難しいことではない。菜食主義者は乳製品をおもな供給源にすればいい。乳製品も口にしないビーガンは、ビタミンを強化したシリアルやほかの食品を探すことになる。大豆を発酵させたテンペなど、ビタミンB12をもとから多く含む植物性食品も存在する。もう一つ、植物性の食べ物でビタミンB12を多く含む代表格は海苔《のり》だ。

以前、アシュワリヤという三十五歳の菜食主義者の女性患者がいた。生活に支障をきたすさまざまな行動を理由に、私に診察を求めてきた。例えば、ベッドカバーがこの上なく〝完璧《かんぺき》〟な状態になるまで整えているうちに、気づいたときには朝になっていたり、けがもしていないのに肌の傷を探しつづけたり。私のところへ来たときも、何度も何度も椅子に座り直した。見たところ、彼女の体重は普通で、椅子もじゅうぶんな大きさなのに、太っているので椅子が窮屈に感じる、と恥ずかしそうに告白する。

詳しく問診を行った結果、私はアシュワリヤが強迫性障害と身体醜形障害を患っていると診断した。いくつかの基本的な検査を行ったところ、彼女はビタミンB12のレベルが低かったので、その点を治療の手がかりにすることに決める。三カ月後、サプリメントを服用したにもかかわらず、彼女のB12はいまだに不足していて、症状も残っていた。どんな形でB12を補給しているのかと尋ねると、クロレラの錠剤を飲んでいると言う。かなりの量のビタミンB12が含まれるとされるサプリメントだ。しかし、市販されている製剤はビタミンB12の含有量がまちまちで、彼女が使っていたものにはそれほど多く含まれていなかった［注34］。

そこでアシュワリヤは「スピルリナ」に変えることにした。藍藻《らんそう》からつくられるサプリメントだ。ところが、いくつかの研究を通じて、スピルリナのような栄養補助食品の多くには、いわゆる偽ビタミンB12が含まれていることがわかった。偽ビタミンB12とはB12の変種のことで、人間では役に立たない［注35］。

スピルリナでも症状が改善しなかったので、アシュワリヤは乾燥海苔を使った野菜のスシをつくって食べることにした。海苔にはグルタミン酸塩が含まれているが、アシュワリヤにはその悪影響は出なかった（もし彼女がグルタミン酸塩に敏感なら、私はグルタミン酸塩が乏しくてビタミンB12が豊富なワカメを勧めるつもりだった）。三カ月もたたないうちに、彼女の症状は軽くなりはじめた。ビタミンB12の置き換えは強迫性障害に絶対に効くわけではないが、場合によっては大いに効果を発揮する。

ターメリック（ウコン）

二〇一〇年、ジテンドラ・チマクルティとT・E・ゴパラ・クリシュナ・ムルティが強迫性障害に対するクルクミンの作用を調べた［注36］。これまで見てきたように、以前からターメリックの有効成分であるクルクミンがセロトニン、ドーパミン、ノルアドレナリンの代謝に影響を与えることが知られていたため、チマクルティとムルティは、強迫性障害で現れる化学変化にもクルクミンが作用する可能性が高いと考えたのだ。

そこで二人は、ラットに強迫性障害に似た症状を誘発してから、クルクミンまたはパロキセチン（SSRIの一種）を投与した。その結果、体重一キログラムにつき五ミリグラムまたは一〇ミリグラムのクルクミンを与えられたラットで血中ドーパミン濃度が上がったのだが、セロトニン濃度も上がったのは一〇ミリグラムのクルクミンを与えられたラットだけだった。パロキセチンを投与したラットではセロトニンだけが増えて、ドーパミンは変化がなかった。両方で、強迫性の行動が減った。

人間の強迫性障害にも効くのかどうかはまだ研究が続けられているが、ターメリックに含まれるクルクミンはメンタルヘルス全般にとってすばらしい効果を発揮するので、日ごろから摂取を心がけるのがいいだろう。

特殊な症例

オルトレキシア

強迫性障害の患者を相手にするときには、彼らに新たな強迫観念の種を植えて症状を悪化させてしまわないように気をつけなくてはならない。特にオルトレキシアと呼ばれる摂食障害を引き起こさないように慎重になる必要がある。

一九九七年、スティーヴン・ブラットマンとデヴィッド・ナイトが、〝正しい食事〟をすることに病的に執着する人々を表す用語として「オルトレキシア」を提唱した。食事の過度な制限、調理法への異常な執着、食べ方への病的なこだわりなどの症状を指す。オルトレキシアを患う人々は、いわば極端な「健康食依存」なのだ。

健康な食生活について本を書いている私が、正しい食事にこだわりすぎるのはよくないと言うのは皮肉に聞こえるかもしれない。もちろん、自分が食べるものに気を遣い、栄養という意味でも持続可能性という点でもできるだけ優れた食品を消費しようとするのはすばらしいことだが、その一方で、そのような態度は執着、あるいは強迫観念にまで発展してしまう恐れがあることも確かだ。

ホスエという患者がいる。彼は私の噂を聞きつけて、助言を求めてわざわざ遠くから訪れた。ホスエは部屋に入るなり、血液検査を受けるはずだと予想していて、自分の抱える問題を解決するには複雑な治療法が必要だと思い込んでいた。しかし、問診をしてみたところ、彼の問題の中心は厳格すぎる食品選びであり、それによって足りていない栄養があることが明らかだった。そこで健康な食材を組み合わせた料理について話し合うことを優しく提案してみると、ホスエはそれを鼻で笑い、そんなやり方は〝あまりにありきたりだ〟と言い放ったのである。

私はこれまで相手にしてきた患者のすべてに、私の考えを理解してもらえたと自負しているが、ホスエだけは例外で、彼が私のアドバイスに従うとはとても思えなかった。

彼のメンタルヘルスにとって重要なのは、あまりにも厳格な食事の決まり事を緩め、バラエティに富む健康な食品を口にすることだ、という事実を受け入れようとしなかった。その日以来、彼は一度も顔を見せていない。私が思うに、彼は今も健全な体重を維持しながら、気分を向上させるという目的は達成できずにいることだろう。

私が健康な食べ物を選ぼうとする患者に思いとどまるよう説得することは絶対にないが、食事制限が彼らの生活を脅かすほどになれば、やはり心配せざるをえない。多くの場合、オルトレキシア患者は体重管理にのめり込んでいるので、私は体重管理への執着をオルトレキシアの危険サインとみなしている[注37]。

オルトレキシアの発症を避けるために、食事に変化を加えるときには次の原則に従うようにしよう。

・食品を変えるときは、一度に一つずつ。
・その変更を維持できないときは、別の食品を試す。
・気分が落ち込むのを防ぐために、制限の少ない変化から始める。
・意識せずに選択ができ、食事ごとに過度に気を遣わなくてもいいように前もって計画を立てる。
・体重は毎日ではなく、週に一回だけ量る。
・食事を変える試みをしている期間は、ソーシャルメディアの利用を控える。研究を通じて、特にインスタグラムを使っているとオルトレキシアが悪化することがわかっている［注38］。

このルールは強迫性障害の傾向がある人はもちろんのこと、食事に変化を加えようと考える健常者も参考にすべきだろう。

筋肉醜形障害

筋肉醜形障害とは強迫性障害の一種で、自分の筋肉づくりに執着することを指す。多くの場合で、エクササイズをしなければならないという強迫観念にとらわれる［注39］。体脂肪率を減らして完璧な筋肉量を達成するために、極端な食事法を採用し、栄養補助食品を使用する。

その一人がジェイソンだ。三十歳の男性で、人生の目標が定まらず、やる気に火をつけたくて私のところへやってきた。しばらくするうちに、私は彼の父親との関係が問題の核心にあることを悟った。ジェイソンは父親のために働き、その気楽さが気に入っていた。その一方で、父親はとても厳しい人で、ジェイソンは年齢を重ねるうちに、自分は父親のような成功者にはなれないと考え、挫折《ざせつ》感が強くなっていた。

でも、そんなことを父親に言うわけにもいかないので、ジェイソンは欲求不満を解消するためにジムに通うようになった。体脂肪率は九パーセントにも満たず、筋肉もはっきりと浮き上がって見えるのに、彼はもっとスリムに、もっと強くならなくては、と話した。ボディビルディングの大会に出ると決めたからだ。もうじゅうぶん美しい体をしていると私が言うと、彼は私を「こいつは何もわかっていない」とでも言いたげな表情で見つめた。

それからの数週間、ジェイソンは練習量を増やし、食生活も大幅に見直した。結果、体は少し気がかりになるほど絞れた。体脂肪率は五パーセントにまで落ちたのに、やめようとしない。タンパク質の摂取量も、持久スポーツのアスリートのみに推奨される高用量よりもはるかに多くなるまで増やした[注40]。分岐鎖アミノ酸、グルタミン、成長ホルモン促進アミノ酸（リジン、オルニチン、アルギニン）など、一連のサプリメントも服用した。さらに悪いことに、アナボリックステロイドにまで手を出した。

歯止めがきかなくなっていることは明らかだったが、ジェイソンにそのことを理解させるのは難しかった。私はどうにか、彼に一連の検査を受けさせることに成功した。その結果、彼は腎不全の一歩手前であることがわかった。幸いなことに、手遅れになる前にその検査結果が彼の目を覚まさせた。私は振り出しに戻ることを勧めた。新鮮な果物と野菜、低脂肪のタンパク質（鶏胸肉、七面鳥、サーモンが彼のお気に入りだった）、オリーブオイルやアボカドのような健康な脂質を中心にした食事に。時間をかけて我慢強くそのような食事を続けたことで、ジェイソンにも次第に効果が自覚できるようになり、心身ともに回復していった。その後、私が彼に栄養面に関するアドバイスを続けた一方で、彼は成功者である厳しい父親のもとで成長してきた体験について語るために、セラピストも訪問するようになった。最終的に、ジェイソンは自分の極端な食事法とエクササイズが、父親に対する複雑な感情と結びついていることを理解した。そうやって一年以上かけて、健康な生活を取り戻すという目標に向けて、大きく前進した。

筋肉醜形障害の場合、食事の急激な変化は避けたほうがいい。タンパク質やサプリメントの消費のしかたを変えるつもりなら、必ず主治医や栄養の専門家に相談すべきだ。特に、オンラインで得た怪しげな情報にもとづいてサプリメントを選ぶのは避けること。自分の食事に何を加えるか、よく考えるように心がけよう。私たちの心は健康になるために不健康な方法を選んでしまうことがあるという事実を、忘れてはならない。

食事を通じた強迫観念との闘い

私の患者の実例を通じて、強迫性障害とはさまざまな形で現れる非常に繊細な病状であることが理解できただろう。アダムのように、衝動強迫と極端な心配性という典型的な症状を発する患者もいるが、それが強迫性障害のすべてではない。ときにはヴィッキーのように、一見したところ健全だと思えるアイデアから強迫性障害につながることもあるし、アシュワリヤのように、小さな習慣あるいは体に対する些細《ささい》な不安が積もり積もって障害に発展することもある。あるいは、ジェイソンがそうであったように、健康な生活への執着も引き金になりうるのだ。

非常に多様で、しかも発症していることに気づきにくい病でもあるので、自分に強迫性障害と思える症状があるときは、医師の判断を仰ぐことが肝心だ。治療法は個人によって異なるが、どんな場合でも、本章で論じたような栄養戦略のいくつかを併用するのが理想的だろう。

強迫性障害対策のカンニングペーパー

強迫性障害は不安症と密接につながっているため、第三章で推奨した食事法はここでも有益だ。

[どんどん食べよう・服用しよう]

・**Nアセチルシステイン（NAC）**——NAC自体はサプリメントとして服用される必要があるが、システインに富む食品も効果的である。肉、穀物、卵、リコッタチーズ、カッテージチーズ、ヨーグルト、ブロッコリー、赤トウガラシ、タマネギがお勧め。

・**ミオイノシトール**——新鮮な野菜、特に白インゲン豆、サヤインゲン、芽キャベツ、ライマ豆、あるいはピーナツバター、全粒粉パン、カンタロープメロン、柑橘類。

・**グリシン**——肉、魚、乳製品、豆類、ホウレンソウ、ケール、カリフラワー、キャベツ、カボチャ、バナナ、キウイ。
・**ミルクシスル（マリアアザミ）**——サプリメントの形で入手できる。
・**ビタミン**——B12。
・**スパイス**——ターメリックと少量のコショウ。

[できるだけ避けよう]
・**MSGなどのグルタミン酸塩とグルタミン酸**——魚醬、オイスターソース、トマトソース、味噌、パルメザンチーズ、甘くないスナック、ポテトチップス、インスタント食品、キノコ、ホウレンソウ、海藻、チーズ、醬油、発酵豆、トマト、肉や魚介類などの高タンパク質食品。
・**グルテン**——セリアック病、非セリアック・グルテン過敏症を患っているのなら、パン、ピザ、パスタなど、すべての小麦食品とアルコール飲料の多くを避けること。

第八章

不眠症と疲労――カプサイシンとカモミールと抗炎症食

ドゥミサニは四十歳の警察官で、鬱病《うつびょう》を治したくて私のところにやってきた。少なくとも、彼女は自分が鬱病だと考えていた。夫と、ケニアから養子として引き取った赤ん坊がいる。夫は日中働いているので、ドゥミサニは夜勤を選び、毎晩夜明けまで働いた。

ところが、長い勤務が終わってベッドに入ってもなかなか眠れない。仕事中は目を開けているのがやっとだというのに、ベッドに入ると眠気が吹き飛んでしまう。夜勤のストレスがドゥミサニをむしばみつづけた。もちろん、次の夜勤ではひどい状態で、大量のコーヒーを飲んでなんとかしのいでは、また眠れない朝を迎えるのだ。

その繰り返しが、彼女に重くのしかかった。気分がふさぎ込み、健康な食生活を心がけているのに、体重が七キロほど増えた。抗鬱薬では問題を解決できないと、私はすぐに悟った。彼女の場合、投薬を始める前に生活のスタイルを変えるべきだ。そこで私は、夜勤が腸内の細菌を混乱させること、規則的な睡眠パターンがとても大切であること、エネルギーをよりよく使うためにどのように食事を変えるべきか、などと説明した。ドゥミサニは毎晩夜勤をしなくてもいいように、スケジュールを変更した。夫も、特定の日には赤ん坊を職場に連れて行けるように仕事を調整した。彼女は私と二人で立てた食事計画を熱心に守ったので、エネルギーが回復し、眠るべき時間に眠ることもできるようになった。

たくさんの変化を取り入れて、それらをうまく協調させなければならなかったが、そのかいもあって、家族はより円満に暮らしていけるようになった。ドゥミサニはそれからも夜勤をすることがあったし、睡眠も理想と呼べるものではなかった。対処法としては不完全だったのだが、それにもかかわらず、気分は三カ月ほどで劇的に回復した。

世界人口のおよそ三分の一が、睡眠に問題を抱えている［注1］。うまく眠れないとか、すぐに目が覚めてしまうとかいろいろあるが、睡眠の障害は体内のあらゆる臓器に影響を及ぼす力がある［注2］。脳、心臓、肺、腎臓《じんぞう》、あるいは全身の代謝の調子が悪くなる。

心安らぐ音楽や鎮静剤ですら睡眠を促してくれないとき、私たちには何ができるのだろうか？　そんな問いに答えるために、本章では不眠症や疲労が人生に暗い影を落としているときに、状況を改善する、あるいは悪化させる食べ物を紹介する。

睡眠と腸

腸内細菌の繊細なバランスを保たなければ、健康な睡眠を得ることはできない。睡眠という点においても、腸と脳は深く結びついているのだ。腸の細菌は、免疫系、ホルモン、迷走神経と直接的に作用することを通じて脳に連絡を取り、睡眠パターンの決定に参加している[注3]。そして同時に、脳のほうからも腸内細菌に影響を及ぼす。

二〇一四年、インペリアル・カレッジ・ロンドンの研究員のサラ・デイヴィスが若くて健康な男性十二人を対象に行った調査で、睡眠が不足すると二十七種類の代謝産物――そのなかには、セロトニンやトリプトファンなど本書で何度も登場したものも含まれる――の濃度も変化することを実証した[注4]。睡眠が正常な場合は、それら代謝産物はそれぞれ独自のリズムにしたがって一日のうちで増えたり減ったりするのだが、睡眠が足りていないと、リズムが乱れて代謝産物の増減も不規則になる。この発見をきっかけに、消化や代謝に体内時計がどう影響するのかを調べる学問分野が誕生し、「時間栄養学」と名付けられた[注5]。

まず大前提として、人間だけではなく、ありとあらゆる生物が自然な睡眠周期をもっている。腸内の細菌も例外ではない。腸内細菌は一日を通じて変動する生理プロセスにしたがって、〝睡眠〟と〝覚醒《かくせい》〟のパターンをもつ[注6]。そして、腸内細菌の周期は、睡眠や覚醒を促す種々の遺伝子に働きかけて、人間の体内時計にも影響を及ぼすのだ[注7]。

通常、腸内細菌の時計と人間の体内時計は同期している［注8］。ところが、夜更かしする日が続いたとか、遠い国へ旅行して時差ぼけになったとかの理由で体内時計が乱れると、それが腸内細菌の組成や活動にも変化をもたらす［注9］。結果として、体内時計にずれが生じ、食べ物の代謝にも悪影響が出て、最後には肥満につながってしまう。

腸の細菌と睡眠パターンのあいだに密接なつながりがあることは、数多くの動物実験を通じて実証されている。例えば、マウスで睡眠パターンの崩れが腸内細菌に変化をもたらしたことを証明した研究がある［注10］。そのマウスは結腸の腸壁が損なわれて、炎症の原因になるさまざまな物質が〝漏れて〟しまった。その影響でインスリン感受性が乱れて、食べる量が増えた。しかも、そのような睡眠不足のマウスの糞便《ふんべん》を無菌マウスの腸に移植したところ、無菌マウスも炎症や代謝障害などを発症したのだ［注11］。プロバイオティクスを与えたところ、そのような症状は消えてなくなった。

人間の場合、ドゥミサニのように、シフト制で本来なら寝ているはずの時間に仕事をしている人が、睡眠障害に陥りやすい。シフト勤務は特殊な例だと思うかもしれないが、実際にはアメリカの労働者の五人に二人がシフト労働者で、午前九時から午後五時という標準的な時間以外の時間帯に働いている［注12］。夜間勤務をする人がじゅうぶんな睡眠をとることはまれで、彼らの腸内細菌はバランスを崩していることが多い。日中に勤務する人と同じものを食べたとしても、シフト労働者は正常に代謝ができないので、体重が増えやすく、肥満になる可能性が高い［注13］。

睡眠を促す食べ物

いわゆる健康な食べ物は、基本的に睡眠を促すと考えていい。例えば、麺類《めんるい》や菓子を好み野菜や魚をあまり食べない女性は、より健康な食生活を送る人よりも睡眠の質が悪くなる傾向があることを、片桐諒子《かたぎりりょうこ》らが二〇一四年に報告している[注14]。エナジードリンクや砂糖で甘くした飲料をよく飲む人、あるいは朝食をとらず、食生活が不規則な人は、さらに睡眠の質が低くなりやすい。

高GI炭水化物が中心の食事では入眠時間は早くなるが、満足のいく睡眠にはならない[注15]。ほかの研究では、糖分の多い食事、あるいは飽和脂肪を多く含み繊維の少ない食事が、浅い睡眠を引き起こすと示唆されている[注16]。高脂肪・高炭水化物食が特に有害で、回復を促す徐波睡眠と、記憶の定着に欠かせないレム睡眠を妨害する[注17]。

ほかの研究は評価が難しい。日本で行われた研究では、タンパク質の摂取量が少ないと睡眠の質が下がり、入眠が難しくなる一方で、タンパク質の摂取量が多いと睡眠を維持するのが難しくなるという結果が出ている。適度な量のタンパク質を摂取することを心がけるのがいいだろう。何をどう食べるか、そのバランスを意識する必要がある。

大ざっぱに言えば、健康で自然な食品を食べようということだ。例えば、地中海式摂食パターンを基本にして、そこに自分の睡眠に影響するものを足したり引いたりすればいい。一つ確かなのは、食事に含まれる食材が単調であればあるほど、睡眠に悪い影響が出るということだ。できるだけ多くの食材を使うことを心がけよう［注18］。そうすることで、さまざまな栄養素を摂取できる機会が増え、食事がわくわくする楽しい時間に変わるので、睡眠だけでなく、全般的に有益だ。

睡眠を妨げる食品

食品のなかには、睡眠を妨げ、回復を困難にするものがある。夜にしっかり眠るために、制限すべきものを見ていこう。

カフェイン

眠気を吹き飛ばして覚醒することを第一の目的に、私たちはコーヒーなどを飲む。しかし、カフェインの摂取は諸刃《もろは》の剣だと言える。飲めば確かに目がさえるが、その一方では睡眠が妨げられ、翌日頭がすっきりしない。だからまたカフェインを飲む。カフェイン・睡眠・カフェインのサンドイッチとなり、睡眠時間が次第に減っていく。残念なことにこのサンドイッチの被害者は増えていて、アメリカ人のおよそ三三パーセントが、一日に六時間以下しか寝ていない［注19］。

脳内にある、睡眠と覚醒と認知に関係するアデノシン受容体にカフェインは作用する

[注20]。二〇一三年、クリストファー・ドレイクらが被験者を三つのグループに分けて、それぞれ寝る直前、三時間前、あるいは六時間前に四〇〇ミリグラムのカフェイン（コーヒーおよそ四杯分）を与えた[注21]。プラセボと比較した場合、どのグループでも睡眠に乱れが生じた。

しかし、カフェインには利点もあるので、避ければいいというものでもない。広範な研究から、一日に三杯から四杯のコーヒーで長生きができると考えられる。心臓病や癌、あるいは神経や代謝や肝臓の病を予防する働きもあるようだ[注22]。したがって、悪影響が出る限界を見極めながら、カフェインを賢く利用するのが理想だろう。

私の考えでは、コーヒーまたはカフェインの入った茶類を小ぶりなあるいは中ぐらいの大きさのカップで一日に三杯から四杯が最適だろう。ただし、念のために午後三時以降はカフェインを完全に断つこと。カフェインに特に敏感な人は、午後遅くにはカフェインレス飲料も避ける。カフェインレスコーヒーにもカフェインは含まれているからだ。スターバックスの場合、一六オンス（約四七〇ミリリットル）サイズのカフェインレスコーヒーでカフェイン量は最大一三・九ミリグラムになる。

アルコール

エイダンは十八歳の大学生で、鬱症状を理由に私のところへやってきた。成績は下がりつつあったし、テストが近づくたびに抑えきれない不安で胸がいっぱいになった。詳しく話を聞いてみると、エイダンは次の日は長寝できる週末にはかなりの量のアルコールを飲むそうだ。その代わり、翌朝早く起きなければならない平日の夜はしらふで過ごす。これは、理にかなっているようにも思える。飲酒後の疲れも週末に長寝すれば吹っ飛ぶ、という考えだ。でも、話はそれほど単純ではない。

私はエイダンに、アルコールを飲んでいない日に睡眠検査を受けてみるよう勧めた。すると、彼は飲んでいない日でも睡眠の質がとても低いことがわかった。おそらくその影響で彼は試験前には不安になるし、試験中にうまく情報を思い出すこともできないのだと思われた。

私は一カ月間アルコールを断つよう指示した。簡単ではなかったが、彼は何とか断酒に成功した。その成果は目を見張るものだった。不安はなくなり、成績も明らかに向上したのだ。一カ月の断酒後、エイダンはまたアルコールを飲みはじめたが、頻度は以前よりはるかに減った。アルコールが睡眠を害することを理解したのだ。

アルコールには鎮静作用があるので、理屈としては眠りを促すはずだ[注23]。ところが、眠りに入るやいなや、アルコールは正常な睡眠サイクルを妨げる。飲みすぎた日のエイダンの脳波を調べたところ、夜の前半で徐波睡眠が増えていた[注24]。徐波睡眠とはとても深い眠りのことで、通常、体がそのような深い睡眠に入るまでには、ある程度の時間がかかる。つまり、アルコールの力で迅速に深い眠りに入れるのだが、その代わりに夜の後半で睡眠の質が下がって、目覚めたときに活力が湧かないのだ[注25]。

加えて、アルコールはレム睡眠を抑圧する。それが精神的な活動に悪影響を及ぼす。また、レム睡眠が不足すると、身に迫る危険に対処するのが難しくなる［注26］。さらに、アルコールを飲むと腸内細菌が変性して、腸と脳で炎症が増え、迷走神経の保護鎮静作用が弱くなる［注27］。それだけではない。アルコールに依存している状態でも、断酒して禁断症状が出ているときも、扁桃体《へんとうたい》が活発になって不安症が悪化する。

アルコールを多く摂取する人の睡眠は、飲んでいないときでも乱れる。だから、エイダンのように週末に大量に飲む人は、飲んでいない平日にも心身が落ち着かないのだ。

つまり、睡眠を促すためにアルコールを利用するのだとしても――ベッドに入る前に〝リラックス〟するために一杯か二杯のワインを飲むことは無害に思えるかもしれないが――飲酒は最終的には利よりも害のほうが多いことを忘れないでおこう。たとえあなたが大酒飲みではないとしても、睡眠に問題があるのなら、一カ月ほど完全に断酒して、眠りがよくなるか確かめてみたほうがいい。

睡眠を促す食べ物

メラニーは三十六歳のフードブロガーで、レシピを試したり、ソーシャルメディアに写真や動画を投稿したりと、毎日とても忙しくしている。朝のエクササイズから夜ベッドに入るまで、無駄にできる時間などまったくない。ところが、電気を消してもなかなか眠れない。眠りに落ちるまで二時間や三時間かかることもあるし、眠れたとしても、朝まで眠りつづけられないことも多い。ベッドに入るのは夜の十一時で、毎朝六時に起きるので、実質的には四時間ほどの睡眠で一日を乗り切らなければならなかった。

私のもとを訪れたとき、メラニーは本当にイライラしていた。ベッドに入る数時間前にはテレビを消す、ベッドにスマートフォンを持ち込まない、カフェインを避ける、など一通りのことは試してみた。羊も数えた。それでも眠れないという。そこで私たちは、彼女の食事について話し合った。

最初にやったのは、メラニーに不足している食べ物を突き止めることだ。彼女は脂ののった魚を食べることがほとんどなかったので、私はサーモンや新鮮なマグロ、あるいはイワシを食卓にのせるよう勧めた。また、朝食のシリアルにブルーベリーを加えることと、就寝前に気分を落ち着かせるためにカモミールティーやタルトチェリーのジュースを飲むことも提案した。

そのような変化を取り入れたことで、メラニーは容易に眠りにつけるようになったし、朝まで眠れるようにもなった。それでは、よりよい眠りを促す食品を詳しく見ていこう。

オメガ3類

オメガ3多価不飽和脂肪酸には数々の利点があり、睡眠の改善もその一つに数えられる。数多くの動物実験が、オメガ3類に睡眠不足のマウスにおける炎症を抑え、睡眠を正常に戻し、脳を記憶障害から守る働きがあることを示唆している[注28]。

オメガ3類が人間の睡眠にも効くことを示す研究の数も増えつつある。例えば、二〇一八年にレイラ・ジャハンガルドらが五十人の鬱病患者を対象に行った研究では、プラセボを投与された患者に比べて、オメガ3類を受け取った患者のほうが鬱病や不安、感情の制御が好転し、最終的には睡眠も改善した[注29]。

オメガ3類は優れた眠りに欠かせないさまざまな要素に対して直接的にも間接的にも働きかける[注30]。一例を挙げると、いくつかの脂肪酸は睡眠を促す脳内物質として知られるプロスタグランジンの前駆体として働く。ほかの脂肪酸は、睡眠に必要なメラトニンの生成を促す[注31]。オメガ3類は、睡眠効率を上げレム睡眠も促進する[注32]。

メラトニン

メラトニンは脳で生成され、体内時計を調節する役割を担う。いくつかの研究で、メラトニンが入眠や、体内時計がずれて生じる時差ぼけの解消に役立つことが確認されている。また、睡眠周期を正す作用があるので、季節性の鬱病にも効果があると考えられる。

メラトニンはサプリメントとして入手できるが、特定の食品にも自然な形で存在している。卵、魚、牛乳、米やほかの穀物（大麦やオートミール）、果物（ブドウ、ザクロ）、ナッツ類（特にピスタチオとクルミ）、種子類（ヒマワリ、マスタード、アマ）、さまざまな野菜（アスパラガス、トマト、ブロッコリー、キュウリ）などである。

トリプトファン

トリプトファンはなかなか脳に到着しないが、到着しさえすれば睡眠を促す[注33]。血液と脳のセロトニンとメラトニンを増やすからだ。どちらも眠りを誘う物質である[注34]。

トリプトファンは、睡眠療法にも利用される。多くの場合、数週間にわたって患者に特定の薬品を投与してから数週間薬をやめ、また投薬を開始する〝間欠療法〟が行われる。念のためもう一度強調しておくが、トリプトファンのようなサプリメントは、必ず主治医の判断を仰いでから服用すること。実際、アメリカではトリプトファンは栄養補助食品とみなされているが、カナダでは医薬品として規制の対象になっている。

サプリメントではなく、食品からできるだけ多くのトリプトファンを摂取するつもりなら、感謝祭《サンクスギビング》の七面鳥などのトリプトファンを多く含む食品をマッシュポテトなどの炭水化物と組み合わせれば、本来ならあまり脳に吸収されることのない食事性のトリプトファンが脳に届きやすくなる。同じことがミルクとシリアル（糖分の少ない健康な全粒シリアル）、全粒粉パンとピーナツバター、あるいはチーズと全粒粉クラッカーの組み合わせにも言える。これらの組み合わせも、あなたを眠りに導いてくれる。

カボチャやカボチャの種、煎《い》った大豆、加熱したラムの肩肉、加熱したマグロにもトリプトファンが含まれている。必ずしも就寝前のスナックには向いていないが、眠れずに困っているのなら、夕食にそれらと炭水化物を加えてみるといいだろう。

Lオルニチン

トリプトファンと同じで、Lオルニチンも疲労時の睡眠の質を高める働きをもつ[注35]。Lオルニチンはしアルギニンを含む食品をもとに、体内でつくられる。

Lアルギニンを摂取する最も簡単な方法は、九種の必須《ひっす》アミノ酸のすべてを含むものを食べることだ。鶏などの肉、魚、大豆、キヌアなどがある。

カモミール

カモミールの効能で最も古くから知られているのは、睡眠の促進だ。そして、科学的にも効果が証明されている。

モフセン・アディブ＝ハジバージェリーらが二〇一七年に睡眠研究を行い、六十歳を超える人々にカモミールエキス二〇〇ミリグラムのカプセル、もしくはプラセボを二十八日間連続で投与した[注36]。その結果、カモミールの摂取で睡眠の質が著しく向上することがわかった。二〇一九年に行われたカモミールティーと睡眠に関する研究のメタ分析でも、カモミールが睡眠の質の改善にとても有効である事実が確認されている[注37]。

では、どうしてカモミールに睡眠を促す作用があるかというと、アピゲニンというフラボノイドが含まれているからだ。アピゲニンは脳内で、バリウムやザナックスなどといった精神安定剤と同じ受容体に結合する［注38］。

カモミールを摂取する最も一般的な方法は、カモミールティーだ（正確には〝茶《ティー》〟は含まれていないので浸出液）。種類によってカモミールの量が異なるので、一杯のカモミールティーにどの程度のカモミールが含まれているのかを特定するのは難しい。私の考えでは、一日に一杯から三杯（一杯につきおよそ二四〇ミリリットル）までなら問題ない。私は患者に、夜の早めの時間に最後の一杯を飲むよう勧めている。

カモミールは鎮静剤や抗凝血薬、あるいは鎮痛剤に干渉する恐れがあるので、カモミールティーを飲みはじめる前には、主治医に相談したほうがいいだろう。ブタクサ、デイジー（ヒナギク）、マリーゴールド、キクにアレルギーがある人は、カモミールティーでもアレルギー反応が出ることがあるので、避けたほうがいい。

ほかの微量栄養素

カモミールだけでなく、ガンマアミノ酪酸（ＧＡＢＡ）、カルシウム、カリウム、メラトニン、ピリドキシン、ヘキサデセン酸など、睡眠を促す天然成分は多い。ほとんどはサプリメントとして入手できるが、それらやほかの有効成分を含む食品も多い。

大麦若葉の粉末には抗酸化物質、カリウムなどの電解質、ＧＡＢＡが多く含まれている。どれも脳を守り、睡眠を促す成分だ［注39］。

マカは大根の仲間で、バタースコッチのような香りがする。ペルーや中国などで栽培されていて、カルシウム、カリウム、脂肪酸を含んでいるので、睡眠を改善する[注40]。朝鮮人参《にんじん》の花と葉も脳のGABA受容体を活性化させ、眠りを促す[注41]。朝鮮人参は高麗《こうらい》人参、御種《おたね》人参などとも呼ばれるが、アメリカニンジンと混同しないように。アジア産のキノコである霊芝《レイシ》もGABA受容体を刺激する作用があるので、睡眠に有効だ[注42]。

レタスに含まれているラクチュシンという成分には、鎮静作用があると考えられている[注43]。

サクランボはポリフェノールとビタミンCが豊富なので、炎症を抑え、睡眠を促す[注44]。タルトチェリーのジュースは不眠症を解消できることが知られている[注45]。二〇一八年、ジャック・ロッソらが十一人の被験者に二週間にわたってチェリージュースかプラセボを与える実験を行ったところ、チェリージュースを飲んだグループで睡眠時間と睡眠効率の両方が増加した[注46]。これは少人数を相手にした小さな研究に過ぎないが、チェリージュースが人間の睡眠障害にも効くことを示す最初のエビデンスである。チェリージュースはトリプトファンを利用しやすくし、炎症を鎮めると考えられている。

疲労に効く食べ物

じゅうぶんに眠ることができなければ、疲れがたまる。しかし、睡眠不足だけが疲労に陥るただ一つの原因ではない。脳と体が最大限の力を発揮できなくなる理由は数多くある。

疲労は心臓病や甲状腺《こうじょうせん》疾患などさまざまな深刻な病気の症状でもあるので、疲れがどうしてもとれないなら、医師に診てもらったほうがいい。そのような病気でないことがわかったなら、エネルギーを取り戻す方法として、食事療法を検討しよう。

炎症を抑える食べ物

疲労の原因の一つとして、軽度の慢性炎症が考えられる。肥満、鬱、慢性痛などが炎症を引き起こす。

体内のどこかに炎症があると、脳に振り分けられるエネルギーが減る。軽度の炎症がエネルギーを生む化学経路の代謝スイッチをオフにしてしまうのだ。その結果、活力が失われるだけでなく、脳組織を傷つけ、インスリン感受性を下げる有害なフリーラジカルの量も増える。

そのような仕組みが働くため、炎症を引き起こす食べ物はエネルギーを低下させるのだ。炎症を抑えるには、抗炎症作用をもつものを食べることが大切になる［注47］。本書でも、ここまで数多くの抗炎症食を紹介してきた。抗炎症食では、次の点が重要になる。

・脳の六〇パーセントは脂肪でできている。そのため、最適な働きを得るには、オメガ3脂肪酸を絶えず補給しなければならない。少なくとも、毎日エイコサペンタエン酸とドコサヘキサエン酸が合計で二グラムから三グラムは必要になる。

・オメガ6脂肪酸の量を減らすことなしに、オメガ3類とオメガ6類のバランスを適正に保つことはできない。オメガ6類を摂取しすぎると、炎症を増やす化学物質が大量につくられてしまう。トウモロコシ、ベニバナ、ヒマワリ、ブドウの種、大豆、ピーナツ、あるいは野菜からとれる油にオメガ6類が多く含まれている。したがって、マヨネーズ、サラダドレッシング、あるいは加工食品やファストフードの消費量を減らさなければならない。

・デンプン質でない色彩豊かな野菜に富む食事は、さまざまな機序で炎症を抑えるポリフェノールをたくさん含む。ほかにも、クローブ、スターアニス（ダイウイキョウ）、ココアパウダー（アルカリ化されていない天然製品）、メキシコオレガノ、ダークチョコレート、栗、アマニ粕《かす》も、ポリフェノール源として優れている[注48]。紅茶や緑茶、ブラックベリー、マスカットの種、リンゴ酢、シナモン、あるいはマキベリーのようないわゆるスーパーフルーツにも、炎症を抑える作用があると考えられる[注49]。

・抗炎症食療法を行うときには、健康な脂肪分と天然の化学物質を多く含む植物性の自然食を摂取することで、インスリンを安定させる必要がある[注50]。カリフラワー、サヤインゲン、ブロッコリーなどを利用しよう。

以上のような原則を守れば、炎症が減り、エネルギーが増えて元気になるのが実感できるはずだ[注51]。

マグネシウムと亜鉛

二十年以上前、研究者が慢性疲労症候群患者は赤血球に含まれるマグネシウムが少ない事実を発見した。マグネシウムを補給すると、体力が回復した[注52]。マグネシウムは炎症を抑え、神経系をリラックスさせる。例えば、運動をすると血中に乳酸がたまり、それが疲労感や手足の痛みを引き起こす。一方、マグネシウムは乳酸の蓄積を防ぐので、疲労を和らげることができるのだ[注53]。

マグネシウムを多く含む食品として、ローストしたアーモンド、ゆでたホウレンソウ、ローストしたカシューナッツ、豆乳、煮た黒豆、枝豆を挙げることができる。

亜鉛の減少も慢性疲労症候群の特徴だと言える。したがって、亜鉛を増やせば疲労を回復あるいは予防することができる[注54]。亜鉛不足は非常に一般的で、世界人口のおよそ半分は食事の偏りが原因で亜鉛が不足がちだと言われている。多く摂取するには、ラム、カボチャの種、ヘンプシード（麻の実）、牧草飼育牛、ヒヨコ豆を食べるといい。

ビタミン

脳の保護と活力の回復において、ビタミンが中心的な役割を果たす。複数のビタミンの摂取量を増やすために複合ビタミン剤を服用するのもいいが、できる限り自然な供給源を利用することを勧めたい。肉、魚、卵、果物、野菜をバランスよく食べればいい。ビタミン不足の患者を診察すると、ほとんどの場合、彼らの食事には大きな隙間がある。肉を食べないとか、果物や野菜が足りていないとか。心当たりがあるなら、あなたも一週間の食事を振り返って、どこに隙間があるか確かめてみよう。そのうえで、多彩な栄養を摂取するにはどうすればいいか、よく考えてみる。

以下、エネルギーのもとになるビタミンの代表例を紹介する（各ビタミンがどの食品に含まれているかは、巻末Bを参照）。

【チアミン】 チアミン（ビタミンB1）が不足すると、ミトコンドリアの活性に影響することがある。ミトコンドリアは細胞内のエネルギー工場なので、活性が弱くなればエネルギーが減る。そのためチアミンが不足すると、特に多くのエネルギーを必要としているニューロンの働きが弱まる。

【B6】 慢性疲労症候群の患者ではピリドキシンとも呼ばれるビタミンB6が不足している[注55]。動物の脳では、ビタミンB6が欠けているときには、エネルギーの生成に使われるグルコースも少なくなる[注56]。また、ビタミンB6不足は脳細胞間の接続を乱すので、情報処理の効率が下がり、それが疲労につながる。

妊娠期や授乳期の女性の多くでビタミンB6が不足する。慢性のアルコール依存も不足の原因になる。

【葉酸】 ビタミンB9は葉酸とも呼ばれる。ほかのビタミンB類と同じで、葉酸不足も慢性疲労症候群と関連している[注57]。葉酸は全身の細胞増殖に関与している。葉酸がなければ細胞の増殖ペースが落ちてより多くのエネルギーが必要になるので、疲れを感じやすくなる[注58]。

葉酸不足による疲労は、貧血が引き金になっていることもある。例を挙げると、ある四十四歳の男性がプライマリーケア内科診療所を訪れた。その男性は息切れ、疲労、指先の麻痺《まひ》やしびれが一カ月ほど続いていたのだった[注59]。詳しい検査をした結果、担当医は男性が大球性貧血という特別なタイプの貧血を起こしていた事実を突き止めた。葉酸不足が大球性貧血を引き起こしていたのだ。貧血が原因で組織にじゅうぶんな酸素が行き渡らず、それが疲労につながっていたのである。

貧血のほかにも疲労の原因はあるが、私が診てきた患者の多くは単純に葉酸の摂取量が不足していた。

【B12】 ビタミンB12（コバラミンとも呼ばれる）が不足すると、脳卒中を経験したあとなど、特定の状況で疲労につながる[注60]。ビタミンB12を口から摂取しても、体内の濃度はじゅうぶんに上がらないと主張する声もあるが、多くの研究の結果から、経口でも補給できると考えられる[注61]。ただし、一部の人は注射したほうがいいだろう。

主治医にビタミンB12のレベルを確認してもらって、どれぐらい補給すればいいか、指導してもらおう。

［ビタミンC］ ビタミンCは脳に欠かせない抗酸化物質で［注62］、不足すると一般的に疲労につながる。

［ビタミンD］ ビタミンDが足りていないと、脳に損傷や炎症が起こる［注63］。ビタミンDは神経の成長と脳組織の生成を促す。人は自分でもビタミンDをつくることができるが、そのためには肌を日の光にさらさなければならない。窓からの日の光ではだめだ。同時に、日の光を浴びすぎるのも問題で、皮膚癌などのリスクが高まる。日焼け止めに関して言うと、SPF値が低いものは大丈夫だと考えられるが、SPF値が高い製品はビタミンDの生成を妨げる［注64］。皮膚科の先生に怒られるので、日焼け止めを使うなと言うつもりはないが、だからこそ、食べ物を通じたビタミンD補給を重視すべきだろう。

［ビタミンE］ 脂肪の吸収が悪くなると、ビタミンEが不足することがある。そのため、消化不良のときや、嚢胞性《のうほうせい》線維症やセリアック病などを患い脂肪分を適切に吸収できなくなった人は、ビタミンEが不足しがちになる［注65］。ビタミンEも神経系の発達に欠かせない物質で、体が必要とするエネルギーを確保する働きをもつ。

カプサイシン

トウガラシに含まれる辛味成分は、カプサイシンと呼ばれている。カプサイシンは食べ物に刺激的なおいしさを加えるだけでなく、マウスを使った実験によると疲労も軽くするようだ[注66]。人の場合、一回の食事で二・五六ミリグラム（一日七・六八ミリグラム）のカプサイシンをとれば、体のエネルギーバランスが回復すると考えられる[注67]。

カプサイシンはグルコースの代謝に影響するので、エネルギーを左右する[注68]。腸に入ったカプサイシンは腸に対する迷走神経反応を促して、食欲を調整する。満腹を察知する脳の食欲中枢からのホルモン放出を促すのだ[注69]。

カプサイシンの多さはトウガラシの種類によってまちまちで、味の辛さに比例する。例えば、比較的辛みの少ないハラペーニョには〇・一六五ミリグラムから〇・三三ミリグラム程度のカプサイシンしか含まれていない。一方、セラーノ種では〇・三九六ミリグラムから一・五一八ミリグラムとなる。もっと効率よくカプサイシンを摂取したいなら（そして辛さに強いなら）、タイトウガラシとも呼ばれるバードアイあるいはハバネロなどといった辛みの強いトウガラシの出番だ。

私のお勧めは、カプサイシンのレベルを高めようとするのではなく、食事にスパイシーな料理を増やすことだ。料理にカイエンヌペッパーを振りかけたり、タイ料理やインド料理のようなスパイシーなものを注文するときには、普段食べるものよりも辛さレベルが一段高いのを注文したりすればいいだろう。

ただし、勘違いしてはならないのは、疲労に効くのはいわゆる〝辛さ〟ではなくて、カプサイシンという成分であるという点だ。そのため、マスタード、西洋ワサビ、黒コショウ、ショウガなど、カプサイシンとは別の辛味を利用したスパイシーな食品は、エネルギーのバランスに対して、カプサイシンと同じように働きかけるわけではない[注70]。

ほかのスパイス

［黒クミン］ ラットを用いたある研究で、一般には黒クミンという名で呼ばれることが多いニゲラ・サティバの種が激しい水泳後の疲労回復に役立つことが確認された。黒クミンには抗酸化作用と神経保護作用があると考えられている[注71]。また、脳内のアセチルコリンを増やすので、筋収縮も促進する。

効果があると確証するには、もっと多くのデータが必要で、人間を対象にした調査も行われなければならないが、食事に加えても害にはならないだろう。黒クミンはニゲラシード、オニオンシード、カロンジーなどの名称で売られていることもある。インド風ナン、ベンガル風ポテト炒《いた》め、塩レモンなどに利用できる。

［ターメリック（ウコン）］ もうすっかりおなじみのターメリックの有効成分のクルクミンは、マウスの筋肉内のグリコーゲン量を増やすことがわかっている[注72]。グリコーゲンはエネルギー源として大切な物質だ。運動に起因する炎症や筋肉痛を和らげるので、活動的な人の回復力や運動能力を高める。わずか一〇〇ミリグラムのクルクミンで疲労が改善する。

アメリカニンジン

アメリカニンジンは精力増強および疲労回復のサプリメントとして市販されている。アメリカニンジンはおもにドーパミンとノルアドレナリンとセロトニンの放出を促して脳活性に作用するので、実際に効果があると考えられる。また、脳で生み出されるエネルギーを増やす力もあると予想できる。

アメリカニンジンそのものが料理に使われることはないが、成分が添加されている飲食品が市販されている。サプリメントとしても入手できる。

食べ物＝エネルギー

本章で紹介したさまざまな観点から、食べ物こそがエネルギーのもとであると納得できたのではないだろうか。もちろん、食事から得られるカロリーが生体システムを動かす燃料なのだが、同時に食べ物は体に休息を促すおもな要素でもあり、健康な心身を保ちながら発展を続ける助けにもなる。

あなたも満足な眠りが得られていないのなら（あるいは、いつも疲労を感じているのなら）、本章で論じた食事戦略を実践してみるといいだろう。しかし、食事だけでなく、睡眠習慣の全体を見直すことも大切だ。睡眠時間をじゅうぶんにとり、規則正しい睡眠習慣を保つこと。寝る場所は暗くて静かに。寝る時間にはスマホをチェックしたり、コンピュータをつけたりしない。テレビも観ない。それらはどれも脳を刺激して、眠りを妨げてしまう。昼寝のしすぎも夜の睡眠をじゃまするので気をつけよう。

仕事、育児、娯楽などをこなしながら睡眠時間を確保するのは難しいと感じる人も多いだろう。でも、総合的な健康の基本は、夜にしっかりと眠ることなのだ。

不眠症と疲労対策のカンニングペーパー

［どんどん食べよう］

・**オメガ3脂肪酸**——魚類、特にサーモン、サバ、マグロ、ニシン、イワシなど、脂肪分の多い魚。

・**メラトニン**——卵、魚、牛乳、米、大麦、オートミール、ブドウ、ザクロ、クルミ、ヒマワリの種、マスタードシード、アマ種子、アスパラガス、ブロッコリー、キュウリ。

・**トリプトファン**——七面鳥、ほかの肉類、ヒヨコ豆。炭水化物と組み合わせるのがよい。

・**Lオルニチン**——肉、鶏、魚、大豆、キヌア。

・カモミールティー。

・**有益な栄養素を含む食品**――レタス、タルトチェリーのジュース、大麦若葉の粉末、マカ、朝鮮人参、霊芝、アスパラガスパウダー。

［疲労回復］

・**抗炎症食**――オメガ3類、ポリフェノール源となるカラフルな野菜。

・**ミネラル**――マグネシウムと亜鉛。

・**ビタミン**――B1、B6、B9、B12、C、D、E。

・**カプサイシンが豊富な食品**――カイエンヌ、セラーノ、ハラペーニョなどのトウガラシ類。

・**スパイス**――黒クミンとターメリック。

［できるだけ避けよう］

・**カフェイン**――カフェインを完全に避ける必要はないが、一日に四〇〇ミリグラム以下に抑え、午後三時を過ぎたら飲まない。

・**アルコール**――アルコールは眠りを誘う力があるが、睡眠を混乱させることもある。

第九章
双極性障害と統合失調症——Lテアニンと健康な脂肪とケトジェニックダイエット

最も深刻な精神障害として、双極性障害と統合失調症の二つがよく知られている。双極性障害に苦しむ人は気分が大きく変化するのだが、その変化は急に起こるわけではない。躁《そう》状態は少なくとも一週間、鬱《うつ》状態は二週間以上続くのが普通だ。

昔から勘違いされることが多いが、統合失調症は「多重人格」とは関係ない。多重人格は解離性同一性障害の症状に近い。医学書では、統合失調症の症状は陽性と陰性の二種類に分けられる。妄想や幻覚のような健常者では現れない精神症状が、陽性症状と呼ばれる。一方、しどろもどろになる、やる気がなさそうにしている、ふさぎ込んでいるなど、通常の行動に影響を与える症状が陰性症状である。

双極性障害と統合失調症には似ているところが多くて、実際に両疾患をはっきりと区別しない精神科医も少なくない。精神医学における診断は異論の余地があることも多いし、『精神疾患の分類と診断の手引』で指定されている診断基準も研究にもとづくものではなく、症状のリストをもとにしていて、その分類は必ずしも臨床医が満足できるものではない[注1]。例えば、形式上、双極性障害は気分障害なのに、統合失調症は精神障害と分類されている。しかし、双極性障害でも幻覚などの精神性の症状が出ることもあるので、両障害をはっきりと区別するのは難しい。その一方で、統合失調症でも、イライラや怒りなど見てわかる気分の変化が現れることがある。

事実、統合失調症は存在しないと考える研究者もいるし、双極性障害と統合失調症を「気分の変動」から「精神障害をともなう気分変動」、そして「精神障害」へとつながる一連のスペクトラム上に存在する二つの形とみなす専門家もいる[注2]。双極性障害と統合失調症は異なる病気であるという一般的な考えにもとづいて、本章では両方を順番に扱うが、同じ食べ物が勧められたり避けられたりすることに、誰もが気づくだろう。

双極性障害

ナンシーは長年にわたって私の患者で、二十一歳の時に双極性障害の診断を受けた。一二〇〇ミリグラムのリチウムとクロナゼパムで、およそ十年にわたって症状は安定していたのだが、新しい仕事を始めたことをきっかけに、病状が一気に悪化した。

ストレスが増え、夜になっても精神が落ち着かないので眠れない。職場でも、思考がとりとめもなく浮遊するので、仕事に集中できずにいた。時間をうまく使うために、やるべきことを詳細なリストに書き出すことにしたのだが、それがかえってあだとなって、手のつけようのない膨大な仕事の山が目の前に積み上がった。家に帰っても、リストを処理しなければならないので、リラックスできない。

ますます気が散りやすくなり、思考も絶えずぐるぐる回っていて、成果を求める活動ばかりに携わっていた彼女を、私は〝軽躁〟とみなした。軽躁とはいわゆる躁病よりも軽い状態を指すのだが、それでもとてもやっかいな病気だ。しかし、それまでの十年間、ナンシーは安定していたので、私は薬物療法に手を加える気にはなれなかった。そこで、薬物療法のやり方を変える前に、彼女の食習慣について調べてみることにした。すると驚いたことに、たくさんの不審な点が見つかったのだ。ストレスが増え、落ち着くことができなくなったころ、ナンシーはそれまでのプロテインシェイクを中心にした朝食から、ベーグルとマフィン中心のものに変えていた。仕事に集中できるようにと、前よりも多くコーヒーを飲むようにもなった。そして夜には、早く眠りにつけるように、グラス数杯のワインを飲んでいた。

ナンシーの食習慣のどの側面が、もともと繊細な彼女の精神を害したのか、あなたにはすでになじみ深いパターンが見えているに違いない。そのあたりの事情を正しく理解するために、双極性障害における腸と脳の関係を見ていこう。

双極性障害と腸

双極性障害で最も顕著な症状は気分の劇的な変化で、一般的には情緒が不安定などと言われる。双極性障害患者は一週間ほど過剰なまでに活発な時期が続き、夜も眠れず、早口になり、一つのことに集中するのが難しくなる。いわゆる躁状態だ。その時期が終わると鬱状態に陥る。自分の殻に引きこもり、臆病《おくびょう》になり、日常的な活動に関心をなくす。双極性障害の問題は極端な気分の変化だけではない。例えば、双極性障害の若者の四〇パーセントが肥満――一般的な肥満率のおよそ倍の数字――であるだけでなく、治療薬の多くは副作用として体重の増加を引き起こすので、肥満が悪化しやすい。また、双極性障害患者はほかの人に比べて、心血管系の病気、糖尿病、自己免疫疾患なども発症しやすい。そのため、専門家のなかには、双極性障害を純粋な精神障害ではなく、多系統に関連する炎症性疾患の一種とみなす者もいる［注3］。

すでに指摘したように、体のどこかに軽度の炎症がある場合、腸が混乱をきたしていることが多い。炎症が全身に広がると炎症マーカーであるC反応性タンパク質が増えるのだが、双極性障害患者が鬱または躁の状態にあるときも増える。

双極性障害と腸の炎症のあいだには、関連がある。例えば、過敏性腸症候群の患者はそうでない人に比べて、双極性障害を発症する確率が二倍以上に高まる［注4］。まれではあるが、抗生物質が原因で躁症状が発症することもあって、アンチバイオマニア（抗生物質躁病）と呼ばれている［注5］。実際、躁病の発生数が増えているのは、腸内細菌叢《さいきんそう》のバランスを乱す新型の抗生物質の処方が増えているからだとも考えられている。

リーキーガット（腸漏れ）症候群が双極性障害を引き起こすこともわかっている。腸内細菌の細胞膜に含まれるリポ多糖類を追跡すると、健常者の場合は腸内にとどまっているのに、双極性障害患者では血中にも見つかるのだ。腸から漏れて、炎症を引き起こしたり、炎症促進性サイトカインを増やしたりして、鬱症状や気分障害を悪化させる［注6］。

双極性障害では、視床下部－下垂体－副腎《ふくじん》軸（ＨＰＡ軸）も影響を受ける。ストレスを感じると――大抵の双極性障害患者はストレスを抱えている――コルチコトロピン放出因子というホルモンが活発になる。おそらく、それにより副腎からコルチゾールが放出されて、体がストレスに対処できるようになるのだろう。しかし、コルチコトロピン放出因子が増えすぎると、腸がより〝漏れやすく〟なって過敏になる恐れがある［注7］。

双極性障害患者は、通常とは異なるタイプの腸内細菌叢をもっていることが多い。炎症性腸疾患の患者に見られる腸内細菌叢に似ている［注8］。その影響で、ガンマアミノ酪酸（ＧＡＢＡ）、ノルアドレナリン、セロトニン、ドーパミン、アセチルコリンが、つまり腸内細菌がつくる代表的な神経伝達物質の量が少なくなる。これまで何度も見てきたように、そのような神経伝達物質が適量でないと脳の健康は保てない［注9］。

以上のように、双極性障害と腸内細菌叢のあいだには密接なつながりがあり、治療法として食事療法が有効だと言える。それでは、双極性障害を悪化させる、あるいは改善できる食べ物について見ていこう。

双極性障害を悪化させる食べ物と摂食パターン

患者は躁状態と深い鬱状態のあいだを行ったり来たりするので、食事療法で治療するのはとても難しい。躁にいいものは鬱によくないし、その逆も言えるので、感情の浮き沈みに食事療法を合わせることが重要になる。双極性障害の鬱期に作用する食べ物は、鬱病との関連で第二章で述べた食べ物と共通するので、必要なら第二章を読み返していただきたい。本章では、躁病と双極性障害を対象にした研究のみに注目する。

念のため、ここで紹介する食品のいくつかはリチウムに対してネガティブに作用する可能性があることを指摘しておく［注10］。リチウムは、何十年も前から双極性障害の主要な治療薬として用いられてきた。あまりに広く処方されているので、さまざまな食べ物がリチウムの効果に影響を及ぼす事実も、食品選びの際に考慮すべきだろう。

ウェスタン食

ここでもまた、ウェスタン食の弊害が明らかになる［注11］。質の悪い脂肪、精製された炭水化物、砂糖、そして肉が多くて野菜が少ないウェスタン食は、双極性障害の脳にも有害だ。鬱病でもそうであったように、双極性障害患者は炭水化物が多くてエネルギー価の高いものを多く消費する［注12］。患者が砂糖とコンフォートフードを自己治療の手段とみなしているのでは、と考える研究者も少なくない。

地中海式摂食パターンのようなものに食習慣を変えることは有益なのだが［注13］、双極性障害の患者は、健康な食生活を続けるのが難しい。高脂肪・高糖分をやめることをとりわけ難しく感じる。なぜなら、患者のほぼ一〇パーセントは過食性障害も併発している［注14］。また二〇一八年にはマティアス・メロが、双極性障害患者は〝夜食症候群〟の傾向もあることを明らかにした。昼間はあまり食べないのに、夜に大食いしてしまうのだ。ときには、深い眠りから目覚めて食べてしまうこともある。もちろん、そのような形で健康な食の選択などありえない［注15］。

しかし、じゅうぶんな努力とサポートがあれば、双極性障害患者も食習慣を変えることができる。ある研究で、双極性障害患者もボディマス指数を下げることができるという結果が得られているし、ほかの研究では、看護師やライフスタイル・コーチのサポートが大いに役立つことが確認されている。ただでさえ双極性障害に食事療法を施すのは難しいのだから、社会的な支援の手を患者に差し伸べるのがとても重要になる［注16］。

ウェスタン食の代わりとして地中海式摂食パターンも優れているが、双極性障害の治療にとりわけ有望な食事法がもう一つ知られている。これまでのデータや症例から、ケトジェニックダイエット——高脂肪・低炭水化物食——に気分を安定させる効果があると考えられるのだ［注17］。二〇一九年、イアン・キャンベルとハリー・キャンベルが、双極性障害患者の気分をケトジェニックダイエットがどのぐらい安定させるか調べてみた［注18］。オンラインフォーラムを通じて、ケトジェニックダイエット、オメガ3強化食、菜食の三つの食事法が気分にどう作用するか、二百七十四人にコメントを書いてもらい、集まった答えを分析したのだ。その結果、ほかの食事法よりもケトジェニックダイエットを行った人々が、気分が安定していると報告したことがわかった。

ケトジェニックダイエットが双極性障害に効くのには、いくつかの理由が考えられる。グルタミン酸塩・ＧＡＢＡの輸送に作用する、酸化ストレスを減らす、炎症を軽減する、などだ［注19］。しかし、特に重要なのは、ケトジェニックダイエットが細胞内のエネルギー工場であるミトコンドリアの働きを促すことだろう。双極性障害の患者では、ミトコンドリアの働きも損なわれていると考えられている［注20］。

ただし、ケトジェニックダイエットには短期的にも、長期的にも副作用があることを忘れないこと。始めるとまもなく、吐き気、嘔吐《おうと》、頭痛、疲労、めまい、不眠、運動耐性の低下、便秘などの症状が現れることがある。すべてひっくるめて「ケトインフルエンザ」と呼ばれていて、数日から数週間続く。適量の水分と電解質を摂取することで、症状のいくつかを抑えられることもある。長期的な副作用の例としては、脂肪肝、血中タンパク質の低下、腎臓結石、ビタミンおよびミネラルの欠乏などを挙げることができる。ケトジェニックダイエットを試すつもりなら、必ず主治医に相談すること。

カフェイン

文学を専攻する二十歳の学生だったランディは、性転換すべきか悩んでいた。ランディにとってはつらい時期で、ストレスがたまって躁状態になり、およそ三週間にわたって夜にほとんど眠ることができず、高速道路の中央分離帯を飛び越えたり、自分のことを世界を救うためにやってきた救世主イエスだと妄想したりした。最終的に入院することになり、入院から六カ月後に、私がランディを診察した。

私が治療を始めたころ、ランディは薬が効いていたようで、自分の性別に対する複雑な思いをうまく処理できるほどに安定していた。しかし、治療を始めてから二カ月がたったころから、ランディはまた気分が高ぶり、異常に活発になり、両手も震えはじめた。特に気がかりだったのは手の震えで、過剰なリチウムが発揮する毒性によって生じている可能性が考えられた。治療のペースを遅らせるべきかどうかを考えていたとき、ランディは意外な告白をした。エナジードリンクを飲むようになったと。それも、一日に一缶や二缶ではない。毎日八缶から十缶も飲んでいた。

学生がエナジードリンクを飲むのは珍しいことではない［注21］。レッドブルやモンスターなど、どの製品も学生たちに勉学やパーティに必要な燃料となるエネルギーを補給するようにつくられている。どの製品でも、八オンス（約二四〇ミリリットル）につき八〇ミリグラムから最大一四一ミリグラムのカフェインを含む（通常の一缶はこれよりも量が多い）。それほどの量のカフェインは誰にとっても多すぎるのだが、特に双極性障害患者では躁病のリスクを高めてしまう。過去の症例から、双極性障害患者ではエナジードリンクと躁病のあいだに因果関係があることが明らかになっている［注22］。

ランディの手の震えは、カフェインのとりすぎから来ていたのだ。私はランディに、私の指揮の下でカフェインを飲む量を減らす気があるか尋ねてみた。カフェインを断つとリチウムの濃度が一気に上がる恐れがあるので、慎重にことを進めなければならない。ランディは同意した。それから八週間をかけて、ゆっくりとカフェインの量を減らしていった。一日八缶から十缶だったエナジードリンクが、朝に一杯のコーヒーになった。その結果、彼の躁症状は消えてなくなったし、カフェインがなくても勉強に集中できるようになった。手の震えが止まったので、ノートを再びとれるようになって勉強がはかどった。

双極性障害患者の躁症状にとって、カフェインがよくない理由は比較的簡単に説明できる。少量のカフェインでも気分が向上するのだが、カフェインが多すぎると気分が危険域にまで高ぶってしまう［注23］。加えて、カフェインが睡眠パターンを乱すことも、躁病が起こりやすくなる要因になっている［注24］。

残念なことに、双極性障害患者におけるカフェインのネガティブな作用を確かめる対照試験はまだ行われたことがない。しかし、ランディの例がそうであったように、カフェインを断ってみることで、長期的に有益な結果が得られると考えられる。ここまで何度も紹介してきた「カフェインは一日に四〇〇ミリグラムまで」の原則は、ほとんどの双極性障害患者にも有効だろう。カフェインを減らすときは、ゆっくりと時間をかけることを忘れてはならない。急にカフェインを断つと、ただでさえ弱くなっている脳が混乱してしまい、リチウムを服用している患者は危険な状態に陥りかねない。

ナトリウム量の変化

モーリスは四十五歳のジャマイカ系アメリカ人で、双極性障害を患って私のもとへやってきた。リチウムがよく効いたようで、わずか数週間で、私たちは彼の躁病を抑えることに成功した。モーリスの血中リチウム濃度は1。理想値は0・6から1・2のあいだなので、申し分のない数字だ。

しかし、およそ六カ月にわたる治療のあと、私の知らないところでモーリスは高血圧と診断された。そして主治医から塩分の摂取を控えるように指導される。高血圧治療の観点からは、しごくまっとうな指示だと言える。しかし、塩分が控えめな食事、つまり低ナトリウム食は腎臓によるリチウムの再吸収を促し、血中リチウム濃度を急上昇させる恐れがある。それが最終的には腎機能を損なう。

モーリスにも体の震えと下痢が現れた。検査したところ、血中濃度は１・５に上がっていた。高血圧患者ではリチウムの作用を適切に維持するのは難しい。そこで私たちは薬を変えながら、ゆっくりとリチウムを減らしていくことにした。震えは止まり、モーリスは悪性の副作用なしに、再び減塩食を開始できるまでになった。

モーリスのような例は珍しくない。高血圧を併発している双極性障害患者は多い。躁病と高血圧に共通点が多いことを示すデータも見つかっている［注25］。それどころか、ベラパミルのような抗高血圧剤やベータ遮断薬が躁病患者に効いた症例もいくつか知られている。高血圧でも躁病でも、脳卒中、甲状腺《こうじょうせん》疾患、糖尿病の発症率が高くなる。

いずれにせよ、リチウムを服用しているなら、ナトリウムの摂取量を一定に保つことが重要だ。複数の障害を抱えていて、複数の医師の治療を受けているのなら、全員にすべての治療について伝えておくこと。

グルテン

最近の研究では、双極性障害患者にはグルテン関連抗体の増加が確認されていて、躁病エピソードは小麦に含まれるタンパク質の一種であるグリアジンに対する抗体の血清中濃度の上昇と関連していることが示唆されている［注26］。ひとことで言えば、双極性障害患者はセリアック病や非セリアック・グルテン過敏症になりやすいということだ。

別の研究では、炎症性腸疾患とセリアック病の両方に関連するマーカーであるＡＳＣ

Aが、双極性障害で増えることが確認されている［注27］。ASCA陽性の患者は双極性障害を発症している確率が三倍から四倍高くなる。言い換えると、双極性障害では免疫系が正しく働いていないことを示している。腸壁が損なわれると、グルテンと乳カゼインを含む食品が免疫反応を刺激するのだ。

過去の症例と基礎研究の成果が、グルテンを含まない食事が有益である可能性を示しているので、私は患者に一週間ほどグルテンフリー食を試してみて、気分が安定するかどうか確かめてみるよう勧めることが多い。

アルコール

二〇〇六年、ベンジャミン・ゴールドスタインらが百四十八人の患者を対象に、アルコールと双極性障害の関係を調べる研究を行った［注28］。被験者は誰も酒飲みと呼べるほどではなく、男性は週に四杯未満、女性は週一・五杯未満しか飲まない人ばかりだった。その程度しか飲まないのに、毎週四杯近く飲む男性患者のほうが、もっと少ない量しか飲まない患者に比べて躁病エピソードの頻度が高く、緊急治療室に入る回数も多かった。特に蒸留酒でリスクが高くなる。女性の場合は、アルコールを多く飲む人ほど、鬱病と軽躁が発症しやすい。

ほかの研究では、双極性障害患者がアルコールを大量に飲むと鬱病のリスクが高まり、加えて彼らが定められた量の薬を使わなくなる恐れも大きくなることが示されているる。

双極性障害患者はアルコールを断つ、あるいは少なくともかなり制限すべきだと言える［注29］。また、飲みすぎると、双極性の鬱状態からの回復に余分な時間がかかったり、躁病エピソードの頻度が高まったりする恐れもある［注30］。

グレープフルーツジュースやチラミンなど医薬品に干渉する食べ物

グレープフルーツジュースは一日の初めにぴったりの酸っぱくて無害な飲み物のように思えるかもしれないが、肝臓内で特定の薬品を代謝する酵素の働きを阻害することがある。その結果、血中の薬品濃度が高くなってしまう［注31］。影響を受ける薬品には、一部の抗鬱薬、抗不安薬、精神安定剤、覚醒剤《かくせい》、抗精神病薬が含まれる。どれも双極性障害で用いられる種類の薬品だ。

ＭＡＯＩ抗鬱薬を常用している場合、アミノ酸のチラミンを含む食品を避けることが重要だ。チラミンは同薬品の働きを弱め、急激な血圧の上昇を引き起こすことがある。

チラミンを多く含む食品として、熟成チーズ、熟成肉、塩漬肉、ソラ豆、マーマイト（濃縮イーストエキス製品）、ザウアークラウト、醤油《しょうゆ》、生ビールを挙げることができる。該当するほかの食品については、医師の指示を仰ぐといいだろう。

気分を安定させる食品とサプリメント

オメガ3類

二〇〇三年、精神科医のシモーナ・ノアギュールとジョゼフ・R・ヒッベルンが、魚介類——オメガ3類の主要な供給源——を多く食べる人は双極性障害になる可能性が低い事実を発見した[注32]。二〇一一年には、デヴィッド・ミシュロンらがオメガ3サプリメントとプラセボを用いた六件の無作為対照試験を包括するメタ分析を行っている[注33]。その結果、オメガ3サプリメントが鬱症状を明らかに軽くする一方で、躁症状には改善をもたらさないことがわかった。この結果は、特に驚くべきものではない。オメガ3類が鬱病に有効であることは、第二章でもすでに指摘した。たとえ鬱症状にしか効かないとしても、オメガ3類にはほかにも数多くの利点があるので、私は双極性障害患者にはオメガ3類を含む食事を習慣にすることを勧める。

Nアセチルシステイン

二〇一八年、ジャイール・ソアレス率いる研究チームが、双極性障害患者にアスピリンとNアセチルシステインのサプリメントを投与すると、彼らの鬱症状が十六週間後には寛解し、プラセボよりも高い効果を示したと発表した[注34]。以前からＮＡＣは双極性障害に有効であるという調査結果が発表されていたが、ソアレスらによって、その主張が裏付けられたと言える。ところが、より最近の調査を通じて、NACの補給がすべての患者に効くわけではない可能性が出てきた［注35］。

強迫性障害との関連で第七章で述べたように、NACはアミノ酸システインの誘導体であり、抗酸化特性をもっているので炎症を抑え、脳をフリーラジカルが引き起こす損害から守ってくれる。NACは食べ物には含まれていないが、体内ではシステインに転換される。システインは、タマネギ、ニンニク、卵黄、オーツ麦、芽キャベツ、ブロッコリー、赤ピーマン、小麦胚芽《はいが》、酵母、あるいはリコッタチーズ、カッテージチーズ、ヨーグルトなどの乳製品に含まれている。

葉酸塩と葉酸

二〇一七年、マサチューセッツ総合病院の私の同僚であるアンドリュー・ニーレンバーグと彼の共同研究者たちが双極性鬱病患者に葉酸塩（ビタミンB9）の一形態であるLメチル葉酸塩を投与する試験を行った［注36］。すると、患者の大多数は鬱症状で五〇パーセント以上の改善を見せた。

ほかの研究では、リチウム療法を受ける双極性障害患者に二〇〇マイクログラムの葉酸を与えると再発を抑えられることがわかった［注37］。ただし、のちの研究では、葉酸の補給によって症状が出るまでの時間が短くなるうえ、気分障害の予防効果もプラセボと同等であるという結果も出ている［注38］。そうは言うものの、躁病の治療で用いられるバルプロ酸ナトリウムに葉酸を足すことで、さらなる改善が得られると考えられる[注39]。

葉酸塩のおもな源としては、アスパラガス、緑葉野菜、バナナ、豆類（煮たレンズ豆やインゲン豆）、柑橘《かんきつ》類（ただしグレープフルーツは避けること）、ビート、卵、アボカド、小麦胚芽、アーモンド、アマ種子が数えられる。

マグネシウム

一九九九年、アンゲラ・ハイデンらが、治療が効かない極度の躁病患者に七日から二十三日にわたって硫酸マグネシウムを静脈投与する試験を行った[注40]。試験の結果、被験者の半数以上で臨床症状が明らかに改善し、深刻な副作用も現れなかった。

この試験が行われる九年前には、少なくとも患者の五〇パーセントに対して、マグネシウムの経口投与がリチウムと同等の効き目を発揮することが確認されている[注41]。どちらの研究結果も、薬を使っていない双極性障害患者ではマグネシウムが不足しているとするほかの研究成果と矛盾していない。また、リチウムには血中のマグネシウム濃度を高める働きがあることもここで指摘しておくべきだろう。この作用が、リチウムが双極性障害の効果的な治療法である理由の一つかもしれない。

双極性障害の治療におけるマグネシウムの効果はまだ完全に証明されたわけではないが、ナッツ類、ホウレンソウ、黒豆、枝豆、ピーナツバター、アボカドを食事に取り入れることを検討する価値はある。

亜鉛

二〇一五年、マルチン・シヴェクらが、双極性障害患者は鬱期に亜鉛が減る事実を発見した[注42]。ほかの研究では、双極性障害の女性では亜鉛濃度の低さがより深刻な鬱症状につながることが示唆されている[注43]。躁あるいは軽躁状態になれば、もしくは寛解期に入れば、亜鉛濃度は正常に戻る。

そのような発見は、第二章における鬱病対策としての亜鉛に関する議論と一致している。そこで私は双極性障害患者に、特に鬱期には、じゅうぶんな量の亜鉛を摂取することを強く勧めることにしている。亜鉛は魚介類（特に加熱したカキ）、赤身の牛肉、鶏《とり》、卵黄に多く含まれている。量は減るが、豆類、ナッツ類、全粒粉も供給源になる。

統合失調症

私の患者のひとり、アリスは二十八歳で、統合失調症に苦しんでいた。初めて診察したとき、彼女はギャング団のヘルズ・エンジェルズに追われていると思い込んでいた。ブルース・スプリングスティーンのコンサート会場で、革ジャケットとサングラス姿の男たちが群衆に紛れて自分の写真を撮っていたと話すのである。男たちはグレイトフル・デッドやローリング・ストーンズのコンサートでもアリスにつきまとってきた（と、彼女は言う）。彼らがどうしてそんなことをするのかと尋ねてみると、彼女は肩をすくめて「秘密は誰にも漏らさないって誓ったの。ごめんなさい、言えません」と答える。

奇妙なことだと思うかもしれないが、当時はそのような話は珍しくなかった。私自身、男女の隔てなく、ヘルズ・エンジェルズに脅かされていると思い込んでいる人の多くを相手にした。これは偏執性妄想と呼ばれる特殊な症状だ。クロザピンという抗精神病薬を用いた治療を始めてから、アリスは回復していった。症状が完全に消えることはなかったが、彼女を立ち往生させることはなくなった。頭のなかで声を聞くこともなくなったし、不安も減ったので、普通に生活ができるようになった。しばらくのちに、アリスは一般教育修了検定に合格し、管理アシスタントとして働きはじめた。

それから十年間、アリスは健康な生活を送り、素敵な男性にも出会えた。するとみるみるうちに、精神障害の症状が戻ってきたのだ。驚いた私は新しいパートナーが問題の原因ではないかと疑ったのだが、彼女の食生活を調べてみると大きな変化があったことに気づいた。アリスと交際相手は週に数回外食をしていた。彼女は、以前は小麦製品をほとんど口にしなかったが、最近はレストランでパンを食べることが多くなったと話した。アルコールも増えて、毎晩ワインを数杯飲むようになった、とも。

アリスの新しい食習慣がどのような形で彼女の健康を害したのかを見ていく前に、まずは統合失調症における腸と脳の関係を観察してみよう。

統合失調症の腸

薬を使っているかどうかに関係なく、統合失調症を患う人は腸内細菌叢の多様性が失われていて、しかも健康な人の腸にはない細菌が見つかる。

ある研究では、人間の統合失調症患者の便をマウスの腸に移植すると、移植されたマウスも統合失調症の兆候を示すことが確認されている［注44］。

双極性障害でもそうであったように、統合失調症患者はほかの人よりも腸に問題を抱えていることが多い。炎症や食物不耐性の頻度も高くなるし、腸壁が損なわれて漏出することも増える。消化管の炎症を併発した八十二人の統合失調症患者を対象にした死後研究で、被験者の半数以上が胃炎を、八八パーセントが小腸炎を、九二パーセントが大腸炎を患っていた。どれも、深刻な炎症のサインだ。また、過敏性腸症候群患者の二〇パーセントが統合失調症を患っていることも知られている［注45］。

腸の働きと腸内細菌が正常ではないため、統合失調症患者は免疫力が下がっている可能性がある。その影響で、統合失調症患者は例えば細菌感染を起こしやすい。だから抗生物質が処方される機会が増え、結果として正常な腸内細菌も殺されてしまう［注46］。

統合失調症で特別なのは腸内細菌だけではない。口や喉《のど》の細菌もほかの人とは違っている。これは、本書で扱ったほかの病気では見られなかった特徴だ［注47］。
しかるに、統合失調症でも食事がとても重要だということだ。まずは避けるべき食べ物から見ていこう。

統合失調症を悪化させる食べ物

ウェスタン食

二〇一五年、敦賀《つるが》光嗣《こうじ》らが統合失調症または統合失調性感情障害（統合失調症に似ているが、鬱病や双極性障害の症状が加わる）と診断された二百三十七人と健康な人々を対象に、摂食パターンが精神的な病気のリスクを高めるかどうかを突き止めるための調査を行った［注48］。食事が発病と結びつくかどうかを知るために、研究チームは被験者を二つの摂食パターンに分けた。一つ目のグループは菜食パターン、もう一つのグループはシリアル摂食パターンだ。菜食パターンの人々はおもに緑葉野菜、海藻、ジャガイモ、豆腐や納豆などの大豆食品を口にした。一方、シリアル摂食パターンの人々は米やパン、菓子を多く食べた。

結果を比べると、興味深いパターンが浮かび上がった。シリアル摂食パターンが統合失調症につながるのが明らかで、同パターンのグループ内では、総カロリーに占める不健康な脂肪分の比率が高いほど、統合失調症になりやすかった。

ほかの研究では、統合失調症患者は不健康な油脂が極端に多く含まれるものを好んで食べることが明らかになった。その理由はいくつか考えられるが、最も有力視されている仮説は、統合失調症患者は脳にエネルギーがじゅうぶんに供給されないため、その影響で脂肪の分解が速まるからだという考え方である［注49］。

この組み合わせに聞き覚えがないだろうか？　そう、多量の不健康な脂肪と高ＧＩ（血糖インデックス）炭水化物と砂糖といえば、おなじみのウェスタン食の代名詞だ。ここでもまた、ウェスタン食は脳の健康に悪いことがわかる。統合失調症患者は地中海摂食パターンのような野菜と良質な脂肪を中心にした食事に切り替えたほうがいい。

グルテン

統合失調症とグルテンの関連が最初に疑われたのは一九六六年、医師でもあり内分泌学者でもあるフランシス・ドーハンが第二次世界大戦中における小麦の消費と統合失調症の相関関係について報告したときだった［注50］。以降、現在にいたるまで両者の関連を裏付けるための研究が続けられている。

統合失調症患者では、ほかの人に比べてセリアック病の発症率がほぼ二倍に増える。患者のおよそ三分の一が、セリアック病や非セリアック・グルテン過敏症の原因になる抗グリアジン抗体を有しているからだろう［注51］。ほかの人のおよそ三倍の保有率だ。

二〇一八年、アナスタシア・レヴィンタらが、グルテンフリー食が統合失調症に効くかどうかを知るために、過去の研究を再調査してみた［注52］。すると、九の研究のうち六件で、症状の改善と重症度の低下が示唆されていた。

二〇一九年にはデアンナ・ケリーの研究チームが、抗グリアジン抗体を多く有しながらもセリアック病は発症していない統合失調症もしくは統合失調性感情障害の患者十六人を対象に調査を行った［注53］。五週間にわたって被験者全員が同じグルテンフリー食をとり、加えて一〇グラムのグルテン粉もしくは一〇グラムの米粉を含むシェイクも毎日飲んだ。

グルテンを摂取したグループと摂取しなかったグループを比べると、摂取しなかったグループの臨床像は全体的に改善し、注意力が高まり、胃腸における副作用も少なく、引きこもりや無関心などの社会的な症状も改善していた。幻覚などの陽性症状には変化がなく、認知症状も改善しなかったが、総合的にはかなりの効果だと言える。

したがって、すべての統合失調症患者はグルテンフリー食を少なくとも一度は試してみるべきだ。グルテンを避ける方法については第三章と第五章で説明したので、ここでは深入りしないが、普通のパン、パスタ、ピザ、シリアルなどを食べないことが大切だという点は指摘しておく。また、醬油《しょうゆ》、缶詰スープ、リコリス（ラクリッツ）、カニかまぼこ、ミートブロス、ビール、あるいは麦芽の酢や香味料やエキスを用いた食品など、意外な食べ物にもグルテンが含まれていることがあるので注意すること。

砂糖

精製糖は統合失調症の危険因子だ。二年で統合失調症の予後を悪化させることや、患者をほかの人よりも糖尿病にかかりやすくすることが確認されている［注54］。

精製糖、朝食用シリアル、甘味飲料を評価した十件の研究のすべてにおいて、これらのある意味〝有毒な〟物質を多く口にする患者ほど、精神病になる可能性が高くなるという結論にいたっている［注55］。これらはどれも観察調査だが、統合失調症患者はできるだけ砂糖の摂取量を減らすべきだと考えるじゅうぶんな根拠にはなるだろう。

アルコール

アルコールを飲むと、統合失調症の臨床像が悪化する。統合失調症患者の六パーセント以上に、依存的にアルコールを消費していた過去がある。しかし、通常は症状が出はじめてからアルコールに頼るようになるので、アルコールを統合失調症の原因とみなすわけにはいかない。患者が経験するネガティブな症状がアルコールの大量摂取を引き起こしていると考えられる［注56］。

抗精神病薬のフルフェナジンの注入治療を受ける統合失調症患者に対してアルコールの大量摂取がどのように作用するのかを調べる研究を行ったところ、週に二十杯以上飲む人は、たまに飲むだけ、あるいはまったく飲まない人よりも統合失調症状の再発が多くなることがわかった[注57]。幻覚や妄想のような陽性症状も頻繁に起こる。ほかの研究では、アルコールの消費で疑い深さも強くなるので、統合失調症患者は飲酒後に幻覚や妄想を報告することが増える傾向が強いことも確認されている[注58]。

アルコールは、統合失調症患者の脳に存在する異常がもたらす悪影響を強くする。だから、症状が悪化してしまう。例えば、統合失調症患者では脳の白質の量が減り、海馬の構造にも変化が生じるのだが、アルコールがその変化をさらに悪化させるのだ[注59]。私は統合失調症患者に、アルコールをほとんど、あるいはまったく飲まないことを勧める。個人的な経験から、完全な断酒を指示すると患者は不公平な扱いと考えるので、妥協案として週に一杯だけ、できれば土曜日の夕食時に飲むように指導することが多い。

頭をリセットして現実に戻す食べ物

オメガ3類

二〇〇九年、ポール・アミンガーらが、精神障害のリスクが「極めて高い」と分類された八十一人を対象に調査を行った[注60]。被験者たちに抗精神病薬を用いた治療は行わない。代わりに、十二週間にわたって、オメガ3多価不飽和脂肪酸、またはプラセボを処方して、経過を観察した。十二カ月後、四十一人のオメガ3グループのうち二人

（四・九パーセント）と、四十人のプラセボ群のうち十一人（二七・五パーセント）が精神障害を発症した。この結果から、オメガ３多価不飽和脂肪酸はプラセボよりも陽性と陰性の両症状を減らせることが明らかになった。

最近の調べでもオメガ３類が統合失調症患者に有益であることが確認されている［注61］。もちろん、私は統合失調症患者にオメガ３類の摂取量を増やすよう勧めている。

Nアセチルシステイン

統合失調症患者の脳は、正常とは違って酸化ストレスに弱くなっている［注62］。結果、フリーラジカルが放出されて脳を傷つけるので、脳の正常な防御システムが働かなくなって生理機能が不安定になってしまう。したがって、統合失調症患者が酸化ストレスの悪影響に立ち向かうには、抗酸化物質がとりわけ重要になる。

なかでも大切なのはグルタチオンという物質で、これが統合失調症患者では少ない。しかし、吸収率が低くて脳に届きにくいので、グルタチオンをそのまま補給することにはあまり意味がない。一方、Ｎアセチルシステイン（ＮＡＣ）が血漿《けつしょう》中のグルタチオン濃度を効果的に高め、結果として脳の保護に役立つことがわかっている［注63］。

慢性かつ悪化を続ける妄想型統合失調症を患う二十四歳の女性のケースを見てみよう。この女性は抗精神病薬が効かなかったのだが、ＮＡＣを補給すると七日間で症状が改善した［注64］。しかも、統合失調症の症状がよくなっただけでなく、自発性、社交性、家族との関係なども向上したのだった。

統合失調症の急性症状を呈し、抗精神病薬による治療を受けていた四十二人の患者にNACまたはプラセボを投与したほかの研究でも、同じような結果が得られている［注65］。すべての症状の程度や頻度が改善したわけではないが、陰性症状に関しては明らかによくなったのである。

もう一つの研究では、百四十人の患者が二十四週間にわたって抗精神病薬に加えてNACまたはプラセボを投与された［注66］。この研究では、NACを受け取った人々で、すべての症状に改善が見られた。

総合すると、NACの補給が統合失調症の治療に役立つことが証明されたと言えるだろう。すでに述べたように、NACそのものは食事から摂取することができないので、私は統合失調症患者にアミノ酸のシステインを多く含むものを食べるように勧めている。システインについては、双極性障害との関連で本章ですでに説明した。

アルファリポ酸

アルファリポ酸は複合ビタミン剤やアンチエイジング用サプリメントに含まれる一般的な成分で［注67］、細胞のエネルギー源であるミトコンドリアの化学反応において重要な役割を果たす。NACと同じように抗酸化物質で、脳を過度の炎症から保護する。

二〇一七年の調査で、アルファリポ酸が統合失調症の症状を全体的に緩和し、患者の認知能力も改善させる可能性があることがわかった［注68］。また、抗精神病薬の作用による体重の増加や運動異常を抑える役にも立った［注69］。

アルファリポ酸は野菜（ホウレンソウ、ブロッコリー、トマト）と肉に含まれている。心臓、腎臓、肝臓《レバー》などの内臓肉《ホルモン》に特に多い。内臓肉にはなじみのない人も多いと思うが、「ステーキ・アンド・キドニー・パイ（牛肉と腎臓肉をパイで包んだ料理）」、「レバー・アンド・オニオン（タマネギを添えた焼きレバー）」、さまざまなパテなど、おいしい料理はたくさんある。

ビタミン

【ビタミンC】　ある調査によると、一連のビタミンC療法を受けた統合失調症患者で、統合失調症のバイオマーカーのレベルが下がった［注70］。症状も、プラセボを投与された人々よりも明らかに改善していた。ほかの研究でも、ビタミンCが統合失調症に有効であるという結果が得られている［注71］。

【ビタミンB群】　ビタミンB群は細胞の代謝に欠かせない。統合失調症患者の場合、ビタミンB群の血中濃度が低いことが多い。特に大切なのは、葉酸だ。葉酸が不足するとDNAの合成と修復に悪影響が出て、脳細胞の機能にも災いを招く［注72］。

オランダの統合失調症患者を対象にした研究で、統合失調症患者は健常者よりも血清内のビタミンB12濃度が低い事実がわかった［注73］。葉酸とビタミンB6の濃度は、患者も健常者も同じだった。ただし、以前の調査では、葉酸の濃度が統合失調症のリスクの増加に関連しているという結果が得られている[注74]。

かつてマサチューセッツ総合病院で活動していたドナルド・ゴフの研究チームも、外来の統合失調症患者の九十一人で葉酸の濃度が低かった事実を発表した[注75]。また、葉酸レベルが高いと、喫煙しない患者の陰性症状の程度が低くなる事実も確認している。

ほかにもいくつかの研究が、ビタミンB群の補給が統合失調症の治療に効果的である可能性を示唆している。ある調査では、葉酸レベルの低い十七人の患者が、六カ月にわたって薬物治療を受けながら追加として毎日メチル葉酸の補給も受けた（一日に一五ミリグラム）[注76]。すると、症状が緩和して社会的な能力が改善し、社会復帰できた。

精神科医のジョシュ・ロフマンを中心としたマサチューセッツ総合病院のチームがビタミン補給の効果を調べるものとしては最大級の調査を行い、抗精神病薬治療を受ける統合失調症患者百四十人に対して、十六週間にわたって無作為に葉酸（一日二ミリグラム）とビタミンB12（一日四〇〇マイクログラム）、またはプラセボを投与した。葉酸とB12を得たグループでは、陰性症状が明らかに改善したのだが、治療に対する反応は患者個人の遺伝、つまり葉酸を吸収する能力に大いに左右されることがわかった[注77]。

ロフマンらは、二〇一七年には葉酸の補給が実際に統合失調症患者の症状を改善させる事実を突き止めた[注78]。

すでに述べたように、野菜、あるいは強化された低糖の全粒シリアルに葉酸が、肉と乳製品にビタミンB12が多く含まれている。葉酸は緑葉野菜、あるいはブロッコリーと芽キャベツのように色が濃い緑の野菜、さらに豆類にも含まれている。

Ｌテアニン

Ｌテアニンは独特なアミノ酸で、いわゆる〝お茶〟のもとであるチャノキだけに含まれていると言っても過言ではない。脳のアルファ波（〝リラックス〟の脳波）を高め、脳を刺激する化学物質を抑え、ＧＡＢＡのように脳を鎮める化学物質を強化する働きをもつ。

とても厳格な研究を通じて、抗精神病薬治療をＬテアニンでサポートすることで、統合失調症と統合失調性感情障害のいくつかの症状が緩和することが実証されている。ほかの研究では、Ｌテアニンが統合失調症の陽性症状と不眠症を和らげることがわかった[注79]。そのような結果が確実なものであるかどうかは今後の研究に期待するしかないが、これまでわかったことだけでも、茶を飲むことを勧める理由にはなるだろう。

一般的な緑茶、紅茶、ウーロン茶にはテアニンが含まれている。ただし、カフェインも含まれているので、飲みすぎるのはよくない。統合失調症患者の場合は、カフェインが入っていないものを飲むのがいいだろう。ハーブティーにはテアニンが含まれていないが、カフェインを除去した緑茶、紅茶、ウーロン茶には含まれている。

メラトニン

第八章ですでに取り上げたメラトニンは「睡眠のホルモン」とも呼ばれ、統合失調症患者の不眠症状に有効だ。また、メラトニンの抗炎症作用と抗酸化作用が抗精神病薬の効果を高めてくれる［注80］。

メラトニンの優れた摂取源として、卵と魚、そしてナッツ類が挙げられる。アスパラガス、トマト、オリーブ、ブドウ、大麦、オート麦、クルミ、アマ種子も含有量が多い。

深刻な精神疾患には適切な薬品を

リチウムや抗精神病薬は双極性障害や統合失調症に打ち克《か》つための強力な武器になる。しかし、そうした深刻な病気に苦しむ人を助けるとき、薬物治療と同時に行われる食生活の変更もまた、同じぐらい強い力を発揮する。

私が担当した双極性障害患者のナンシーも、ウェスタン食からケトジェニックダイエットに切り替えて炭水化物を減らした。コーヒーも、時間をかけて朝の一杯だけにした。朝食はプロテインシェイクを作り、ピーナツバターを加えた。

昼食ではグルテンを避け、システインを摂取するためにサラダにタマネギをたっぷりと加える。アボカド、レタス、ホウレンソウ、赤インゲン豆を食べるのは、葉酸を補うためだ。夕食では、脂ののった魚を食べる機会を増やした。例えば、ナンシーは焼いたサーモンが好きだったので、味付けを変えて頻繁に献立に載せることにした。オリーブオイル、黒コショウ、オレガノ、タイムで味をつけて、ソテーにしたタマネギをトッピングするのがお気に入りだ。週末にワインを飲むのはやめた。そしておよそ六週間後、ナンシーの症状は消えてなくなり、普通の生活を送れるようになったのである。

統合失調症だったアリスは、パンとアルコールを断った。七週間ほどで症状は出なくなり、正常に戻った。婚約者は、アリスが自分の殻に閉じこもり幻覚を見はじめたことにうろたえていたが、彼女が以前の自分を取り戻したことに、ほっと胸をなで下ろした。アリスには自分が問題を抱えていることを婚約者に話す勇気があった。婚約者はアルコールとパンの有無が大きな差を生むことに納得したので、彼女の食事からそれらをなくすことに全力で協力してくれた。それから数年たった今、二人はまもなく結婚することになっている。

ナンシーのケースもアリスの例も、精神を健康に保つのは簡単ではないことを物語っている。最新の研究から導き出された推奨事項に合わせて生活を変える柔軟さが求められる。二人とも薬物療法で状態は安定していたが、生活のなかで生じた新しい何かが日常のパターンを乱したときには、克服したと思われていた一連の問題がまた顔を出そうとする。しかしそんなときでも、我慢強さと固い意志と適切なサポートがあれば、食生活を変えて、医薬品が対処できない隙間を埋めることができるのだ。

双極性障害対策のカンニングペーパー

双極性障害患者には、ケトジェニックダイエットが優れた食事法だと考えられる。

［どんどん食べよう］

- **オメガ3脂肪酸**——魚類、特にサーモン、サバ、マグロ、ニシン、イワシなど、脂肪分の多い魚。
- **Nアセチルシステイン（NAC）**——NAC自体はサプリメントとして服用される必要があるが、システインに富む食品も効果的である。肉、穀物、卵、リコッタチーズ、カッテージチーズ、ヨーグルト、ブロッコリー、赤トウガラシ、タマネギがお勧め。
- **ビタミン**——B9（葉酸）。
- **ミネラル**——マグネシウム、亜鉛。

［できるだけ避けよう］

- **ウェスタン食**——質の悪い脂肪（赤身肉、揚げ物）と高GI炭水化物（精白パン、白米、ジャガイモ、パスタ、そのほか製粉からつくられた食品すべて）。

・**カフェイン**——カフェイン摂取量は一日四〇〇ミリグラムまで。
・**ナトリウム**——リチウム療法を行っている患者は、ナトリウムの摂取量を一定に保つことが重要。
・**グルテン**——セリアック病、非セリアック・グルテン過敏症を患っているのなら、パン、ピザ、パスタなど、すべての小麦食品とアルコール飲料の多くを避けること。
・**アルコール**——摂取を完全に断つか、大幅に減らすこと。
・**薬品との合併症を起こすもの**——グレープフルーツジュースとチラミンを含む食品（熟成チーズ、熟成肉、塩漬肉、ソラ豆、マーマイト、ザウアークラウト、醤油、生ビール）は双極性障害用の薬のいくつかに干渉する恐れがある。

統合失調症対策のカンニングペーパー

［どんどん食べよう］
・**オメガ3脂肪酸**——魚類、特にサーモン、サバ、マグロ、ニシン、イワシなど、脂肪分の多い魚。
・**Nアセチルシステイン（NAC）**——NAC自体はサプリメントとして服用される必要があるが、システインに富む食品も効果的だ。肉、穀物、卵、リコッタチーズ、カッテージチーズ、ヨーグルト、ブロッコリー、赤トウガラシ、タマネギがお勧め。
・**アルファリポ酸**――ホウレンソウ、ブロッコリー、トマト、肉、特に心臓、腎臓、肝臓などの内臓肉。
・**Lテアニン**――緑茶、紅茶、ウーロン茶。
・**メラトニン**――卵、魚、牛乳、米、大麦、オートミール、ブドウ、マスタードシード、アマ種子、アスパラガス、ブロッコリー、キュウリ。
・**ビタミン**――B9、B12、C。

[できるだけ避けよう]
・**ウェスタン食**――質の悪い脂肪（赤身肉、揚げ物）と高GI炭水化物（精白パン、白米、ジャガイモ、パスタ、そのほか製粉からつくられた食品すべて）。
・**グルテン**――セリアック病、非セリアック・グルテン過敏症を患っているのなら、パン、ピザ、パスタなど、すべての小麦食品とアルコール飲料の多くを避けること。
・**砂糖**――焼き菓子、キャンディ、ソフトドリンクなど、砂糖や高果糖液糖を添加した飲食料品。
・**アルコール**――摂取を完全に断つか、大幅に減らすこと。

第一〇章
性欲——オキシトシンとフェヌグリークと媚薬の化学

現代社会では、性欲を高めるための製品に関する情報を避けるのはほぼ不可能だろう。勃起《ぼっき》不全薬（ＥＤ治療薬）や性的な効果を約束する〝サプリメント〟の広告は毎日見るし、雑誌にはムードを盛り上げてパートナーを喜ばすためのヒントが満載だ。人々が性生活を豊かにしたり性欲を高めたりする方法を求めていることに疑いの余地はない。

では、性欲《リビドー》とはいったい何なのだろうか？　言葉そのものは「性的欲望」と同じ意味で理解されるのが普通だが、心理学ではもう少し広い意味で用いられる。精神分析の祖として知られるジークムント・フロイトはリビドーを「性的本能の原動力」と呼び、人間が喜びを求める根本的な衝動とみなした。しかし、精神科医であり精神分析も行ったカール・ユングは、リビドーとは性的本能とは切り離された存在であって、むしろ哲学者のアンリ・ベルクソンが「生命の飛躍《エラン・ヴィタール》」と呼んだ生命の推進力に近いものだと信じていた[注1]。精神分析家のロナルド・フェアバーンはフロイト的な快楽中心の考えを嫌い、リビドーを「おもに対象希求」とみなして、他人と関係を築いてつながるための方法の一つと考えた[注2]。

このように、定義は一定していないが、リビドーの解釈には「人間の本質的な欲求である」という共通点がある[注3]。実際、性欲にはもう一つの人間の欲求である〝食欲〟と似た部分が多い。

性欲も食欲も本能だ。どちらも人の行動に影響するし、人はそれらをほかの何よりも優先しようとする。

食欲にも性欲にも同じ化学物質が関係していて、どちらでもドーパミンが重要な役割を果たす。エストロゲンやテストステロンやプロゲステロンのような性ホルモンは食物摂取や食欲にも影響する[注4]。進化という観点からも、両欲求には共通点がある。必要以上に食べて余分なエネルギーをグリコーゲンや脂質として蓄える能力があるからこそ、動物は四六時中食べ物を探す必要がなくなり、性交相手を探す余裕ができたのだ[注5]。

これほど多くのつながりがあるのだから、食べ物が性欲にも影響すると聞いたところで驚きではないだろう。本章では特定の食品が性欲にどう影響するのか、どのようなものを食べれば性機能を最適にすることができるか、見ていくことにする。

興奮と腸

エストロゲンとテストステロンの二つが性ホルモンとしてよく知られている。エストロゲンを〝女性〟ホルモン、テストステロンを〝男性〟ホルモンと理解している人も多いことだろう。実際に、エストロゲンはおもに卵巣で、テストステロンはおもに精巣でつくられる。とはいえ、男性も女性もエストロゲンとテストステロンの両方をもっていて、どちらも性機能の働きには欠かせない。例えば男性の場合、実際にテストステロンが性欲に大いに関係しているが、同時にエストラジオール（エストロゲンの主要形態）も性欲、勃起、あるいは精子づくりに深く関わっている[注6]。一方、女性の性欲にテストステロンがどれほど影響するのかという問いについてはまだ意見の食い違いはあるが、両者のあいだに何らかの関係があるという点には疑いの余地がない[注7]。

性欲の調節にも、腸内細菌が密接に関係している。エストロゲンとテストステロンの産生に、腸内細菌がかかわっているのだ。二〇一四年、獣医師であるテオフィロス・ポトタヒディス率いる研究チームがマウスを使って、腸内細菌に性ホルモンに影響する力があるかどうかを調べてみた[注8]。炎症を抑える作用をもつ腸内細菌として知られるラクトバシラス・ロイテリ（ロイテリ菌）をマウスに与えたのだ。すると、ロイテリ菌を与えられなかったマウスよりも、与えられたマウスのほうが精子を多くつくり、テストステロンを産生する細胞の数も増えたことがわかった。しかも、高齢のマウスのほうが変化が大きかったのだ。実際、ロイテリ菌を与えることでマウスは若々しくなり、睾丸《こうがん》も若いマウスと同じ程度にまで大きくなった。研究チームは、生菌の補給でマウスの性機能を高めることができるとしたうえで、おそらく人間でも同じことが言えると結論づけた。

また、若いときに抗生物質を与えられていたマウスは腸内細菌叢《さいきんそう》が混乱し、その結果としてテストステロンが減って精子の質が悪くなることも知られている[注9]。

一方のエストロゲンはどうかというと、閉経後の女性では血中で循環するエストロゲンの濃度の調節に腸内細菌叢が大いに関係しているようだ[注10]。

腸内細菌はエストロゲンとテストステロンだけでなく、性欲の調節に関係するほかの神経化学物質もコントロールしている。一例を挙げると、腸内細菌の数種類はガンマアミノ酪酸（GABA）を産生できる。GABAは健全な脳の働きに欠かせない物質である一方で、GABA受容体が過度に刺激されると、勃起不全（ED）、性欲の減退、あるいはオーガズム困難などにつながる恐れがある[注11]。

必ずしも目に見える形で性機能の不全症状が現れるわけではないが、腸が健康に働いていなければ、性欲に何らかの悪影響が出ると考えていい。例えば、炎症性腸疾患は鬱《うつ》病《びょう》、関節炎、あるいは自分の身体像に対するネガティブな評価などを引き起こし、それが性欲の減退につながる[注12]。

欲を減らす食べ物と化合物

年齢に関係なく、貧しい食生活を続けていると性欲に影響する。まずは性欲を弱める摂食パターンや食べ物を、次に性欲を健全にする方法を見ていこう。

ウェスタン食

ウェスタン食は性欲という点でも健康を脅かす。高脂肪食は精巣機能を損なうことがわかっていて、精子の生産や働きに悪影響を及ぼすと考えられている[注13]。この考えは「生殖腺機能不全を引き起こす腸内毒素《Gut Endotoxin Leading to a Decline in Gonadal function》」を略して「GELDING仮説」などと呼ばれている。略語にしては長いが、男性の「去勢」を意味する〝ゲルディング《gelding》〟に語呂《ごろ》を合わせたのだ。この説は、高脂肪・高カロリーの食べ物は、すでにほかの病気との関連で何度か見てきた「リーキーガット（腸漏れ）」と同じ状態を引き起こすと考える。その結果、腸内細菌が血液の流れに交ざってしまう。すると、細菌が有する強力な免疫刺激物質であるエンドトキシンが全身に行き渡って、あちこちで軽い炎症を引き起こすのだ。そして精巣の働きも損なわれて生殖機能が下がる。

二〇一七年、ジャスティン・ラーと同僚たちが一九七七年から二〇一七年にかけて発表された研究を振り返り、食事と男性の性的健康のつながりを調べてみた[注14]。その結果、ウェスタン食が精子の質の低下やEDのリスクの高さの原因になっていることがわかった。また、肥満もしくは太り気味の男性が低脂肪・低カロリーの食事に切り替えた場合、勃起能力が改善し、テストステロンの量も増えた。

別の研究では、高タンパク質・低炭水化物・低脂肪食に切り替えると、一年で勃起機能と性的欲求の両方が高まり、性機能が向上することが実証されている[注15]。

ウェスタン食の人気の高まりと、男性の精子の数の減少のあいだには関連がある。精子の数は北アメリカ、ヨーロッパ、オーストラリア、ニュージーランドで五九パーセントと急激に減っている[注16]。二〇一九年のヨーロッパ生殖医学会で発表されたハーバード大学の新しい調査によると、日ごろから高脂肪なものを食べることが多い男性は、より健康な食事をしている人よりも精子の数がおよそ二五六〇万も少ないそうだ。

ジョーイは三十八歳のプログラマーで、マサチューセッツ州のノースショアで暮らすフットボールが大好きな男性だ。鬱病を理由に私の診察を受けにやってきた。私の見立てでは、妻とのあいだに子供ができないことが鬱の原因になっているようだった。

二人は不妊治療の専門医に相談したことがあった。その際、ジョーイは精子の数が少ないうえに精子の活動も弱いと言われてとても落ち込んだ。夫妻には気の毒なことに、その専門医は何が原因でそうなっているのか特定できなかった。だから二人は、子供ができる望みが薄くなったにもかかわらず、子づくりに励むしかなかったのだ。

ジョーイの鬱症状はかなり進んでいたので、私は抗鬱薬を用いた治療から始めざるをえなかった。しかし問題があって、フルオキセチン（プロザック）など、ほとんどの抗鬱薬は性機能を減退させてしまうのだ。そこで私は性的な副作用が少ないブプロピオン（ウェルブトリン）を治療薬に選んだうえで、ジョーイに食生活を変えるよう説得することにした。フットボール観戦に定番のホットドッグ、ナチョス、ピザ、チキンウイングなどは全部禁止だ。

もっとナッツ類を食べるようにも指導した。というのも、ウェンディ・ロビンズらが二〇一二年に、一般的なウェスタン食にクルミを加えると精子の質と活性と形がよくなる事実を発見したからだ［注17］。二〇一八年には、ウェスタン食にナッツ類のミックスを六〇グラム（たった四分の一カップ）足すだけで、精子の数が増えて質もよくなることが確認されている［注18］。

そこで私はジョーイに、毎日果物と野菜とアボカドとオリーブオイルと健康なナッツ類を中心にした食事をして、不健康な脂肪や加工炭水化物は極力避けるよう説得した。ジョーイはがんばった。好みの食べ物ではなかったが、子を望む思いのほうが強かったのだ。食事を切り替えてからおよそ六カ月後、彼の妻は妊娠した。それから五年で、二人は息子と娘の二児に恵まれた。今のジョーイは、週末のフットボール観戦のときに昔のようなものを食べてもいいのだが、不健康な食べ物を減らす努力を続けている。

精子の数の研究は当然ながら男性を対象にしているが、ジャンクフードを減らすことは女性にも利点がある。五千人以上の女性を対象にした最近の調査で、週に四回以上ファストフードを食べる（あるいはフルーツを月に三回未満しか食べない）女性は妊娠するまで時間がかかり、不妊になるリスクも大きくなることがわかっている[注19]。

私の患者であるインカがまさにそうだった。インカと夫もいくら努力しても子供ができずにいたので、私に相談してきたのだった。彼女はもう疲れてしまって、性的に興奮することもないし、夫と子づくりをする気にもなれないと語った。日ごろどんなものを食べているのか尋ねると、オフィスにいる時間が長いので、不健康なテイクアウト食を口にすることが多いと答えた。彼女は、前回いつ自宅で食事をしたか、いつ新鮮な果物を食べたか、思い出すことすらできなかった。サラダを食べるときも、全体を覆うほどベーコンをのせるし、クリーミーで濃厚で不健康なドレッシングをたっぷりかけていた。

インカは一週間分の食事の予定を立てるために、日曜日の午後に準備することにした。栄養価の高い繊維質の食べ物を朝食に加える。オーツ麦をミルクなどに一晩浸したオーバーナイトオーツ、チアプディング（322ページ）、野菜入りのマグカップエッグ（351ページ）などだ。仕事には、簡単で健康なランチ（レタスやカット野菜のサラダにロティサリーチキンや焼いたサーモン）をもって行くことにした。オフィスにはヘルシーなスナックとして果物やナッツ類を常備しておく。簡単なものばかりだが、インカはまもなく自分が食べているものに安心できるようになった。家ではリラックスできるようになったし、夫とも再び親密になれるようになった。

そして、食事を変えてからおよそ十八カ月後、インカと夫のあいだに待望の子ができた。元気な女の子が生まれたあと、彼女は私に電話で、健康な食習慣を身につけたおかげで、妊娠中も母親になってからもエネルギーが維持できていると教えてくれた。

大豆タンパク質

二〇一一年、臨床神経学者のティモ・ジープマン率いる研究チームが、ある十九歳男性の症例を報告した。その男性は突然性欲を失い、ＥＤに陥った[注20]。男性は一型糖尿病を患っていたが、それ以外は健康だった。ジープマンのチームが調べたところ、男性はビーガン型の食生活を実践していて、大豆製品を大量に食べていた。

最初の検査の際、彼の血中テストステロン濃度は低いのに、テストステロンのもとになる「デヒドロエピアンドロステロン」という前駆体の濃度は高かった。つまり、前駆体が適切にテストステロンに変換されていなかったのだ。ビーガン食をやめたところ、一年後に数値は正常に戻った。テストステロンが増えたため、性的な症状はなくなり、性機能も完全に回復した。

ほかの研究の成果も、大豆食品や大豆のイソフラボンを多く摂取すると精子の濃度が低くなることを示している[注21]。

第六章で見たように、大豆に含まれているイソフラボンは、エストロゲンに似た物質だ。ポリフェノールの仲間なので、基本的には炎症を抑える働きがあり、脳にとってありがたい物質だ。ところが、研究者の多くはイソフラボンがもたらすエストロゲン作用がほかの性ホルモンに影響を及ぼすので、男性では乳房が大きくなり性欲が減退する可能性があると考えている[注22]。では、大豆がエストロゲン作用を高めることが、女性の性欲にはどう影響するのだろうか？　この問いについて、確かな答えはまだ出ていない。ある研究は、大豆タンパク質が閉経後の女性の性欲を高めると報告しているが、その作用はプラセボと大差ないようだ[注23]。

それでも、もしあなたが大豆タンパク質を（豆腐、枝豆、大豆ミートなどの形で）大量に摂取していて性欲の低下に悩んでいるのなら、しばらく大豆を減らして、性欲が戻ってくるか試してみる価値はあるだろう。

アルコール

私は大学のキャンパスで多くの時間を過ごす。キャンパスと言えば、セックスとアルコール。このテーマに関するポップカルチャーはシェイクスピアにまでさかのぼる。『マクベス』のなかでシェイクスピアは、アルコールは「欲をあおるが、能力を奪い取る」と書いている[注24]。どうやら、この考えは正しかったようだ。

ある研究が、アルコール依存症の男性はED、性的な不満状態、早漏などになりやすいことを示している[注25]。別の調査では、性的な障害がない場合でも、酔っている男性はしらふの人よりもオーガズムに達するまでの時間が長くなるという結果が出た[注26]。二〇一八年には、ディーパク・プラバカランらがアルコール依存症の男性を相手に性機能に関するアンケート調査を行ったところ、回答者の三七パーセントが性的な機能不全を報告した[注27]。二五パーセントがEDを、二〇パーセントは「満足するオーガズムが得られない」と答え、一五・五パーセントは早漏を認識していた。一方、少数ではあるが、過剰な性欲を報告した人もいる。これらの成果を合わせると、アルコールが性的不全を引き起こす原因になると考えられるが、研究者はこの種のデータを集めることの難しさも指摘している。アルコールによって記憶が損なわれるので、彼らの自己報告は首尾一貫していないことがあって、完全には信用できないのだ。

女性の性欲にも、アルコールは複雑に影響する。研究によると、適度なアルコールは性欲を高め、性的な行動を活発にするが、量が増えるとその逆の作用が発揮されるようだ[注28]。ほかの研究では、アルコールは大量に飲んだ場合にのみ、若い女性のオーガズムを抑えるという結果が出ている[注29]。さらに、性的被害を受けたことのある女性は通常よりも多くのアルコールを飲む傾向が強くなり、さらなる性的被害を受けるリスクが高くなる[注30]。

男女の分け隔てなく、飲みすぎると性的な能力が損なわれるのは確かなようだ。さらに悪いことに、性的に危険な状況に遭遇する可能性も高くなる。その一方で、適度の飲酒——週に男性なら十四杯まで、女性は七杯まで——なら、悪影響はないと考えられる。

砂糖

バレンタインデーのことを思い出してみよう。チョコレートでコーティングしたイチゴなど、スイーツはずっと前からセックスと結びつけられてきた。ところが科学的には、砂糖は食べすぎると性生活に悪影響を及ぼすと考えられる。

例えば、糖分の高い飲み物を摂取しすぎると、特にボディマス指数が高い人では、テストステロン値が低くなる傾向がある[注31]。別の調査では、甘い飲料で精神の活動が弱まることも確認されている[注32]。

また、高糖分食はレプチン濃度を高める。レプチンは脂肪細胞がつくるホルモンで、エネルギーバランスを保つ働きをする。レプチン濃度が高くなればなるほど、テストステロン値は下がるのだ。この傾向は太っている人のほうが強い[注33]。つまり、すでに太り気味の人は脂肪細胞がレプチンをたくさんつくって視床下部－下垂体－副腎《ふくじん》軸（HPA軸）の活性を抑えているが、それがテストステロンの生産を止めてしまう。この意味でも、糖分の摂取とテストステロン値の低下には関連があると考えられる[注34]。

ほかの病気の患者と同じで、私は性欲の減退に悩む人にも、砂糖の量を、特に高果糖液糖で甘くした飲料と菓子を口にする量をできるだけ減らすよう指導している。デザートは、新鮮な果物やGI値のあまり高くない天然の甘味料――ハチミツなど――あるいは糖分の低いダークチョコレートなどを中心にするといいだろう。

リコリス

性欲に悪影響を及ぼすことが知られている菓子としてリコリスが挙げられる。甘草《かんぞう》の根に由来する菓子で、有効成分としてグリシルリジン酸を含んでいるのだが、いくつかの研究でグリシルリジン酸がテストステロン値を下げると報告されているのだ［注35］。

同成分は、リコリス以外に、茶や特定のチューインガムにも含まれている。ただし、有害物質（商品ラベルには「甘草エキス」と書かれていることが多い）が入っているのは黒いリコリスだけで、赤い物には甘草が含まれていない。それでも、すでに述べたように、種類にかかわらず甘い菓子はできるだけ減らすこと。

ペルフルオロオクタン酸

ペルフルオロオクタン酸（ＰＦＯＡ）にはさまざまな用途があるが、特筆すべきは焦げ付きやくっつきを防止した調理器具や食品パッケージだろう。複数の研究で、ＰＦＯＡおよび類似の化学物質は内分泌系を混乱させ、健康に悪影響を及ぼす恐れがあることが示唆されている。

ＰＦＯＡが（アンドロゲンなどの）ホルモン受容体の活性を抑えるので、テストステロンの生産が弱まってしまうのだ［注36］。ＰＦＯＡを多く摂取すればするほど、その作用は強くなる。また、ＰＦＯＡが不妊症と関連していることを示す証拠も見つかっている。動物実験では、同物質が卵巣にも影響することが確認された［注37］。それだけではない。ＰＦＯＡには腸内細菌を変性させ、炎症を引き起こす力もある［注38］。

ありがたいことに、ＰＦＯＡが有害であるという研究成果が増えたことに対して、メーカーのほうも反応しはじめている。二〇一九年の調べによると、二〇〇五年から二〇一八年にかけて製品にＰＦＯＡが使われることは減ったようだ［注39］。しかし、電子レンジ用ポップコーンの包装や一部のプラスチック袋にはいまだにＰＦＯＡが使われているし、さび・焦げ付き防止素材にもＰＦＯＡが利用されている。ポップコーンが食べたい時は、昔ながらのコンロの上で加熱するポップコーンを選べばいいだろう。調理には焦げ付き防止のコーティングがされたものを避けて、ステンレスや鉄の器具を。スナックやサンドイッチの持ち運びには無漂白の紙袋を使うようにしよう。

性欲を高める食べ物と媚薬

特定の食べ物が性欲を高めるという考えは、人類の文明と同じぐらい古い。「媚薬《びやく》」を意味する英語の「アフロディジアック《aphrodisiac》」という単語の語源はアフロディーテ。ギリシャ神話の愛の女神だ。しかし、食べ物に性欲や性的能力、あるいは快楽を高める力があると信じていたのはギリシャ人だけではない［注40］。ほぼすべての文化において、性欲を高めるために食べ物、あるいは植物、動物、鉱物から抽出した物質が使われてきた。現代科学は、そのような効果をもつと言われる食べ物のすべてを調べたわけではないが、実際に特定の食べ物は性欲と結びついている。

興味深いことに、媚薬として広く知られているものに限って、そのような効果がないことが徹底的に証明されている。例えば、生ガキを食べると性欲が高まるという話を、あなたも聞いたことがあるだろう。かの伝説のカサノバは、カキこそが性欲を保つ秘訣《ひけつ》だと断言している。そして二〇〇〇年代の中ごろにメディアがカキに含まれるDアスパラギン酸というアミノ酸に性欲を高める働きがあると発表したころから、伝説は一気に広まった。ところがのちに、この噂は学術会議の内容を誤解したことから始まった完全な過大評価だったことがわかったのだ〔注41〕。

同じことがイチゴにも言える。イチゴも媚薬効果があると広く誤解されている食べ物だ。イチゴは実際に植物性エストロゲンを含んでいるので、閉経後の女性の症状を緩和できるかもしれないが、性的な能力を高めることを示す証拠は見つかっていない。

ここからは、有名なものもそうでないものも含めて、性欲を高める作用があるとされる食べ物やサプリメントを評価していこう。

オキシトシンを増やす食べ物

オキシトシンはセックスや恋愛、あるいは子育てなどで幅広い働きを示すので「愛情のホルモン」と呼ばれることもある〔注42〕。性的な興奮を促したり、喜びを高めたり、さまざまな形で性欲にかかわっていて、男性でも女性でも興奮が絶頂に達したときに放出される。オキシトシンを投与すると、男女ともエロチックな映画を観ているときの興奮度が高まることも明らかになっている［注43］。

オキシトシンは脳に複雑に作用する。作用の多くは脳の〝報酬系〟を介している［注44］。オキシトシンの受容体は中脳辺縁系《へんえんけい》と呼ばれる場所に多くあるのだが、この中脳辺縁系は報酬経路と大脳辺縁系をつなぎ、感情の起伏や表現において重要な役割を果たす［注45］。そして、腸内細菌叢はこの経路の発達と機能に影響する。つまり、腸にいる細菌にはオキシトシンを必要とするニューロンの働きを左右する力があるということだ［注46］。

オキシトシンを食べ物から直接吸収することはできないが、オキシトシンを増やす働きをもつ食品は存在する。チョコレートには媚薬作用があると一般的に知られている。実際のところ、ダークチョコレートは脳のドーパミンを刺激することを通じて、オキシトシンの産生を活発にする力がある［注47］。しかし、チョコレートの性欲増進作用を中心テーマにした研究では、それほどはっきりとした結果は得られていない。ある研究でチョコレートには女性の性機能を高める可能性があることが示唆されたが、その効果を年齢別に見たところ、それほど有意な差ではなかった［注48］。

マグネシウムはオキシトシンの生物活性を高めることが確認されている［注49］。この知見はまだ確実に証明されたわけではないが、マグネシウムを多く含むものを食べることに害はないだろう。すでに説明したように、緑色の野菜、ナッツ類、種子類、未加工の穀物などにマグネシウムが多く含まれている。

オキシトシンは九個のアミノ酸が結びついたペプチドである。九個のアミノ酸のうち、

第一〇章　性欲──オキシトシンとフェヌグリークと媚薬の化学

イソロイシンとロイシンは必須アミノ酸なので体内で合成できないため、食べ物から摂取する必要がある。だから、オキシトシンを確実につくる体を手に入れるには、両アミノ酸を多く含むものを食べなければならない。肉、肉製品、穀物、牛乳、乳製品が適している。あるいは量は少し減るが、野菜や卵もいい。

コーヒー

コーヒーがEDを予防するか、デヴィッド・ロペスらが二〇一五年に三千七百二十四人の男性を対象に調査した[注50]。その結果、カフェインの摂取でEDになる確率が下がり、特に毎日およそ二杯から三杯飲む人で（一日に一七〇ミリグラムから三七五ミリグラムのカフェイン摂取）その傾向が強くなるという結果が得られた。別の調べでは、カフェインを前もって一〇〇ミリグラム摂取することで、性行為の満足度が上がることがわかった[注51]。

大切なのは飲みすぎないこと。一日のカフェイン摂取量が四〇〇ミリグラムを超えない限り、コーヒーがあなたの性生活をよりよくしてくれるかもしれない。

赤ワイン

アルコールを飲みすぎると性欲が減退するという話はすでにしたが、赤ワインを適量たしなむだけなら、性欲は高まるようだ。二〇〇九年、ニコラ・モンダイニらが赤ワインの摂取が女性の性機能にどう働きかけるかを調べた[注52]。研究チームは七百九十八人の女性を、まったく飲まない人、適度に飲む人（一日に赤ワインを一杯か二杯）、たくさん飲む人（一日に赤ワインを三杯以上または赤ワインに加えて白ワインなどほかのアルコールも飲む人）の三つのグループに分けた。

その結果、赤ワインを適度に飲む女性は性機能が総じて優れていたのである。多く飲む人やまったく飲まない人に比べて、性欲も潤滑性も高かった。興奮度、満足度、痛み、オーガズムの項目では、三つのグループで違いは見つからなかった。

別の研究では赤ワインが男性のテストステロン量を増やすという結果が出ている[注53]。さらに、赤ワインに含まれるポリフェノールがEDのリスクを下げると結論づけた研究もある[注54]。

赤ワインにはメリットがあるかもしれないが飲む量はほどほどに。私の場合、アルコールの悪影響が出ないように、患者には「一日一杯」を守るよう指導している。

ピスタチオとほかのナッツ類

二〇一一年、ムスタファ・アルデミールの研究チームが既婚男性十七人に毎日一〇〇グラムのピスタチオを与え、三週間にわたって勃起機能を調べた[注55]。その結果、勃起が改善したのみならず、善玉コレステロール（ＨＤＬ）が増えて悪玉コレステロール（ＬＤＬ）が減ったことがわかった。

イランで行われた女性を対象にした調査では、伝統的なペルシャ料理（ノラニンジンとサフラン）にピスタチオとアーモンドを含めることで性欲、興奮度、潤滑性、オーガズム、そして満足度が高まった[注56]。

私の患者のジョーイにはクルミが有効だったという事実も加味して、私は食事にピスタチオとクルミとアーモンドを取り入れることをお勧めする。ただし、ナッツ類も食べすぎはよくないので、一日に四分の一カップまでにすること。

サフラン

サフランが性欲を増進し、勃起機能と精子の質を高めることが、いくつかの研究で示されている。性機能に対する効果を調べた別の調査でも、サフランがＥＤ症状を改善するという結果が得られた[注57]。

サフランを食事に加えるのは難しい。高価だし、強い風味がほかの料理を圧倒してしまいかねない。サフランの使い方は第二章で提案したので、それを参考にしよう。

フェヌグリーク

フェヌグリークは、とてもおいしいが強烈なハーブだ。インド風のパンを焼くために新鮮なあるいは乾燥したフェヌグリークを生地に交ぜると、香りが手に一週間も残っているほどだ！　しかし、我慢する価値はあるようだ。

フェヌグリークが男性のテストステロンを増やすことが、ある研究で確認されている［注58］。別の二重盲検プラセボ対照試験でも、フェヌグリークが男性の性欲を高め、興奮度やオーガズムを改善することが確かめられた［注59］。

男性を対象にしたある研究では、六〇〇ミリグラムのフェヌグリークエキスを毎日摂取すると性欲と興奮度が有意に改善することがわかった［注60］。

フェヌグリークは深い風味が特徴的だ。フェヌグリークの種を砕いてからゆでて、ハチミツをかけて飲むとおいしいハーブティーにもなる。フェヌグリークのエキスはサプリメントとして市販されているが、私はサプリメントではなくて食品として摂取することを勧める。新鮮な、あるいは乾燥したフェヌグリークの葉を使ったインド風のパンは「メティ・テプラ」と呼ばれ、専門店で買うことができる。

リンゴ

二〇一四年、泌尿器科の研究チームが七百三十一人の女性を集めて、一日に一個のリンゴを食べることが、若くて健康で性的に活発なイタリア人女性の性生活にどう影響するかを調べた［注61］。被験者の半数は毎日リンゴを食べ、残りの半分は不規則な頻度でリンゴを口にした。すると、毎日グループの女性のほうが総合的な性機能でも潤滑性でも明らかに優れていることがわかった。

リンゴを食生活に取り入れるのは簡単だろう。性欲を高めてくれるだけでなく、ビタミンCとカリウムが豊富で、酸化と炎症を抑える作用がある。

ザクロジュース

ある研究で、ザクロの果汁がラットの精子の質を高めるという結果が得られた［注62］。ほかの調べでは、男女ともザクロジュースでテストステロン値が二四パーセント向上した［注63］。

ポリフェノールに富むザクロジュースは効果的な抗酸化物質なので、食生活に大きなプラスになる。市販のジュースは砂糖が大量に加えられているので、ザクロの種から自分でジュースをつくることをお勧めする。

トウガラシ

トウガラシとトウガラシに含まれるカプサイシンが活力のもとになるという話はすでにした。そのカプサイシンには、性欲を高める力もあると昔から信じられている［注64］。

二〇一五年、ローラン・ベギュらが十八歳から四十四歳の男性を百十四人集めて、スパイシーな食べ物の摂取とテストステロン値のあいだに相関関係があるか調べてみた［注65］。その結果、辛いソースを多く使う人ほど、唾液《だえき》中のテストステロン値も高いことがわかった。つまり、スパイシーな食べ物とテストステロン値のあいだには、相関関係があると考えられる。

カプサイシンはトウガラシにのみ含まれているので、コショウやワサビなどを使ったほかのスパイシーな食品に同じ効果は期待できない。料理に乾燥トウガラシ、カイエンヌペッパーの粉末、新鮮なハラペーニョやセラーノを使うのがいいだろう。

タマネギ

タマネギも有望で、テストステロンにいい影響を与えると考えられる。タマネギは特定の主要ホルモンを増やし、フリーラジカルの形成を阻むからだ。また、精巣の細胞における酸化窒素の産生を増やす。酸化窒素は血管を広げてEDの症状を改善してくれる。さらに、タマネギは血糖値も下げ、テストステロンの産生を促す。

二〇一九年にサリーム・アリ・バニハニがタマネギとテストステロンの関係を調べた数多くの研究を見なおしてみた［注66］。その結果、タマネギがテストステロン産生に有意であるという結論にいたったのであるが、彼が調べた研究の大半は動物を対象にしていた。人間を対象にしてタマネギがテストステロンを増やすと実証した研究は一件しかなく、性欲という観点からタマネギの効果を調べた研究は一つもなかった［注67］。それでも、タマネギが性欲にも有益であることを示すヒントは見つかっている。

アボカド

アステカ人はアボカドの木を「アフアカトル」と呼んでいた。「睾丸の木」という意味だ。果実が男性の睾丸のように二つ並んで実るからだ。しかし、彼らがそう名付けたのには、見た目以外の意味もあったのかもしれない［注68］。

アボカドはホウ素を最も多く含む食べ物の一つとして知られている。そして、このホウ素は性ホルモンをつくるのに欠かせない物質なのだ。ホウ素が閉経後の女性のテストステロンとエストラジオールの両方を増やすことが実証されている。健康な男性では、ホウ素はテストステロンを体にとって利用しやすくする働きをもっているようだ。もしそうなら、特に高齢者にとってありがたい働きだと言える［注69］。

ただし、ホウ素補給の研究を見る限り、ホウ素がテストステロンに効果を発揮する用量は一日に一〇ミリグラムだと考えられる。一カップのアボカドには一・六七ミリグラムのホウ素しか含まれていないので、適量を得るには六カップのアボカドを食べなければいけない計算になり、いくら何でも多すぎる。一日に三ミリグラムのホウ素でテストステロン値が高まるという研究成果も発表されているが、それでも二カップのアボカドだ。いくら健康な脂質でも、一日に二カップは少し多すぎるだろう。それでもなお、少量のアボカドを食べることには意味がある［注70］。

アーユルヴェーダ式性欲増強法

手軽な食べ物に加えて、数多くの伝統的なハーブやサプリメントにも性欲を高める作用があると考えられている。文化はそれぞれ独自のシステムの上に成り立っているが、ここではアーユルヴェーダに注目したい。

アーユルヴェーダとはインド発祥の健康医学で、植物をさまざまな方法で利用する[注71]。最も歴史の古い健康法の一つなのだが、今でも実践している医師が多い。アーユルヴェーダはさまざまな方法で性的機能不全にアプローチする。性的な機能不全を改善する手段として、じつに八十二種類を超える数のハーブが専門誌で議論され、アーユルヴェーダ開業医の指導の下で実際に広く使われているのだ[注72]。

性欲の減退に悩んでいて、西洋医学や食事法が効かなかったときには、アーユルヴェーダを試してみてはどうだろうか。アーユルヴェーダに興味があり、詳しい情報や資格をもつ開業医の所在を知りたいのなら、アメリカのアーユルヴェーダ医療を束ねる全国アーユルヴェーダ医学協会のホームページを利用しよう[注73]。

ジャックの場合

私が性欲に頭を悩ます患者をどうやって助けているかを示す例として、ジャックを紹介しよう。ジャックは三十五歳。ゲイの男性で、結婚していたが性欲を失っていた。私は彼のために精力を取り戻せるような献立を考えることにした。

ジャックの場合、平日はストレスが多かったので、そもそもセックスする気になれなかった。ジャックも、ジャックの夫も、週末にもっと親密な時間を増やしたいと願っていたので、週末を中心に考えを練る。冗談めかして、まずは「セクシーな土曜日」のための献立を考えてみようと言ってみたら、彼はその提案がいたく気に入った。そこで私たちは土曜日の晩に気分が盛り上がるように、一日のメニューを計画した。

朝食は健康な全粒粉パンを使ったアボカドトーストに、コーヒーとグラス一杯の絞りたてで新鮮なザクロジュース。そもそも、新鮮なザクロを洗ったり絞ったりすること自体が楽しくて官能的な作業だ。

昼食は、さいの目に切った鶏《とり》の胸肉を添えたロメインレタスのサラダにした。鶏肉はカイエンヌペッパー主体の味付けをしたので、カプサイシンを摂取できる。サラダにはリンゴとクルミも加えた。

チリで辛味を足したスパイシーでおいしいサンフランシスコ風シーフードシチュー（370ページ）が、愛情たっぷりの夕食だ。カリフラワー・ライスを使ったリゾットもつくった。ディナーの食卓には選《え》りすぐりの赤ワインも上る。

ケーキとアイスクリームの代わりにデザートに選んだのはチョコレートでコーティングしたイチゴ（372ページ）。オキシトシンを増やすためにダークチョコレートを使った。イチゴは媚薬効果があるわけではないが、ここであえて冒険する必要はないだろう。

このジャックの例から、脳の健康にいいものを食事に取り入れるのは楽しくて、しかも体にもいいことが理解できるのではないだろうか。のちにジャックは私に、そのディナーのあと、夫も自分も親密な時間を過ごす気になったと報告してくれた。それから数週間、数カ月と時間がたつにつれ、優れた気分と優れた食べ物のおかげで、彼の性欲はかつてないほど活発になったそうだ。

性欲対策のカンニングペーパー

[どんどん食べよう]

・**オキシトシンを増やす食べ物**——ダークチョコレート、マグネシウム、必須アミノ酸(肉、穀物、牛乳、乳製品、あるいは量は減るが野菜と卵)。
・**コーヒー**——カフェインの摂取量は一日四〇〇ミリグラムまでに抑えること。
・**赤ワイン**——一日に一杯まで。
・**ナッツ類**——ピスタチオ、アーモンド、クルミ。
・**リンゴ**
・**ザクロジュース**
・**タマネギ**
・**アボカド**

・**ハーブとスパイス**――サフラン、フェヌグリーク。

[できるだけ避けよう]

・**ウェスタン食**――質の悪い脂肪（赤身肉、揚げ物）と高ＧＩ炭水化物（精白パン、白米、ジャガイモ、パスタ、そのほか製粉からつくられた食品すべて）。

・**大豆タンパク質**――性欲の低下に悩む男性は、豆腐や菜食料理用の大豆ミートなどに含まれる大豆タンパク質の摂取量を減らして様子を見てみよう。

・**アルコール**――男性は週に十四杯まで、一日では多くても四杯まで。女性の場合、週七杯、一日は最高三杯まで。

・**砂糖**――焼き菓子、キャンディ、ソフトドリンクなど、砂糖や高果糖液糖を添加した飲食料品。

・**リコリス**――甘草エキスを含むキャンディなどの製品は避けること。

・**ペルフルオロオクタン酸（ＰＦＯＡ）**――焦げ付いたりくっついたりしないことが売りの調理器具や食品パッケージにはＰＦＯＡが含まれていることが多いので注意。調理にはステンレスあるいは鋳鉄の調理器具を。電子レンジ用のポップコーンを食べるならＰＦＯＡの使われていないものを選ぶ。スナックの包装には漂白されていない紙袋がいい。

第一一章

脳にいい料理と食事

　最近では、私のところにやってくる患者のほとんどが食べ物にまつわるアドバイスを期待している。どこか別の場所で私の診療所と栄養精神医学について聞いたか、私の仕事を知る別の医師に推薦されたからだ。そのような患者たちと話しているうちに、私は多くの人が自分で料理をしたことがほとんどない事実に気づいた。それがいいとか悪いとか言いたいのではない。すでに説明したように、私自身、一人で暮らすようになるまでは料理をしたことなどほとんどなかったのだから。私が通った料理学校の先生も、私が味噌汁《みそしる》の下準備のしかたも知らなかったことに驚いたことだろう。

　実際、私にとっては、いわばまだよちよち歩きをはじめたばかりの患者たちに、食材やキッチンの使い方について手取り足取り教えながら、自炊というあまり波の高くない水につま先を入れるよう導くのは、とても楽しいことだ。おそらく、〝食べ物大好きインターネット世代〟に属するからだろう、最近の患者は食に関する知識が以前よりは少し豊富になったようだ。それでもやはり、何をどう調理して食べるべきかという基本的な情報を与えることが、いまだに多くの患者のためになっている。

本章では、食料品をどう買って、キッチンでは何をすればいいかなど、基本的な情報とともに、脳を健康に保つための食生活を始めるのに適したレシピも紹介する。

ブレインフードを買おう

食材の買い物については、昔から「おなかがすいているときには買い物をするな」とよく言われるが、この考えは正しい。空腹だとよく考えて買うことができず、栄養価の高い自然食ではなく、不健康なジャンクフードを手に取るリスクが高くなるからだ。

では、何を買えばいいのだろうか？　おそらくあなたは、これまで紹介した食べ物の何が自分に適しているか、すでにわかっていることだろう。これまでの推奨事項は、「BRAIN　FOODS」というキーワードでまとめることができる。

「B」ベリー類と豆類《Berries and beans》
「R」虹色の果物と野菜《Rainbow colors of fruits and vegetables》
「A」抗酸化物質《Antioxidants》
「I」脂肪分の少ないタンパク質源および植物性タンパク質源を買い物かごへ《Include lean proteins and plant-based proteins》

「N」ナッツ類《Nuts》（アーモンド、クルミ、ブラジルナッツ、カシューナッツ）
「F」繊維に富む食品《Fiber-rich foods》、魚《fish》、発酵食品《fermented foods》
「O」油《Oils》
「O」オメガ3類に富む食品《Omega-3-rich foods》
「D」乳製品《Dairy》（ヨーグルトとケフィア、あるいは特定のチーズ）
「S」スパイス《Spices》

ベリー類と豆類

・ブルーベリー、ブラックベリー、ラズベリー、イチゴなど。デザートにも最適。
・季節のベリーを食べる。新鮮な果実を買ったら、すぐに食べること。熟したベリーは冷蔵庫に入れても長持ちしない。熟した新鮮なベリーが手に入らない時期は冷凍されたものを買えばいいが、砂糖などの添加物が使われていないか、よく確認すること。
・豆類（レンズ豆やマメ科植物も含む）は脳に欠かせない必需品。
・栄養素、ビタミン、食物繊維の健康な源である豆類は調理が簡単で、主菜にも前菜にもなる。サラダに加えるのもいいし、デザートの材料にすることもできる。

虹色の果物と野菜

・できるだけ彩り豊かな野菜を食べること。赤キャベツ、ラディッキオ、あるいは緑や黄色のパプリカなど、口にさまざまな色を入れることで、脳に役立つ栄養を最大にすることができる。このことは、ビタミン、ポリフェノール、植物栄養素、フラボノイドなどといった微量栄養素に特に当てはまる。

・同じことは果物にも言える。ベリー類、リンゴ、柑橘《かんきつ》類など、どれもさまざまな色がある。ただし、甘みの強い果物、例えばブドウやサクランボなどの食べすぎには注意。

・さまざまな色を求めるのは正しいことだが、最も大切なのは緑色だ。多くの色を食べることに熱中しすぎて、濃い緑の葉野菜を食べるのを忘れないこと。私のお気に入りは、ルッコラ、ロメインレタス、ビッブレタス、エンダイブ、そしてチンゲンサイだ。それに、見つけたときにはマイクログリーンも買うことにしている。マイクログリーンは栄養が豊富で、料理に味のパンチを効かせてくれる。

抗酸化物質

・ダークチョコレートは抗酸化物質の優れた摂取源になる。また、ダークチョコレートには、砂糖はそれほど多く含まれていない。ココアやチョコレートもおいしい。私は料理人として味をよくするためにオランダ加工（アルカリ化）を施す訓練を受けたが、栄養精神医としては、天然もしくはアルカリ化されていないものが最も多く抗酸化物質を含んでいることを知っている。そのため、本章のレシピでもそのようなチョコレートを使うよう指定している。

・ビタミンの多くは重要な抗酸化物質で、ベリー類や野菜をはじめさまざまな食べ物から摂取することができる。多様なビタミンを摂取することが、さまざまなものを食べるいちばんの理由だと言える。ただし、主治医に複合ビタミンのサプリメントについて相談すること。サプリメントは不足しがちなビタミンを補う有効な手段だ。

脂肪分の少ないタンパク質源および植物性タンパク質源を買い物かごへ

・良質な鶏肉《とりにく》やシーフード、あるいは（ときどき食べる）牧草飼育牛の肉も、脳の働きに欠かせないタンパク質と必須《ひっす》アミノ酸を摂取するのに適している。
・植物由来のタンパク質源としては、有機大豆の豆腐とテンペをスパイスで味付けすればいい。

ナッツ類

・ナッツ類は脳が正しく働くのに欠かせない健康な油脂に加えて、ブラジルナッツのセレンのように、ビタミンやミネラルも含んでいる。
・スナックとして、あるいはサラダや副菜に添える形で、一日に四分の一カップ食べるよう心がけよう（ナッツは気づいたときには食べすぎてしまっていることが多いので注意！）。

繊維に富む食品、魚、発酵食品

・豆類、マメ科植物、レンズ豆、果物、そして野菜が食物繊維に富む。食物繊維はプレバイオティクスとして重要で、体重の維持や全身の炎症の抑制に役立つ。
・サーモンのような魚は健康なオメガ3脂肪酸の摂取源になる。
・ケフィア、味噌、キムチなど、発酵食品は天然の活性菌源なので、脳と腸にとても役立つ。

油

・飽和脂肪や、揚げ物に使われるオメガ6脂肪などの不健康な油はできるだけ避けながら、オリーブ、アボカド、あるいは魚などの健康な油を多く摂取するよう心がける。
・健康な脂肪分も分量には注意して、食べすぎに気をつけること。脂肪分はすべて高カロリーであることを忘れない。

オメガ3類に富む食品

・オメガ3類（特にドコサヘキサエン酸とエイコサペンタエン酸）の摂取源として最も重要なのはサーモン、サバ、マグロなど、脂質に富む魚類だ。
・植物にもオメガ3類（おもにアルファリノレン酸）が含まれている。チアシード、芽キャベツ、クルミ、アマ種子などだ。

乳製品（ヨーグルトとケフィア、あるいは特定のチーズ）

・ヨーグルトとケフィアは腸にとって有益な細菌やタンパク質の供給源になる。
・体と脳の健康にとってさらにいいのは、牧草飼育された牛の乳製品だ。
・注意欠陥多動性障害（ＡＤＨＤ）など、病気によっては乳製品が悪影響を及ぼして悪化することがある。

スパイス

・スパイスは食べ物の味をよくしてくれるだけでなくて脳にも有益なうえ、カロリーゼロなので食べても罪悪感を覚える必要がない。
・ターメリック、黒コショウ、サフラン、乾燥トウガラシ、オレガノ、ローズマリーが脳の武装に特に適している。

これらの食べ物を多く摂取すること以外にも、役立つ指標がある。最も大切なのは、少し漠然とするが、冒険する勇気をもつこと。私の患者にも、快適だからか手軽だからか、限られたものばかり食べる生活をしてきた人が多い。そんな人たちも、私が少し羽を伸ばす方法を教えたところ、自分がさまざまな栄養をないがしろにしていただけでなく、食べる喜びすら知らなかったことに気づくのだ。食料品店でまだ食べたことのない気になる野菜や果物を見つけたら、買うのをためらう必要はない。冷蔵庫の野菜室に入れっぱなしにしてカビを生やしたりしないように気をつけながら、料理本やインターネットでレシピを探して、一回だけでもいいから食べてみよう。本書で紹介した健康な食事法の原則を守る限り、失敗する恐れはない。うまくいけば、新しいお気に入りが見つかるかもしれないのだから！

一流シェフ顔負けのキッチン

脳と腸が最高の働きをするのに特定の栄養素を必要としているのと同じで、あなたが最高の料理をつくるのにも、特定の道具を備えたキッチンが必要だ。のちのレシピページの料理をつくるのにあったほうがいい道具をいくつか紹介しよう。

[包丁とナイフ]

自分が使いやすいと思う包丁と、小さなものを切るのに便利な小型のナイフを用意する。手になじむ包丁やナイフが見つかったら、鋭利に保つよう心がけよう。鋭い包丁のほうが失敗しにくく、指などを切ってしまう恐れが少なくなる。

【包丁研ぎ・シャープナー】

私はレストランの厨房《ちゅうぼう》などにあるような手にもって使う棒状スチールのシャープナーではなく、溝に刃を入れて包丁をスライドさせるタイプの簡易研ぎ器を使うことが多い。

【皮むき器《ピーラー》】

皮むき器があれば、野菜の皮をむくだけでなく、サラダ用に野菜をリボン状にスライスすることもできる。キュウリやズッキーニやニンジンをスライスすれば、サラダやおかずに彩りと栄養をプラスできる。

【まな板】

木製か合成樹脂製のまな板が必要だ。一枚ですべての調理に対応できる。最初に片面で野菜を切ってから、裏面で肉を処理すればいい。いつも清潔に保つこと。

【料理用温度計】

レシピのなかで、私は繰り返し調理食品、特に肉の温度を指定している。肉の焼け具合を目だけで確かめようとすると、火が通っていなくて危険だったり、焼きすぎてパサパサになってしまったりすることが多い。正確で計測も早い最新のデジタル温度計があれば、もう勘に頼らなくてもいい！

【レモンやライム用のゼスター（皮おろし器）】

ゼスターがあれば、レモンやライム、オレンジやミカンの皮の爽《さわ》やかな風味をサラダや副菜、あるいはベーキングものに手軽に加えられる。


【計量カップ】

乾燥した材料の計量に使う。献立を考えるときに分量を量るのにも役立つ。


【計量ピッチャーと計量スプーン】

液体用の計量ピッチャーと計量スプーンは、料理にもパンなどを焼くのにも便利。


【中ぐらいと大きめのステンレスボウルまたはガラスボウル】

さまざまな大きさのボウルをたくさん準備しておけば、柔軟に効率よく料理できる。


【小さなボウルのセット】

食材を下準備してきちんと並べるには、小さなボウルのセットが便利。この点についてはのちの「ミーザンプラス」で詳しく説明する。

［布巾とペーパータオル］

食器を拭《ふ》いたり、洗った野菜や果物を乾かしたりするのに、布巾《ふきん》とペーパータオルは欠かせない。細菌は湿気を好むので、キッチンを清潔に保つ秘訣《ひけつ》は作業する場所と道具を乾いた状態に保つことにある。

［メイソンジャー］

サラダドレッシングを混ぜたり、食品を保存したり、夕食や軽食用にサラダをつくったりするのに便利。

［オーブン用の天板・ベーキングパン・ガラスキャセロール］

簡単でおいしいので、私はオーブンでつくる料理が大好きだ。単純なアルミニウム製の天板（シートパン）は価格が安いうえに、キッチンで大活躍してくれる。表面に焦げ付き防止加工がされていなくてもいい。深い容器が必要な料理にはガラス製のキャセロール鍋《なべ》を使う。

［クッキングシート（オーブンシート）］

オーブンでものを焼くとき、天板にクッキングシートを敷けば焦げ付かないのに上手に焼き上がるので便利だ。焼いたあとも、クッキングシートを捨てるだけ。天板をこすり洗いする必要がない。

［ステンレスの鍋とフライパン］

大型のスープ鍋、中サイズのソースパン、直径が二五センチから三〇センチ程度のフライパンがあればいい。

［スキレット］

鋳鉄製のフライパンのことだ。ステンレス製のものよりも安価で、多くの場合、保温性や焼き加減にも優れていて、コンロでもオーブンでも使える。直径が二五センチから三〇センチぐらいのものが使いやすい。鋳鉄製なので、正しく洗って手入れすれば一生使える。インターネットを検索すれば、手入れ方法はすぐにわかる。

［ダッチオーブン］

ダッチオーブンは密封性の高い蓋《ふた》が特徴の鍋で、スープやシチューをつくるのに用いる。（フランスの人気ブランド「ル・クルーゼ」のダッチオーブンがそうであるように）ホーロー加工されていることが多い。

【フードプロセッサー】

フードプロセッサーはミキサー、細切り、かき混ぜなど、さまざまな仕事を代わりにやってくれる。容量一一カップのフードプロセッサーがどのキッチンにも手ごろなサイズだろう。小さなハーブをみじん切りにしたり、ニンニクやショウガなどを粉砕したりするのには、ミニフードプロセッサー（ミニフードチョッパーと呼ばれることもある）が適している。

【ミキサー】

ミキサーはフードプロセッサーの一種だと言えるが、固形物ではなく液体をかき混ぜるのがおもな用途となる。ピュレやスムージーをつくるのに最適だ。

【スティックミキサー（ブレンダー）】

手にもって使うスティックタイプのミキサー（ブレンダー）を用いれば、調理に使う鍋などの容器のなかで食材を混ぜることができる。昔ながらのミキサーのように専用の容器を使う必要がないので便利だ。スープをなめらかにしたり、レンズ豆の口当たりをよくしたりするのに適している。

【アイスキャンディメーカー】

健康な冷凍デザートをつくるなら、アイスキャンディメーカーがあると便利だ。私はステンレス製のものを使っている。食器洗い機にも対応しているものだ。

[サラダスピナー（水切り器）]

緑葉野菜をたくさん食べるなら（絶対にそうすべき！）、サラダスピナーをもっていて損はない。乾かす時間を気にせずに、野菜をしっかり洗えるのだから。数日分のレタスやホウレンソウ、あるいはケールなどを一回でまとめて準備して、密閉容器に入れておけばいい。

ミーザンプラス——下ごしらえ

「ミーザンプラス」とはフランス語の料理用語で、「すべてをあるべき場所に」という意味。キッチンが整理整頓《せいとん》できていれば、料理もはかどる。ミーザンプラスの基本は、料理を始める前にあらかじめ食材を準備して、計量して、使いやすい場所に置くこと。料理番組を見たことがあるなら、シェフがあらかじめ小さなボウルに小分けにされている食材を使って料理をしていることに気づいただろう。あなたも同じようにするといい。

食材やスパイスを入れた小さなボウルに加えて、大きなボウルも二個用意しておこう。一つは調理中に出る肉の切れ端を、もう一つは野菜くずを入れるためだ。肉の切れ端は、例えば冷凍してのちにスープのだしを取るのに使えばいいし、野菜くずはまとめて堆肥《たいひ》にすればいい。

料理は衛生的に!

あなたのキッチンが清潔さの検査試験を受けることはないだろうが、だからといって自宅のキッチンはレストランの厨房よりも食の安全に気を遣わなくていいというわけではない。次の簡単なガイドラインを守るよう心がけよう。

1 手を洗う。
2 エプロン(またはコックコート!)を着る。
3 髪をまとめて、指輪や宝石は外す。
4 マニキュアを塗っているのなら、かけらが食べ物の上に落ちないように気をつける。
5 味見用のスプーンを用意し、必要なら使うたびに洗う。
6 温度計を使ってタンパク質(肉)の温度を確認する。
7 調理スペースを清潔に保つ。
8 肉を切るときと野菜を切るときで、まな板を交換、またはひっくり返す。あるいは洗う。
9 凍らせた肉は調理台ではなく冷蔵庫で解凍すること。

10　鶏肉はいつも冷蔵庫のいちばん下の棚に置いて、肉から出るしずくがほかの食品や冷蔵庫の表面に絶対に垂れないようにする。

11　あなただけでなくほかの人——家族や友人——もキッチンにいるときには、広さを考えて、オーブンのドアを開けるときや熱い皿を運ぶときには注意する。包丁やナイフを手にもって動かなければならないときは、必ず下に向ける。今度テレビで料理コンテストが行われているとき、注目してみよう。同僚の後ろを通るシェフは必ず「後ろ通ります」などと叫んでいるはずだ。

食材を尊重する

以上は具体的なヒントだったが、料理には精神的な側面もある。食事は人間の根本的な欲求であり、あなたがつくる料理はあなただけでなくあなたの愛する人も健康にしてくれる。

・無駄をなくす。果物も野菜も肉も、安全に使える部分はすべて消費しよう。今つくっている料理にすべてを使えないのなら、のちのために冷蔵庫で保存しておく。スープをつくって冷凍し、別の料理に使うのもいい。

・白トリュフだろうが、鶏の胸肉だろうが、あるいはレタスの切れ端でも、食材のすべてに敬意を払おう。

・食材に出合い、それらを一つの料理に組み合わせる瞬間に感謝を。料理と食事ができることは、特権なのだから。

後片づけ

料理でいちばんわくわくする瞬間が後片づけではないことは確かだが、キッチンをきれいにしておくことは、衛生的にも、次回以降も料理をする気を保つという意味でも、とても大切なことだ。調理中の手順と手順の合間に片づけができれば、食後の負担も減る。食後の清掃は念入りに。朝目が覚めたときにキッチンが汚れていると、健康的な朝食をつくる気がなくなってしまいかねない。

献立

どんな材料を選んで、キッチンをどう準備すればいいか、わかったはずだ。次はいよいよ、脳の健康にとって完璧《かんぺき》な献立について考える時間だ。ここからは、本書で扱った病気のそれぞれに対して、一日三回の食事とそのあいだの軽食を含むメニューをサンプルとして紹介する。

どの料理も、一つの病気を念頭に置いて考案されたものだが、私たちが調べたさまざまな摂食パターンのあいだには共通する部分が多かったように、どれも脳の総合的な健康に有益だとみなせる。したがって、全体的に見て健康的な食べ方を続ける限りは、毎回ここで指定されている食べ方にこだわる必要はない。

サンプルメニューを読んで、そのうちのいくつかを試していくうちに自分で料理するのに慣れて、自分で考えた料理をつくるようになり、最後には店で買った出来合いの食べ物や加工食品を食べる機会が減る——そうなれば最高だ。それこそが、ほぼ確実に健康なライフスタイルを手に入れる方法なのだから。全国健康栄養調査（自炊に関する最も重要な調査）によると、自宅で調理したものを食べている人のほうが摂取するカロリーが少ない。

とはいえ、少し手を抜いてもかまわない場面もある。例えば、アーティチョークやカリフラワーのような手間のかかる野菜が必要なレシピの場合、砂糖やソースが加えられていない健康な冷凍野菜を使うのもありだろう。瞬間冷凍されたフルーツや野菜は新鮮なものに劣らないくらいヘルシーだ。ただし、冷凍フルーツを買うときには、シロップや砂糖が添加されていないか、必ず確かめること。もちろん、時間があって料理の腕前も確かなら、新鮮な野菜を使うほうが味もいいし、満足度も高い！

同じことがスープにも言える。自分でスープをつくるのはすばらしいことだが、必ずしもそうする必要はない。店で売っているスープの素《もと》を使うことに問題はないが、ナトリウムが少ない有機商品を選ぶこと。味が薄ければ、好みに合わせて自分で塩を足せばいい。

前置きはこれぐらいにして、いよいよレシピへ進もう！

レシピ

鬱病に効くメニュー

朝食　緑豆《りょくとう》豆腐スクランブル
スナック　エクストラダークチョコレートチップ、大さじ1
昼食　濃厚野菜スープ
スナック　スパイシーミックスナッツ
夕食　焼きサーモンのクルミ&ケールペスト味
デザート　新鮮オレンジと1杯の赤ワイン

緑豆豆腐スクランブル
（ベジタリアン・ビーガン・グルテンフリー・乳製品フリー）

緑豆のモヤシはビタミンB12と葉酸の優秀な供給源で、ニンニク、タマネギ、アスパラガスはプレバイオティクスに富む食べ物だ。ターメリックに含まれる万能のクルクミンが豆腐を鮮やかな黄色に変えてくれるので、まるで本物のスクランブルエッグのように見える。ビタミンCは柑橘類にお任せ。

4人分
下ごしらえ　10分＋調理時間　10分

有機豆腐、1丁（約400グラム）
キャノーラ油、大さじ1
タマネギ（中）、4分の1個　さいの目切り
ニンニク、1片の半分　みじん切り
アスパラガス、2本　洗って皮をむき、2〜3センチの長さに切る
ターメリック（粉）、小さじ1
粗塩、小さじ1・5
黒コショウ、小さじ4分の1
緑豆モヤシ、1袋（約340グラム）
レモン果汁、半個分

豆腐をざっくりと切ってから、フードプロセッサーに入れて大きめに崩す（豆腐が細かくなりすぎないよう、パルスモードを使うといい）。鋳鉄製のスキレットでキャノーラ油を熱して中火にする。タマネギ、ニンニク、アスパラガス、ターメリック、塩、コショウを加え、2〜3分炒《いた》める。豆腐とモヤシを加え、豆腐がスクランブルエッグのよ

うになるまで3〜5分炒める。皿に盛り付けてから、レモンの絞り汁をかける。

濃厚野菜スープ
（ベジタリアン・ビーガン・グルテンフリー・乳製品フリー）

グリーンピースのマグネシウム、ブロッコリーの鉄、サツマイモのビタミンAがとれるスープ。飽和脂肪が少なくて、食物繊維と抗酸化物質がたっぷりだ。

4人分
下ごしらえ　15分＋調理時間　30分

オリーブオイル、大さじ2
リーキ（西洋ネギ）、1本　スライス
ニンニク、1片　みじん切り
生または冷凍のグリーンピース、1カップ
生または冷凍のブロッコリー、2カップ
サツマイモ、1個　皮はむかず、約1センチのさいの目切り
粗塩、大さじ1以上（好みに応じて）

黒コショウ、小さじ1以上（好みに応じて）
乾燥タイム、小さじ2分の1
乾燥パセリ、小さじ2分の1
野菜スープストックまたは浄水、4〜6カップ
パセリ（生）　みじん切り（お好みで）

鋳鉄製のダッチオーブンで油を熱して中火にする。リーキとニンニクを入れ、リーキに透明感が出て柔らかくなるまで3〜5分炒める。

グリーンピース、ブロッコリー、サツマイモ、塩、コショウ、タイム、乾燥パセリを加えて3〜5分炒める。ときどきかき交ぜる。野菜に熱が通ってきたら、スープストックを加える。密閉しないように蓋を置いてから、中火で約20分間コトコト煮る。

塩とコショウで味を調えて、好みでパセリで彩りを添える。

スパイシーミックスナッツ
（ベジタリアン・ビーガン・グルテンフリー・乳製品フリー）

スパイシーミックスナッツには、カボチャの種の鉄分とブラジルナッツのセレンが含まれ、そこにカイエンヌペッパーとターメリックが加わる。

8人分
下ごしらえ　10分＋調理時間　10分

ターメリック（粉）、小さじ1
黒コショウ、小さじ4分の1
ニンニク（粉）、小さじ4分の1
カイエンヌペッパー、小さじ4分の1
粗塩、小さじ2
オリーブオイル、大さじ1
カボチャの種（ロースト）、1・5カップ
ブラジルナッツ、1カップ

オーブンを150度に予熱し、天板にクッキングシートを敷く。

中サイズのステンレスボウルで、ターメリック、黒コショウ、ニンニクパウダー、カイエンヌペッパー、塩、オリーブオイルを混ぜる。カボチャの種とナッツをそこに加える。天板にボウルの中身を重ならないように広げて、およそ10分間焼く。冷ましてから食べる。ガラスの密閉容器に入れておけば、常温で2週間まで保存が可能。

焼きサーモンのクルミ&ケールペスト味（グルテンフリー）

オメガ3類を摂取するのに最高の料理。ケールの葉酸もとれるし、クルミが気分を上げてくれる。

1人分（ペスト8人分）
下ごしらえ　5分＋調理時間　15分

［サーモン］
サーモンの切り身、1切れ（150グラム前後）骨と皮を取り除いたもの
オリーブオイル、大さじ2
粗塩、小さじ2分の1
黒コショウ、小さじ4分の1

［ペスト］
オリーブオイル、4分の1カップ

パルメザンチーズ（粉）、4分の1カップ
ニンニク、1片　皮をむいて電子レンジで30秒温める
ベビーケール、2カップ　洗って刻んでおく
クルミ、4分の1カップ
レモン果汁、小さじ1
塩、小さじ2分の1

［サーモンの調理］

オーブンを180度に熱し、天板にクッキングシートを敷く。サーモンに油を塗ってから、塩とコショウで味付けする。ベーキングパンにサーモンをのせて8～12分、またはサーモンに火が通るまで焼く。温度計で測ってみて、サーモンのなかの温度が63度になっていれば焼き上がり。

［ペストの調理］

ペストの材料をブレンダーやフードプロセッサーを使って中速で混ぜる。なめらかさが足りないときは冷水を加える。味見してみて、塩分が足りないときは塩を加える。
焼きあがったサーモンに大さじ1～2杯のペストを添える。

［シェフからのアドバイス］
・ペストはメイソンジャーに入れて冷蔵すれば1週間まで保存できる。
・ペストは全粒粉パスタのサラダや十割そばのサラダと和《あ》えてもおいしい。
・ペストはサーモンだけでなく、鶏胸肉のオーブン焼きにも。

不安を和らげるメニュー

朝食　アボカドフムス
スナック　緑茶
昼食　キノコとホウレンソウのフリッタータ
スナック　キムチとセロリスティック
夕食　七面鳥のガンボと玄米
デザート　スイカとブルーベリーのアイスキャンディ

アボカドフムス（ベジタリアン・ビーガン・グルテンフリー・乳製品フリー）

ヒヨコ豆はトリプトファンに富み、アボカドとオリーブオイルはオメガ3類などの健康な脂質の源になる（アボカドは食物繊維とさまざまなビタミンも豊富）。黒パンのような低GIパンに塗ることも、新鮮なカット野菜につけることもできる。

6人分

下ごしらえ　10分

アボカド（完熟・大）、半分　皮と種を取り除く
ゆでたまたは缶詰のヒヨコ豆、2カップ
芝麻醤《チーマージャン》、3分の1カップ
新鮮なライム果汁、4分の1カップ
ニンニク、1片
粗塩、小さじ1以上（好みに応じて）
黒コショウ、小さじ4分の1
クミン（粉）、小さじ2分の1
スモークパプリカ粉、小さじ4分の1

コリアンダー（生）、2分の1カップ
オリーブオイル、大さじ3とのちに振りかける分
ローストアーモンドのスライス、大さじ1
イタリアンパセリ（生）のみじん切り、4分の1カップ

フードプロセッサーを使って、オリーブオイル、アーモンド、パセリ以外の材料をすべて1分ほど混ぜ合わせる。

中速でかき混ぜながらオリーブオイルを注ぎ入れ、およそ1分後にフムスが軽くクリーミーになったら止める。味を見て、必要なら塩を足す。

フムスを浅いボウルに移す。

ローストしたアーモンドとパセリのみじん切りを加えて、オリーブオイルをかける。

すぐに食べないのなら、アボカドが茶色く変色しないよう、ラップで包むこと。冷蔵庫で1日まで保存できる。

キノコとホウレンソウのフリッタータ
（グルテンフリー、乳製品フリー）

このフリッタータはとても簡単にできて、キノコのビタミンDとホウレンソウのマグネシウムを含んでいる。一度つくれば次の2日分の昼食になるし、冷凍で1カ月はもつ。

6人分
下ごしらえ　10分＋調理時間　18分

卵、5個
アーモンドミルク、1カップ
粗塩、小さじ2分の1
黒コショウ、小さじ4分の1
乾燥パセリ、小さじ1・5
オリーブオイル、大さじ1
ホウレンソウ（生または解凍したもの）、1カップ
キノコ、1カップ　カットする

オーブンを150度に予熱する。直径20センチ強のキャセロールにクッキングシートを敷く。

中サイズのボウルに卵を割り入れ、アーモンドミルク、塩、コショウ、パセリを加えてかき混ぜる。

中サイズの鉄のフライパンで油を熱して中火にする。

冷凍ホウレンソウを使う場合は、目の粗い綿布（またはペーパータオル）で包んで、余分な水分を絞り出しておく。

ホウレンソウとキノコをおよそ3分、キノコが軽く茶色になるまで油で炒める。その後しばらく置いて冷ます。

キノコとホウレンソウが冷めたらキャセロールに移す。そこに溶き卵をかけてアルミホイルで覆い、卵に火が通るまでおよそ15～18分間オーブンで焼く。オーブンによって火加減が違うので、卵に火が通っているかよく確かめること。できあがったフリッタータを6等分して盛り付ける。

七面鳥のガンボと玄米
（グルテンフリー、乳製品フリー）

トリプトファン源の代表として七面鳥が挙げられる。マッシュポテトのような高ＧＩ炭水化物ではなく、低ＧＩの玄米を添えるので、カロリーをとりすぎることなく脳に多くのトリプトファンを届けることができる。

4人分
下ごしらえ　20分＋調理時間　25分

キャノーラ油、大さじ1
リーキ、4分の1カップ　スライス
セロリ、4分の3カップ　さいの目切り
ニンジン、1本　すりおろす
ニンニク、2片　すりおろす
七面鳥挽肉《ひきにく》、約450グラム
粗塩、小さじ1・5
オクラ、2分の1カップ　ガクを取って2〜3センチ幅に切る
減塩鶏ガラスープまたは水、3カップ
ホットソース（チリソース）、小さじ1
玄米（炊いたもの）、2カップ

鋳鉄製のダッチオーブンで油を熱して中強火にする。リーキ、セロリ、ニンジン、ニンニクを入れて柔らかくなるまで6分ほど炒める。

七面鳥肉と塩を加える。肉をほぐしながら明るいキツネ色になるまで5分ほどさらに炒める。オクラを加え、鶏ガラスープを注ぎ入れる。沸騰したら火を弱めて、蓋をせずに10分間煮つづける。ホットソースで味を調えて、玄米にかけて供する。

スイカとブルーベリーのアイスキャンディ
（ベジタリアン・グルテンフリー・乳製品フリー）

自分で簡単につくれるこのアイスキャンディは、冷たくてほんのり甘いので、デザートに最適。スイカは抗酸化物質とビタミンAとB6とCが豊富だ。アーモンドミルクを使えばクリーミーに、ココナッツミルクにすれば風味が豊かになる。

6本から8本分
下ごしらえ　10分

スイカ、2カップ　種を取って細かく刻む
アーモンドミルクまたはココナッツミルク（お好みで）、1カップ
新鮮なライム果汁、小さじ2分の1
ライムの皮、大さじ1
ハチミツ、小さじ4分の1
生または冷凍のブルーベリー、2分の1カップ

ミキサーでスイカとミルクをかき混ぜてピュレ状にする。ライムの果汁と皮、ハチミツを加えて混ぜる。ステンレス製のアイスキャンディ型に3分の2の高さにまで注ぎ入れる。ブルーベリーをそれぞれの型に2個か3個落とす。

型を密閉して一晩、最低でも3時間凍らせる。

トラウマを癒やすメニュー

朝食　チアプディングとナッツとベリーのトッピング
スナック　オイルサーディンスナック
昼食　スパイシーチキン、レモン風味の蒸しブロッコリー添え
スナック　セロリスティックとアーモンドバター
夕食　フィレミニョンのペッパーステーキとベビーホウレンソウのチミチュリソース
デザート　レモン風味のブルーベリーデザートとヘーゼルナッツのトッピング

チアプディングとナッツとベリーのトッピング
（ベジタリアン・グルテンフリー・乳製品フリー）

チアプディングは一日のスタートに最適。前の日に準備して冷蔵庫で一晩寝かしておけばいいので、朝早く起きて調理する必要もない。

2人分
下ごしらえ　10分

低脂肪有機ココナッツミルク（缶）、2分の1カップ
ハチミツ、小さじ2分の1
バニラエッセンス、小さじ2分の1
シナモン（粉）、小さじ4分の1
チアシード、大さじ2
トッピング用にラズベリー、ブルーベリー、クルミなどのフルーツやナッツ

ココナッツミルクをメイソンジャーに注ぎ、ハチミツ、バニラエッセンス、シナモンを加えて混ぜる。チアシードを振りかける。

メイソンジャーの蓋をしっかりと閉めてからよく振り、チアシードとミルクを混ぜる。

冷蔵庫で一晩寝かせる。

ナッツやベリーをトッピングして供する。

オイルサーディンスナック（グルテンフリー、乳製品フリー）

オイルサーディンは栄養価が高く、特にオメガ3類に富んでいる。買うときは必ずオリーブオイルに漬かっているものを。1回の間食としては缶の半分以上は食べないこと（残りの半分はメイソンジャーに入れておいて翌日に食べるといい）。

2人分
下ごしらえ　10分

オイルサーディンのオリーブオイル缶、1缶（約100グラム）
トマト、半分　さいの目切り
粗塩、小さじ4分の1
黒コショウ、小さじ2分の1
レモン果汁、半個分
ロメインレタスの葉（大）、1枚　半分に切るオイルサーディンの油を少し切ってから小さなボウルに移し、トマト、塩、コショウ、レモン果汁を和える。皿代わりのロメインレタスに盛り付ける。

スパイシーチキン
（グルテンフリー、乳製品フリー）

鶏の胸肉に、味がよくて、そのうえ脳にもいいスパイスを合わせる。余ったら、ヘルシーなグリーンサラダにトッピングしてもいい。

2人分
下ごしらえ　5分＋調理時間　40分

カイエンヌペッパー、小さじ1
ターメリック（粉）、小さじ1
黒コショウ、小さじ4分の1
コリアンダー（粉）、小さじ2分の1
クミン（粉）、小さじ2分の1
粗塩、小さじ1

ニンニク（粉）、小さじ2分の1
オリーブオイル、4分の1カップ
鶏胸肉（骨・皮なし）、2枚（約170グラム）

小さなボウルでスパイスを交ぜ合わせる。オリーブオイルとスパイスを大きなボウルに入れる。数分寝かせてスパイスをオイルによくなじませる。このマリネ液に胸肉を少なくとも30分漬け込む。冷蔵庫で一晩寝かしてもいい。

調理するときは、オーブンを200度に予熱し、ラックをオーブンの真ん中にセットする。天板にクッキングシートを敷く。

胸肉を天板にのせ、およそ30分、肉の最も厚い部分の内部温度が75度ぐらいになるまで焼く。

焼き上がったら、10分ほど休ませる。

レモン風味の蒸しブロッコリー
（ベジタリアン・ビーガン・グルテンフリー・乳製品フリー）

簡単であっという間にできるのに、とてもおいしい野菜の添え物。ブロッコリーは生でも冷凍でもいい。同じ方法をサヤインゲン、カリフラワー、スナップエンドウ、ニンジン、アスパラガス、グリーンピースにも応用できる。

2人分

下ごしらえ　2分＋調理時間　5～8分

生または冷凍のブロッコリー、2カップ

レモン、1個

粗塩、小さじ半分～1

ブロッコリーを耐熱ガラスの容器に入れ、大さじ数杯の水を加える。蓋をせずに電子レンジで最大4分加熱する。ブロッコリーに冷たい部分や凍っている部分がなければ大丈夫。余分な水分を落とす。

ブロッコリーの上でレモンの皮をすりおろして、仕上げにレモンを搾る。塩で味を調える。

フィレミニョンのペッパーステーキとベビーホウレンソウのチミチュリソース（グルテンフリー、乳製品フリー）

牛肉はあまり食べないほうがいいが、ヒレ肉は少しの量で最大の満足感を得られる。最初に表面を焼き固めてからオーブンで加熱するので、外はこんがり、中はしっとりに。何か特別なお祝いがある日には、このステーキとシンプルなグリーンサラダがお勧め。

1人分（ソース6人分）
下ごしらえ　20分＋調理時間　40分

［ステーキ］
フィレミニョン、1片（約170グラム、約5センチ厚）
粗塩と黒コショウ、各小さじ1
キャノーラ油、大さじ1

［チミチュリソース］
イタリアンパセリ（生）のみじん切り、1カップ
ベビーホウレンソウ、ぎゅっと詰め込んだ1カップ分
オレガノ（生）、2分の1カップ

ニンニク、２片
ライムの皮、１個分
新鮮なライム果汁と白ワイン酢、各大さじ１
オリーブオイル、２分の１カップ
粗塩、小さじ４分の３以上（好みに応じて）
黒コショウ、小さじ４分の１以上（好みに応じて）

［ステーキの調理］
肉を包んだまま30分放置して室温に戻す。塩とコショウを両面と側面にも振りかける。オーブンを２２０度に温める。
中サイズのスキレットで油を中火で熱する。熱くなったスキレットにステーキを置き、両面をそれぞれ２分焼く。
肉をスキレットごとオーブンに入れる。ミディアムレアはおよそ7分、内側の温度が60度弱になるまで。ミディアムが好みなら、温度が63度になるまで10分ほど焼く。

［チミチュリソースの調理］
パセリ、ホウレンソウ、オレガノ、ニンニク、ライムの皮、ライム果汁、白ワイン酢を、ドロッとするまで低速から中速でミキサーにかける。オリーブオイルを加えて、中

速でかき混ぜる。必要なら、塩とコショウで味を調える。
ステーキに火が通ったら、オーブンから出して10～15分休ませる。ソースを大さじ2杯かけて供する。

［シェフからのアドバイス］
・ガラスの密閉容器に入れて冷蔵庫で保存すれば、チミチュリソースは1週間はもつ。
・チミチュリソースはグリルしたチキンやポークにも合う。
・野菜のオーブン焼きに和えてもよし。

集中力を高めるメニュー

朝食　チョコレートプロテイン・スムージー
スナック　エクストラダークチョコレートを少し
昼食　アーティチョークとリーキのクリームスープ
スナック　4分の1カップのブルーベリーと大さじ1杯のカシューナッツバター
夕食　ドラムスティック（鶏もも肉）のオーブンローストとマッシュルームサラダ

チョコレートプロテイン・スムージー（ベジタリアン・グルテンフリー）

第五章で、ＡＤＨＤの症状を改善するために特別につくった朝食バーにまつわる研究を紹介した。そのレシピを応用したおいしいスムージー。同じ効能が期待できる。

1人分
下ごしらえ　10分

アーモンドミルク（無加糖）、1カップ
クルミ、大さじ1
ホエイプロテイン（バニラ味）、1すくい
アマ種子（粉）、大さじ1
有機インスタントコーヒー（粉）、小さじ1
ナチュラルココアパウダー（非アルカリ化）、小さじ1
ココナッツフレーク、大さじ1
ハチミツ、小さじ2分の1
アボカド（完熟）、4分の1個

材料と4分の1カップ分の氷をミキサーで混ぜ合わせる。濃すぎる場合は水か氷を足して飲みやすくしてどうぞ！

アーティチョークとリーキのクリームスープ（ベジタリアン・ビーガン・グルテンフリー・乳製品フリー）

グルテンも乳製品も含まれていないうえに、リーキの食物繊維やプレバイオティクスが豊富なのでとても健康的なスープ。アーモンドミルクを加えるのでクリーミーになるが、本当の重いクリームを使うよりもはるかに健康的だ。

4人分
下ごしらえ　10分＋調理時間　20分

オリーブオイル、大さじ1
リーキ、2分の1カップ　スライス
粗塩、小さじ1・5以上（好みに応じて）
黒コショウ、小さじ2分の1以上（好みに応じて）

スイートパプリカ（粉）、大さじ1
ニンニク（粉）、小さじ1
タイム（生）、小さじ2分の1
パセリ（生）のみじん切り、小さじ2分の1
冷凍アーティチョークハート、1・5カップ
減塩野菜スープストック、2カップ
アーモンドミルクまたはカシューミルク、2カップ
レモン果汁、半個分
イタリアンパセリ（生）のみじん切り、大さじ1
ローストしたカボチャの種、大さじ1

大きめのステンレス鍋に油を引き、リーキ、塩、コショウ、パプリカ、ニンニク、タイム、パセリを中火で5分ほど、リーキが柔らかくなるまで炒める。アーティチョークハートを加えて、さらに3分ほど炒めて熱を通す。

スープストックを注ぎ入れ、中火で加熱する。

沸騰したらアーモンドミルクを加えて、弱火にする。蓋をせずに、アーティチョークが柔らかくなるまで10分間ほどコトコト煮込む。

火を止めて、スープを数分冷ます。スティックタイプのブレンダーを使って、スープ

をクリーミーになるまで撹拌《かくはん》する（材料の形が残っているのが好みなら省略可）。
味見して、必要なら塩とコショウで味を調える。温かいうちにレモン果汁を加え、イタリアンパセリとローストしたカボチャの種をトッピングして盛り付ける。

ドラムスティック（鶏もも肉）のオーブンロースト
（グルテンフリー、乳製品フリー）

オーブンを使った時短料理。肉の量を増やしてスパイスを多めに使えば、分量も簡単に増やせる。

1人分
下ごしらえ　10分＋調理時間　40分

オリーブオイル、大さじ1
スイートパプリカ、大さじ1
ターメリック（粉）、小さじ2分の1
黒コショウ、小さじ4分の1
粗塩、小さじ2分の1

皮なしドラムスティック（骨付き鶏もも肉）、２本

オーブンを２００度に予熱し、天板にクッキングシートを敷く。

中サイズのボウルのなかで、オリーブオイル、パプリカ、ターメリック、コショウ、塩を混ぜ合わせる。清潔な手で鶏肉にマリネ液を揉《も》み込む。

鶏肉を天板に移し、オーブンで30分または肉の内側が75度になるまでローストする。切ってみて、ピンク色の部分がなければ焼き上がり。ピンク色の部分が残っている場合は、もう一度オーブンに入れて少なくとも10分間加熱して温度を測ること。焼き上がった肉は天板にのせたまま10分間休ませてから盛り付ける。

マッシュルームサラダ
（ベジタリアン・グルテンフリー・乳製品フリー）

マッシュルームは味が薄く感じられることが多いので、物足りないときは最後の仕上げにひとつまみの塩を振りかけよう。

４人分
下ごしらえ　15分＋調理時間　５分

ゴマ、大さじ1（なくても可）
米酢、大さじ1と小さじ1・5
アーモンドバター、小さじ1・5
ショウガ（粉）、小さじ4分の1
赤トウガラシ、ひとつまみ
ニンニク（粉）、小さじ4分の1
ハチミツ、小さじ4分の1
グルテンフリー醤油《しょうゆ》、小さじ4分の3
ごま油、小さじ4分の3
白マッシュルーム、2カップ　食べやすい大きさに切る

中サイズのフライパンを弱火で熱して、キツネ色になるまでゴマを煎《い》る。煎ったごまをガラスのボウルに移して冷ます。

同じフライパンを使って、酢、アーモンドバター、ショウガ、赤トウガラシ、ニンニクパウダー、ハチミツ、醤油を中火で混ぜ合わせる。温まったらごま油を足して混ぜる。温かいドレッシングと切ったマッシュルームを中サイズのボウルに入れて和える。煎りゴマを振りかけ、冷めてから盛り付ける。

記憶力を高めるメニュー

朝食　コーヒー1杯と1カップのシナモン風味オートミール（グルテンフリー）と2分の1カップの新鮮なイチゴ（小さく切る）
スナック　塩と黒コショウで味付けした固ゆで卵（1個）のスライスをのせた5枚の全粒粉クラッカー（中サイズ）
昼食　カリフラワーとヒヨコ豆の炒め物、マイクログリーン添え
スナック　蒸した枝豆、フレークソルト味
夕食　南仏風ホタテ貝とターメリック風味のカリフラワー・ライス
デザート　シナモン&黒コショウ風味のホットチョコレート

カリフラワーとヒヨコ豆の炒め物
（ベジタリアン・ビーガン・グルテンフリー・乳製品フリー）

ＭＩＮＤ食の考えにもとづいた手軽な炒め物。

8人分
下ごしらえ　10分＋調理時間　10分

オリーブオイル、大さじ2
カイエンヌペッパー、小さじ1
コリアンダー（粉）、小さじ1
ターメリック（粉）、小さじ1
黒コショウ、小さじ4分の1
冷凍カリフラワー、4カップ
水煮ヒヨコ豆、2カップ
粗塩、小さじ1・5以上（好みに応じて）
新鮮なレモン果汁、大さじ1
コリアンダー（生）のみじん切り、大さじ1（なくても可）
マイクログリーン（豆苗《とうみよう》、カイワレ大根など）、2分の1カップ

中サイズの鉄のフライパンで油を熱して中火にする。熱した油に、カイエンヌペッパー、コリアンダー、ターメリック、黒コショウを加えて風味を出す。カリフラワーとヒヨコ豆を加えてスパイスを絡める。1分ほど炒めてから蓋をして3分間加熱する。野菜

がフライパンにくっつきそうなら、水を4分の1カップ注ぎ入れる。必要なら塩で味を調える。レモン果汁を加え、好みに応じてコリアンダーのみじん切りを添える。マイクログリーンをトッピングして、温かいうちに供する。

［シェフからのアドバイス］

・冷めてもサラダとしておいしく食べることができる。
・缶詰の有機ヒヨコ豆を洗ってから水を切って使えばいい。

南仏風ホタテ貝
（グルテンフリー、乳製品フリー）

ホタテ貝は、調理が簡単なのにとてもおいしい食材だ。友人を招待すれば、皆、あなたの料理の腕前に驚くことだろう。この料理はグルテンが含まれていないうえ、ローズマリーとオメガ3類がもつ記憶への効果を期待できる。

6人分
下ごしらえ　10分＋調理時間　15分

ホタテ貝（水平に半分に切ったもの）、約４５０グラム
粗塩、小さじ１・５以上（好みに応じて）
黒コショウ、小さじ１以上（好みに応じて）
グルテンフリーの有機小麦粉、大さじ２
オリーブオイル、大さじ２
エシャロット（中）、２本　小さめのさいの目切り
ニンニク、１片　みじん切り
ローズマリー（生）、小さじ１・５（または乾燥ローズマリー、小さじ４分の３）
イタリアンパセリ（生）のみじん切り、大さじ２
白ワイン、３分の１カップ
レモン、１個

ホタテに塩とコショウで味をつけて小麦粉をまぶし、余分な粉を落とす。大きなステンレスのフライパンでオリーブオイルを熱して強火にする。フライパンに重ならないようにホタテを並べる。中火にして、ホタテの片面が軽く焼き色がつくまで待つ。ホタテを裏返して反対側も同じように焼く。４分ほどで両面が焼き上がるはず。焼けたホタテをフライパンから中サイズのボウルに移す。

エシャロット、ニンニク、ローズマリー、大さじ１杯のパセリをフライパンに入れて、

数分炒める。ホタテをフライパンに戻してワインを加え、1分ほど熱する。ホタテにレモンの皮で風味をつけ、大さじもう1杯のパセリを振りかける。好みで塩とコショウで味を調えて、温かいうちにレモン果汁を搾って盛り付ける。

ターメリック風味のカリフラワー・ライス
（ベジタリアン・ビーガン・グルテンフリー・乳製品フリー）

カリフラワーはライスのような食感が得られるのに、血糖負荷が低く食物繊維や栄養に富む優れものだ。

4人分
下ごしらえ　10分＋調理時間　5〜8分

オリーブオイル、大さじ1
冷凍カリフラワー・ライス、2カップ（カリフラワーを〝ライス〟にする方法は「シェフからのアドバイス」を参照）
粗塩、大さじ1
ターメリック（粉）、小さじ1

黒コショウ、小さじ2分の1
ニンニク（粉）、小さじ1
レモンの皮、1個分

中サイズの鉄のフライパンで油を熱して中火にする。レモンの皮以外のすべての材料をフライパンに入れ、カリフラワーに少し焼き色がつくまで5～8分炒める。レモンの皮を振りかけて盛り付ける。

[シェフからのアドバイス]
新鮮なカリフラワーを使う場合、まずカリフラワーの葉を取り除いて、洗ってよく乾かす。小さく切り分けた房をフードプロセッサーに入れて、スチールブレードで米の大きさになるまで砕く。大きな塊が残った場合は、取り分けて別のレシピに使うといい。

シナモン&黒コショウ風味のホットチョコレート
(ベジタリアン・ビーガン・乳製品フリー)

甘さが控えめでも、とてもおいしい濃厚なチョコレート。ダークチョコレート（ダッチ製法で作られたのではないものを選ぶこと）の奥深い味わいに、黒コショウがアクセントをなす。シナモンと黒コショウには記憶力を高める作用がある。

2人分
下ごしらえ　5分＋調理時間　10分

ダークチョコレートチップ（カカオ65パーセント以上）、4分の1カップ
ココナッツミルク、アーモンドミルク、オーツミルク、カシューミルクのどれか、2カップ
バニラエッセンス、小さじ1
シナモン（粉）、小さじ2分の1
黒コショウ、ひとつまみ

チョコレートチップを中サイズの耐熱ボウルに入れる。フライパンで、ミルク、バニラエッセンス、シナモン、コショウを中火で加熱する。ミルクが泡立ちはじめたら、コンロからおろしてチョコレートチップにかける。
チョコレートが溶けるのを2分ほど待ってから、ミルクとチョコレートをゆっくりとかき混ぜる。濃すぎるときは温めたミルクを少し足す。

強迫性障害に打ち克《か》つメニュー

朝食　手作りシリアル
スナック　カッテージチーズとブルーベリー
昼食　ホウレンソウ入りレンズ豆スープ（ダールカレー）
スナック　キウイ（小か中）１個
夕食　パプリカ風味の七面鳥胸肉、赤タマネギとチェリートマト添え
デザート　バナナ味の〝アイスクリーム〟

手作りシリアル
（ベジタリアン・ビーガン・グルテンフリー・乳製品フリー）

店で売っている自称〝ヘルシー〟なシリアルにも、糖分が多く含まれていることがある。全粒穀物などの脳に優しい材料を使って、自分でおいしいシリアルをつくろう。

２人分
下ごしらえ　10分

オートミール、２分の１カップ
ブラン（小麦ふすま）フレーク、４分の１カップ
無糖ココナッツフレーク、４分の１カップ
クラッシュクルミ、大さじ１
アマ種子、小さじ２分の１
シナモン、ひとつまみ
ナツメグ（粉）、ひとつまみ

材料をすべて中サイズのボウルに入れて交ぜる。メイソンジャーに密封すれば2週間は保存できる。

食べ方はさまざま。アーモンドミルクを使ってもいいし、好みでほかの種類のミルクをかけてもいい。有機ダークチョコレートチップを大さじ1杯交ぜると味が引き締まる。新鮮なベリーなど、いろいろなトッピングも試してみよう！　甘さがほしいときは、ハチミツを少しだけ。

ホウレンソウ入りレンズ豆スープ（ダールカレー）
（ベジタリアン・ビーガン・グルテンフリー・乳製品フリー）

ダールカレーは私のお気に入りの簡単料理だ。ターメリックも足してみた。ヒング（アサフェティダ）はインド料理では消化促進作用で知られていて、レンズ豆やほかの豆類を食べたあとのガスの発生を抑えるとされている。ヒング自体は強烈なにおいを発するのだが、スパイスとして使うと料理がとても香ばしくなる。

8人分
下ごしらえ　30分（と寝かせるための一晩）＋調理時間　20分

黄色レンズ豆、2カップ
キャノーラ油、大さじ2
黒マスタードシード、小さじ1（なくても可）
クミンシード、小さじ1
ニンニク、2片　皮をむいて縦に半分に切る
乾燥赤トウガラシ、1本（なくても可）
タマネギ（中）とトマト（中）、各1個　みじん切り
ターメリック（粉）、小さじ1

黒コショウ、小さじ4分の1
ホウレンソウの葉、2カップ
粗塩、大さじ1
レモン半分
ヒング（粉）、小さじ1（なくても可）
コリアンダー（生）のみじん切り（盛り付け用）

レンズ豆を洗ってガラスのボウルに入れて水に浸し、冷蔵庫で一晩水を吸わせる。水面がレンズ豆よりも1センチ以上高くなるように気をつけること。翌日、レンズ豆を洗って大きめの鍋に移し、水を4カップ加える。30分ほど煮て、レンズ豆を柔らかくする。全体がペースト状になればいい。鍋の代わりに圧力鍋を使うこともできる。使い方は圧力鍋メーカーの指示に従うこと。

油を中サイズのステンレス鍋で熱して中火にする。黒マスタードシードを油に入れ、はじけはじめたら、クミンシード、ニンニク、赤トウガラシ、みじん切りにしたタマネギを投入する。3〜5分、タマネギが半透明になるまで炒める。トマト、ターメリック、黒コショウを加えてよく交ぜる。ホウレンソウを加え、さらに1分ほど加熱する。

そこにペースト状のレンズ豆を加えて弱火にし、20分間ほど煮詰める。水分が飛んでレンズ豆が鍋に焦げ付きそうなら、水を2カップ加える。

塩で味を調えて、新鮮なレモン果汁を加えたらできあがり。好みでヒングを振りかける。熱いうちに、刻んだコリアンダーで色をつけて盛り付ける。

パプリカ風味の七面鳥胸肉、赤タマネギとチェリートマト添え
(グルテンフリー、乳製品フリー)

七面鳥の胸肉には強迫性障害に効くビタミンB群が多く含まれている。菜食なら、硬めの豆腐1丁をスライスあるいはさいの目にして、肉の代わりにすることもできる。鶏の胸肉を使ってもいい。

4人分
下ごしらえ　10分＋調理時間　20分

オリーブオイル、大さじ2
パプリカ、大さじ2
ターメリック（粉）、小さじ1
粗塩、小さじ1・5
黒コショウ、小さじ4分の1

七面鳥胸肉（骨・皮なし）、4枚（約120グラム）
チェリートマト、2カップ　串《くし》に刺す
赤タマネギ、2分の1個　厚めにスライスする

オーブンを200度に予熱し、天板にクッキングシートを敷く。

中サイズのボウルのなかで、オリーブオイル、パプリカ、ターメリック、塩、コショウを混ぜ合わせる。胸肉とトマトとタマネギをボウルに入れてよく交ぜ、スパイスを胸肉にまんべんなくなじませる。

胸肉とトマトとタマネギを天板に移してオーブンで15分ほど、肉の内側の温度が75度になるまで焼く。少し焦げ目があるのが好みなら、さらに3分ほど、あるいはこんがりと色がつくまでそのままにしておく。その場合、トマトとタマネギが焦げないように、あらかじめ取り出しておくといい。


バナナ味の〝アイスクリーム〟

（ベジタリアン・グルテンフリー・乳製品フリー）

乳製品や砂糖を摂取しすぎることなしに、ほんのり甘くて冷たいおやつを。

6人分
下ごしらえ　12時間

完熟バナナ、8本　皮をむいてさいの目切り
ハチミツ、大さじ1
アーモンドミルク、カシューミルク、オーツミルク、またはココナッツミルク（無糖）、2分の1カップ　好みの硬さにするために

アルミトレイに切ったバナナを広げて、一晩かけて冷凍する。

凍ったバナナとハチミツをミキサーまたはフードプロセッサーにかけてから、延ばすためにゆっくりとミルクを注ぎ入れる。柔らかめのアイスクリームにするには、だいたい2分の1カップほどのミルクが必要になる。注意深く観察すること。適した濃度になったらボウルに移して、少なくとも3時間、あるいは一晩かけて冷凍庫で凍らせる。

食べるときに、砕いたナッツ、ダークチョコレートチップ、ピーナツバターなどを加えてもいい。仕上げに新鮮なベリーをトッピングする。

［シェフからのアドバイス］
凍らせる前に天然の（アルカリ化されていない）カカオパウダーを大さじ2杯混ぜ合

わせれば、チョコレートアイスができる。ダマにならないように、よく混ぜること。カカオをふるいにかけるとダマになりにくい。

理想的な睡眠を得て、疲労を減らすためのメニュー

朝食　簡単マグカップエッグ
スナック　カッテージチーズとバナナとアーモンドバター
昼食　スパイシーシュリンプとミックスグリーンサラダ
スナック　オクラのピクルス
夕食　七面鳥胸肉のオーブン焼きとサツマイモの味噌焼き
デザート　ゴールデンミルク

簡単マグカップエッグ
（グルテンフリー、乳製品フリー）

疲労に悩んでいるときは、一日の始まりに栄養とエネルギーをしっかりと補給することが大切だ。昔ながらのスクランブルエッグにアレンジを加えたこの料理は、食卓につ

かなくてもオメガ3類に富む料理を楽しむのに最適な方法だろう。卵にホウレンソウやケールを交ぜることで、手軽にビタミン価を高めることができる。

1人分
下ごしらえ　2分＋調理時間　3～5分

有機オリーブオイルスプレー
オメガ3強化卵（大）、2個
植物性ミルク、大さじ1杯
粗塩、小さじ4分の1
黒コショウ、ひとつまみ
ホウレンソウかケール、4分の1カップ　みじん切り

マグカップにオリーブオイルをスプレーで吹きかける。卵をマグカップに割り入れ、ミルク、塩、コショウを加えて、フォークでかき混ぜる。電子レンジで30秒から1分加熱する。固まりはじめた卵をフォークで崩す。再び電子レンジに入れて、スクランブルエッグのような質感になるまでさらに1分ほど熱する。フォークで卵をふんわりさせる。ホウレンソウやケールを卵に交ぜてしんなりさせる。

スパイシーシュリンプ
（グルテンフリー、乳製品フリー）

このエビ料理を食べて、魚介類とカプサイシンを補給しよう。辛いのが好みならカイエンヌペッパーを少し多めに。

1人分
下ごしらえ　20分＋調理時間　5分

エビ（中）、8尾　尾をつけたまま殻をむいて背わたを取る
クミン（粉）、小さじ2分の1
カイエンヌペッパー、小さじ2分の1
ターメリック（粉）、小さじ2分の1
黒コショウ、小さじ4分の1
ニンニク（粉）、小さじ4分の1
粗塩、小さじ1
オリーブオイル、大さじ2

中サイズのボウルにエビとクミン、カイエンヌペッパー、ターメリック、黒コショウ、ニンニク、塩を入れる。
鋳鉄製のスキレットで油を熱して中火にする。火が通り表面に赤みが差すまでエビを3分ほど炒める。

オクラのピクルス
（ベジタリアン・ビーガン・グルテンフリー・乳製品フリー）

ほかの野菜と同じで、オクラのピクルスはできあがるまで時間がかかるが、一度つくってガラスのメイソンジャーに密封しておけば、冷蔵庫で最低1カ月は保存できる。ニゲラシードやカプサイシンなどのスパイスを食事に加えるのに適している。

8人分
下ごしらえ　15分＋調理時間　10分

新鮮なオクラ、2カップ
レモン果汁、半個分

砂糖、小さじ4分の3
ホワイトビネガー、2カップ
浄水、2カップ
粗塩、大さじ2
ニゲラシード、大さじ2
コリアンダーシード、大さじ1
トウガラシ、大さじ1
セロリシード、小さじ1
黒コショウ、小さじ1
ニンニク（大）、3片　皮をむきスライス
レモンのスライス（厚め）、4枚

特大サイズのメイソンジャーにオクラを入れる。

中サイズのステンレス鍋でレモン果汁、砂糖、酢、水、塩を中火で加熱する。温まったら残りのスパイスとニンニク、レモンを加える。弱火で3分間煮る。火から下ろし、少し冷ましてからオクラのメイソンジャーに注ぎ入れる。しっかり蓋をして冷蔵庫で最低3時間、できれば一晩寝かせる。

七面鳥胸肉のオーブン焼き（グルテンフリー、乳製品フリー）

鶏の胸肉や、菜食ならスライスまたはさいの目に切った豆腐を七面鳥の代わりに使ってもいい。七面鳥はビタミンB12をはじめとしたビタミンB群に富む。

4人分
下ごしらえ　10分＋調理時間　20分

オリーブオイル、大さじ2
ニンニク（粉）、小さじ1
乾燥オレガノ、小さじ1・5
タイムの葉（生）のみじん切り、小さじ1
粗塩、小さじ1・5
黒コショウ、小さじ4分の1
七面鳥胸肉（骨・皮なし）、4枚（約120グラム）
レモンの皮、大さじ1

オーブンを２００度に予熱し、天板にクッキングシートを敷く。
中サイズのボウルのなかで、オリーブオイル、ニンニク、オレガノ、タイム、塩、コショウを混ぜ合わせる。胸肉をボウルに入れて、スパイスを胸肉全体になじませる。
胸肉を天板に移してオーブンで15分間ほど、肉の内側の温度が75度になるまで焼く。少し焦げ目があるのが好みなら、さらに3分ほど、あるいはこんがりと色がつくまでそのままにしておく。おろしたレモンの皮を振りかけて盛り付ける。

サツマイモの味噌焼き
（ベジタリアン・ビーガン・グルテンフリー・乳製品フリー）

みんなに知ってほしい、私のお気に入り料理だ。発酵食品の味噌はすばらしいプロバイオティクスであり、サツマイモの豊かな風味にさらに深みを与える。味噌のうまみを一度体験したら、あなたもきっとほかの野菜料理にも使ってみたいと思うだろう。

8人分
下ごしらえ　20分＋調理時間　25分

白味噌、2分の1カップ

オリーブオイル、4分の1カップ
粗塩、大さじ4分の1
黒コショウ、小さじ4分の1
サツマイモ（中）、4個　皮はむかずに輪切り

オーブンを220度に予熱し、天板にクッキングシートを敷く。
味噌、オリーブオイル、塩、コショウを大きなボウルのなかで混ぜる。サツマイモをボウルに入れ、味噌を和えてから、重ならないように天板に並べる。オーブンで20分から25分、サツマイモが柔らかくなるまで（力を入れなくてもナイフで切れるようになるまで）焼く。

ゴールデンミルク
（ベジタリアン・グルテンフリー・乳製品フリー）
食後に飲みたいターメリックドリンク。体が温まって心が静まり、ぐっすり眠れる。

1人分
下ごしらえ　5分＋調理時間　5分

アーモンドミルク、1カップ
ターメリック（粉）、小さじ1
黒コショウ、小さじ4分の1
ハチミツ、小さじ2分の1
ナツメグ（粉）、小さじ4分の1

中サイズのフライパンで、ナツメグを除くすべての材料を中火で約5分間温める。マグカップに注いで、ナツメグを振りかけたらできあがり。

双極性障害と統合失調症を克服するメニュー

朝食　ピーナツバター&抹茶のスムージー
スナック　蒸した枝豆、フレークソルト味
昼食　ローズマリー風味鶏胸肉のオーブン焼き、マスタードドレッシングのロメインレタスサラダ、緑茶
スナック　イチゴの黒コショウ漬け

夕食　サーモンパティとショウガ&ネギのソース
デザート　ダークチョコレートフレークをかけたミカンとオレンジ

ピーナツバター&抹茶のスムージー
（乳製品フリー）

粉末の抹茶はスムージーをはじめ、さまざまな料理や飲み物に利用できる。

1人分
下ごしらえ　10分

アーモンドミルクまたはほかの植物性ミルク、2分の1カップ
有機プロテインパウダー、ひとすくい
種なしデーツ（ナツメヤシの実）、1個
抹茶、小さじ1
ピーナツバター、大さじ1
バナナ、2分の1本

2分の1カップの氷と材料をすべてミキサーに入れ、なめらかに泡立つまで攪拌する。すぐに飲む。

蒸した枝豆、フレークソルト味
（ベジタリアン・ビーガン・グルテンフリー・乳製品フリー）

枝豆は、莢《さや》付きのほうが食べるのに時間がかかって満足感も高まるのでお勧め。枝豆はサラダやスープに添えてもいいし、蒸した枝豆だけでも副菜になる。

2人分
下ごしらえ　5分＋調理時間　2分

冷凍枝豆、1カップ
フレークソルト、小さじ4分の1

枝豆をガラスのボウルに入れる。電子レンジを中程度の出力にセットして2分間加熱する。試食してまだ凍っている部分や硬い部分があればさらに1分温める。塩を振って、熱いうちにどうぞ。

ローズマリー風味鶏胸肉のオーブン焼き
（グルテンフリー、乳製品フリー）

レシピでは胸肉を使っているが、皮に調味料をすりつけて、一羽丸ごと調理することもできる。いちばん厚い部分の肉の内側が75度になるまで焼くこと。

４人分
下ごしらえ　10分＋調理時間　20分（一羽丸ごとの場合は長くなる）

オリーブオイル、大さじ2
ニンニク（粉）、小さじ1
新鮮なローズマリーの葉のみじん切り、大さじ2
粗塩、小さじ１・５
黒コショウ、小さじ4分の1
鶏胸肉（骨・皮なし）、４枚（約１２０グラム）

オーブンを２００度に予熱し、天板にクッキングシートを敷く。

中サイズのボウルのなかで、オリーブオイル、ニンニク、ローズマリー、塩、コショウを混ぜ合わせる。胸肉をボウルに入れて、スパイスを胸肉にまんべんなくなじませる。胸肉を天板に移してオーブンに入れ、肉の内部の温度が75度になるまで、およそ15分焼く。肉を切ってみて、まだピンク色の部分があれば、オーブンに戻してさらに5分ほど焼いてから、もう一度色を確認する。

マスタードドレッシングのロメインレタスサラダ
（ベジタリアン・ビーガン・グルテンフリー・乳製品フリー）

ロメインレタスは栄養豊富でおいしくて、シャキシャキした食感が楽しめる。ドレッシングは買わずに自分でつくるほうがいい。市販のドレッシングの多くは糖分と塩分が大量で、保存料も含まれている。私の定番は、酢と油をなめらかに混ぜたビネグレット。酢が1、油が3と覚えておこう。

4人分
下ごしらえ　10分

［サラダ］

ロメインレタス、1個

［ドレッシング］

赤ワイン酢、大さじ2

粗塩、小さじ2分の1

黒コショウ、小さじ4分の1

全粒マスタードまたはディジョンマスタード、小さじ1

オリーブオイル、大さじ6

［サラダの調理］

レタスの芯《しん》の部分を落として、葉を分ける。冷水で洗い、サラダスピナーに入れて水を切る。サラダスピナーがない場合は、ペーパータオルで余分な水分を取る。乾いたら、食べやすい大きさに切る。

［ドレッシングの調理］

すべての材料をメイソンジャーに入れる。蓋をして、中身がなめらかになるまでよく振る。

レタスをボウルに入れて、ドレッシングをかける。よく和える。

［シェフからのアドバイス］

・1回でレタス1個を丸ごと下ごしらえすれば、2日か3日分のサラダに使える。ただし、ドレッシングは食べる直前にかけること。余分なレタスは密閉容器に入れて冷蔵すれば、4日はもつ。

・ドレッシングは混ぜるのに使ったメイソンジャーにそのまま保存しておく。冷蔵庫で2週間はもつので、多めにつくっておいてもいい。サラダにかける前に、もう一度よく振ること。

・いろいろな種類の酢を使っても、エシャロットやニンニク、あるいはさまざまなハーブを交ぜてもいい。

イチゴの黒コショウ漬け

（ベジタリアン・グルテンフリー・乳製品フリー）

私は料理学校で、イチゴとコショウという風変わりな組み合わせに出合った。黒コショウとイチゴは抗酸化物質とビタミンCと葉酸が豊富なので、完璧なスナックになる。

2人分

下ごしらえ　10分

レモン果汁、半個分
ハチミツ、小さじ2分の1
イチゴ（生）のスライス、1カップ
黒コショウ、ひとつまみ

小さなボウルで、レモン果汁とハチミツを混ぜる。イチゴを加えて和え、黒コショウを振りかける。10分ほど漬けてから供する。

サーモンパティとショウガ&ネギのソース（グルテンフリー、乳製品フリー）

パティにすることで、オメガ3類に富むサーモンをおいしく食べることができる。ショウガとネギのソースは風味がすばらしいだけでなく、栄養も満点だ。サーモンパティは炭水化物を加えずにタンパク質をたくさんとることができる手軽な方法だ。

2人分

下ごしらえ　10分＋調理時間　10分

［ソース］
オリーブオイル、小さじ1
ネギの小口切り、2分の1カップ
ショウガ（生）、小さじ2　すりおろす
ニンニク、1片　すりおろす
グルテンフリー醤油、大さじ1

［パティ］
オリーブオイル、大さじ2
サーモンパティ（生）、2枚
粗塩、小さじ1
黒コショウ、小さじ2分の1
ロメインレタスの葉（大）、2枚

［ソースの調理］
オリーブオイルを小さなフライパンで熱して中火にする。ネギを入れて、1分ほど炒

める。ショウガとニンニクと醬油を加えて、5〜10分煮詰める。ソースが濃すぎるときは、水を4分の1カップ足す。

[サーモンパティの調理]

フライパンでオリーブオイルを温める。パティに塩とコショウで味をつける。パティの両面を3〜5分焼いて、中にまで火を通す。内側の温度は63度。サーモンパティを1つずつレタスの葉にのせ、ソースをかけて供する。

性欲を高めるメニュー

朝食　全粒粉トーストにスライスサーモン、赤タマネギ、ケイパー、レモン果汁
スナック　新鮮なザクロジュース
昼食　ケイジャンチキンのオーブン焼き
スナック　アボカドのスライスと4分の1カップの無塩ピスタチオ
夕食　サンフランシスコ風シーフードシチュー
デザート　チョコイチゴ

ケイジャンチキンのオーブン焼き（グルテンフリー、乳製品フリー）

ケイジャンはカプサイシンとニンニクが含まれていて、性欲を高めるのに手軽で効果的なスパイス。五感を楽しませてくれる。

２人分
下ごしらえ　10分＋調理時間　25分

オリーブオイル、大さじ2
無塩のケイジャンスパイス、大さじ2
鶏胸肉（骨・皮なし）、２枚（１２０〜１７０グラム）
粗塩、大さじ1
粗挽《あらび》き黒コショウ、小さじ2分の1

オーブンを２２０度に予熱し、天板にクッキングシートを敷く。
小さなボウルの中で、オリーブオイルとケイジャンスパイスを合わせてマリネ液にする。チキンに塩とコショウで味をつけ、刷毛《はけ》でケイジャンマリネ液を塗る。

胸肉を天板にのせ、表面がこんがりするまで20～25分、または内側の温度が75度になるまで焼く。

サンフランシスコ風シーフードシチュー
（グルテンフリー、乳製品フリー）

脳に優しくて健康なサーモンと貝をシチューにしてみよう。

8人分
下ごしらえ　15分＋調理時間　20分

サフランスレッド、小さじ4分の1
オリーブオイル、大さじ2
フェンネル（中）、1個　薄切り
タマネギ（中）、1個　みじん切り
イタリアンハーブミックス、小さじ2分の1
粗塩、大さじ2
ニンニク、2片　すりおろす

カイエンヌペッパー（粉）または赤トウガラシ、小さじ4分の3
トマトペースト、大さじ2
刻みトマト、1・5カップ
白ワイン（辛口）、1カップ
減塩シーフードスープストック、4カップ
ムール貝、8個　汚れをよく落として、足糸を取り除く
サーモン（骨・皮なし）、2切れ（約120グラム）　約5センチ角に切る
レモン、1個

サフランスレッドを4分の1カップの熱湯に入れて5分ほど置いて色を出す。大きな鉄製の鍋で油を熱して中火にする。フェンネル、タマネギ、イタリアンハーブミックス、塩を鍋に入れて、タマネギが半透明になるまで10分ほど炒める。ニンニクとカイエンヌペッパーを加えて3分加熱する。トマトペーストを入れてゆっくりとかき混ぜ、続けて刻みトマト、ワイン、シーフードのスープストックを加える。貝を入れて蓋をし、3分煮る。切ったサーモンを加え、再び蓋をして弱火に。サーモンと貝に火が通るまで、さらに3分ほど煮る。サーモンに生の部分がなくなり、貝が開いたら大丈夫。開かない貝は、食べるのは危険なのですべて取り除くこと。

サフラン液を鍋に注いで、風味が広がるまで最低10分煮込む。コンロによって実際の

調理時間には差があるので、魚と貝に火が通っていることをよく確認すること。
新鮮なレモン果汁を搾り入れて、盛り付ける。

[シェフからのアドバイス]
・サーモンと貝の下処理に自信がないなら、鮮魚店でやってもらおう。
・イタリアンハーブミックスは無塩のスパイスで、スーパーで買うことができる。
・サフランは高価なスパイスなので、使う量は控えめに。

チョコイチゴ
(ベジタリアン・ビーガン)

アルカリ化されていないダークチョコレートチップを使うことで、抗酸化作用をより高めることができる。

15人分
下ごしらえ　5分＋調理時間　20分

エクストラダークチョコレートチップ、1カップ

ココナッツオイル、大さじ2
ヘタ付きのイチゴ（生）、1パック（500ミリリットルパック）

アルミトレイにクッキングシートを敷き、30分ほど冷凍庫で冷やしておく。二重鍋を使ってココナッツオイルでチョコレートチップを溶かし（「シェフからのアドバイス」を参照）、火から下ろす。
すぐにイチゴを溶けたチョコレートに浸して、冷えたアルミトレイの上に置いて乾かす。冷蔵庫で5～10分冷やして、チョコレートを固める。

［シェフからのアドバイス］
チョコレートは次のように二重鍋法で溶かす。
まず、ステンレス製の鍋に3分の1の高さまで水を入れる。チョコレートを耐熱ガラスのボウルに入れて、水を張った鍋の中に入れる。ボウルの底が鍋の水に触れないようにする。中火で鍋を熱する。チョコレートが溶けはじめたら、鍋つかみを使ってコンロから下ろし、完全に溶けるまでゆっくりとかき混ぜる。
電子レンジを使うこともできる。溶けるまでの時間は電子レンジによって違うので、中程度の出力で30秒加熱して溶けているかを確認し、溶けていなければまた30秒熱する。チョコレートが溶けはじめるまで、これを繰り返す。

巻末A
炭水化物の血糖負荷

低血糖負荷（10以下）

小麦ふすま
オレンジ
エンドウや黒豆などの豆類、レンズ豆
ニンジン、カシューナッツ、ピーナツ
リンゴ
トルティーヤ、小麦
スキムミルク

中血糖負荷（11-19）

パールタイプの大麦（炊いたもの１カップ）、または
ブルグア（炊いたもの¾カップ）
米（炊いた玄米¾カップ）、または
モチ（３個） オートミール（調理したもの１カップ） 全粒粉のパスタ（1¼カップ）またはパン（スライス１枚）

高血糖負荷（20以上）

フライドポテトとベイクドポテト
ソフトドリンクや砂糖で甘くした飲料
キャンディやキャンディバー
精製穀物を使った朝食用シリアル
クスクス
白いバスマティライスとパスタ（精白小麦粉）

巻末B
ビタミンやミネラルの代表的な摂取源

ビタミン	精神障害	摂取源
ビタミンA	気分 不安	固ゆで卵 キャビア 魚： 　クロマグロ 　サバ 　サーモン 　マス チーズ： 　カマンベール 　チェダー 　フェタ 　ブルーチーズ 　ヤギ乳チーズ 　ロックフォールチーズ レバー： 　牛 　タラ肝油 　ラム
ビタミンB1 (チアミン)	気分 不安 集中 睡眠	アスパラガス 大麦 オートミール オレンジ カリフラワー 牛肉 黒豆

ビタミンB1 (チアミン)		ケール サーモン ナッツ類 卵 どんぐりカボチャ ヒマワリの種 豚肉 マグロ レンズ豆
ビタミンB6 (ピリドキシン)	気分 不安 記憶 睡眠	家禽《かきん》：鶏《とり》と七面鳥 牛乳 全粒粉シリアル： オートミールと小麦胚芽《はいが》 魚 卵 ピーナツ 豚肉
ビタミンB9 (葉酸塩)	気分 記憶 睡眠 双極性障害 鬱病《うつびょう》 統合失調症	アスパラガス カリフラワー 柑橘《かんきつ》類 全粒穀物 ビート 豆類 緑葉野菜 レタス
ビタミンB12 (コバラミン)	気分 強迫性障害 睡眠 統合失調症	イワシ 牛肉 牛乳、ヨーグルト、スイスチーズ 強化シリアル

ビタミンB12 （コバラミン）		サーモン ニュートリショナルイースト ハマグリ マス マグロ もつ肉
ビタミンC	気分 不安 集中 記憶 睡眠 統合失調症	イチゴ 黄色パプリカ オレンジ カキ（果物） キウイ グアバ クロフサスグリ ケール タイム トウガラシ パパイヤ パセリ ブロッコリー 芽キャベツ ライチ レモン
ビタミンD	不安 睡眠	イワシ エビ カキ（貝） キノコ サーモン タラ肝油 ニシン ライトツナ缶 卵黄

ビタミンE （アルファ トコフェロール）	不安 記憶 睡眠 統合失調症 （中度）	アボカド アーモンド バターナッツカボチャ ビートの葉 ピーナツ ヒマワリの種 フダンソウ ホウレンソウ マス
ビタミンK	記憶	アボカド キウイ 牛レバー ソフトチーズ 鶏 納豆 生のフダンソウ 生のホウレンソウ ハードチーズ ポークチョップ プルーン ブロッコリー 芽キャベツ ゆでたカラシナ ゆでたグリーンピース ゆでたケール ゆでたコラードの葉 ゆでたサヤインゲン
鉄	気分 ADHD	赤身肉 貝 カボチャの種

鉄		ダークチョコレート ブロッコリー マメ科植物
マグネシウム	気分 不安 ADHD 疲労 双極性障害	アボカド サーモンやサバなどの魚 全粒穀物 ナッツ類 マメ科植物
カリウム	気分 不安 ADHD	エンドウ豆 オレンジ キノコ キュウリ サツマイモ バナナ
セレン	気分 不安	ブラジルナッツ
亜鉛	気分 ADHD 疲労 双極性障害	魚介 全粒穀物 鶏肉 ナッツ類 豆類

巻末C
抗酸化物質とORAC

スパイスのなかには、抗酸化作用が強くて精神疾患に有効であるものが多い。それらを次の表にまとめた。

ORACとは「酸素ラジカル吸収能」の略で、食品やサプリメントの抗酸化作用の強さを測る指標として用いられる。ORACは個別の食品成分に該当するが、実際には異なる成分同士の相乗効果でORAC値が決定されると想定できる。そのため、表の値は実際の値よりも低いと考えられる。

今後はレシピ選びの際にORACについても考えることを習慣にしよう。

スパイス	分量	ORAC
乾燥オレガノ	小さじ1	3,602
カレー粉	小さじ1	970
クミンシード	小さじ1	1,613
黒コショウ	小さじ1	580
タイム	小さじ1	407
チリ粉	小さじ1	615
ターメリック粉	小さじ1	3,504
パプリカ	小さじ1	376

謝辞

アフリカのズールー語に「村が必要になる」という言い回しがある。本書を書くことを検討したとき、私の頭にこの言葉が浮かんだ。

執筆の際、忠実なラップトップを前に一人で過ごすことも多かったが、家族や仲間、あるいは信頼できるアドバイザーに私のメッセージや考えの改善に付き合ってもらう時間のほうがずっと長かった。

私を信頼して診察と治療を任せてくれたうえに、病院での仕事もサポートしてくれた患者の皆さんにお礼を申し上げたい。私が二〇一七年に実施し、レシピのいくつかをテストする場として活用した料理プログラム「ＭＧＨホームベースプログラム」の参加者にも心から感謝している。

私の腫瘍《しゅよう》学および外科チーム、ドクター・エリック・ワイナー、私の支えであるあなたの強さと思いやりにありがとう。ドクター・タリ・キングとエイドリアン・グロッパー・ワクス、看護師のジェニファー・ローウェルとアンジェラ・キガティ、認証医療助手のキャスリン・アンダーソン、ナース・プラクティショナーのジェニファー・マッケンナ、そして私をサポートしてくれたダナ・ファーバー癌研究所のスタッフにも感謝している。

友人のデニス、イリーナ、キャシー。あなたたちがいなければ、私はここまで来られなかっただろう。

エージェントとして活躍してくれたセレステ・ファインとジョン・マース、チームのメンバー（アンナ・ペトコヴィッチ、エミリー・スウィート、ジェイドリー・ブラディックス、アマンダ・オロズコ）、およびパーク・ファイン・リタラリー・アンド・メディア社のスタッフの皆さん。セレステとジョンは本書をほかに類を見ないものにしてくれた。編集者としてビジョンと見事な指導力で私を導いてくれたトレイシー・ベハー。ジェシカ・チャン、ジュリアナ・ホルバチェヴスキー、イアン・ストロースをはじめとしたリトル・ブラウン・スパーク／ハシェット社の皆さん。彼らの専門知識が私を出版まで導いてくれた。トレイシー、私を信じてくれて、本当にありがとう。

私が執筆した学術論文を、読んでわくわくする本の形に変えるのを手伝ってくれたウィリアム・ボッジスの誠意と能力にも大いに感謝している。旅のお供をしてくれてありがとう！

料理の分野では、シェフのデヴィッド・ブーリー、今は亡きロバータ・ダウリング、私にキッチンで人より秀でることを悪く思わなくていいのだ、「大暴れ」してもいいのだと教えてくれたCIA（ハイドパーク）のシェフ・D、私をよりよい私にレベルアップさせてくれたジャン・アイザックが私の指導者であり、仲間でもあった。

学問、医学、そして栄養学の分野では次に挙げる人物が優しく、そして我慢強く私を指導し、この道を進む勇気を与えてくれた。あなた方はとてつもなく深い知識を私に分け与えながら、言葉と行動をもって、私をここまで導いてくれた。マウリツィオ・ファヴァ、ウォルター・ウィレット、デヴィッド・アイゼンバーグ、ジョン・マシューズ、ドナルド・ゴフ、アイザック・シフ、フィリップ・マスキン、ジェリー・ローゼンバウム、カール・ザルツマン、キャロル・ナデルソン、ジョナサン・ボラス、デヴィッド・ミシュロン、ジョナサン・アルパート、デヴィッド・ルービン、ジョン・ハーマン、ありがとう。

最後に、三羽がらすの二人、私をいつも笑顔にしてくれるスリニとラジフがいなければ本書は完成しなかっただろう……あなた方があなた方として私の人生の一部になってくれたことに感謝している。これまでずっと私を応援してくれたきょうだいのドクター・ヴァヒニ・ナイドゥ、マヘシュワル・ナイドゥ、ヴィシャール・ナイドゥ、加えてカミール、ローラ、ナミサ、ナグ、サシェン、サユリにも礼を言いたい。健康的な食べ物も、おいしく楽しむことができると、私に最も強く印象づけてくれたのはオイシンだ。

ライとロシュネー・カウル、シャム・アクラ、故ラズ・ピレイ（私に料理を教えてくれたかけがえのない義母）、ヴィマラおばさんとシュンナおじさん、マノ、ベイブス、ジャヤ、シャン——あなた方の尽きない愛に、賢いアドバイスに、励ましに、いつも感謝している。

of life in young women. Archives of *Gynecology and Obstetrics*. 2014;290(1):93-98. doi:10.1007/s00404-014-3168-x.

62 Türk G, Sönmez M, Aydin M, et al. Effects of pomegranate juice consumption on sperm quality, spermatogenic cell density, antioxidant activity and testosterone level in male rats. *Clinical Nutrition*. 2008;27(2):289-96. doi:10.1016/j.clnu.2007.12.006.

63 Al-Olayan EM, El-Khadragy MF, Metwally DM, Abdel Moneim AE. Protective effects of pomegranate (*Punica granatum*) juice on testes against carbon tetrachloride intoxication in rats. *BMC Complementary and Alternative Medicine*. 2014;14(1). doi:10.1186/1472-6882-14-164; Smail NF, Al-Dujaili E. Pomegranate juice intake enhances salivary testosterone levels and improves mood and well-being in healthy men and women. *Endocrine Abstracts*. 2012;28:P313.

64 Sathyanarayana Rao T, Asha M, Hithamani G, Rashmi R, Basavaraj K, Jagannath Rao K. History, mystery and chemistry of eroticism: emphasis on sexual health and dysfunction. *Indian Journal of Psychiatry*. 2009;51(2):141. doi:10.4103/0019-5545.49457.

65 Bègue L, Bricout V, Boudesseul J, Shankland R, Duke AA. Some like it hot: testosterone predicts laboratory eating behavior of spicy food. *Physiology and Behavior*. 2015 Feb;139:375-77. doi:10.1016/j.physbeh.2014.11.061.

66 Banihani SA. Testosterone in males as enhanced by onion (*Allium Cepa* L.). *Biomolecules*. 2019;9(2):75. doi:10.3390/biom9020075.

67 Nakayama Y, Tanaka K, Hiramoto S, et al. Alleviation of the aging males' symptoms by the intake of onion-extracts containing concentrated cysteine sulfoxides for 4 weeks — randomized, double-blind, placebo-controlled, parallel-group comparative study. *Japanese Pharmacology and Therapeutics*. 2017;45(4):595-608.

68 Sathyanarayana Rao T, Asha M, Hithamani G, Rashmi R, Basavaraj K, Jagannath Rao K. History, mystery and chemistry of eroticism: emphasis on sexual health and dysfunction. *Indian Journal of Psychiatry*. 2009;51(2):141. doi:10.4103/0019-5545.49457.

69 Pizzorno L. Nothing boring about boron. *Integrative Medicine* (Encinitas). 2015;14(4):35-48.

70 How Much Boron Is Present in Avocado? Organic Facts website. https://www.organicfacts.net/forum/how-much-boron-is-present-in-avocado. Accessed February 5, 2020.

71 Patwardhan B. Bridging Ayurveda with evidence-based scientific approaches in medicine. *EPMA Journal*. 2014;5(1). doi:10.1186/1878-5085-5-19.

72 Chauhan NS, Sharma V, Dixit VK, Thakur M. A review on plants used for improvement of sexual performance and virility. *BioMed Research International*. 2014;2014:1-19. doi:10.1155/2014/868062.

73 What Is Ayurveda? The Science of Life. National Ayurvedic Medical Association website. https://www.ayurvedanama.org/. Accessed February 5, 2020.

50 Lopez DS, Wang R, Tsilidis KK, et al. Role of caffeine intake on erectile dysfunction in US men: results from NHANES 2001-2004. Walter M, ed. *PLoS One*. 2015;10(4):e0123547. doi:10.1371/journal.pone.0123547.

51 Saadat S, Ahmadi K, Panahi Y. The effect of on-demand caffeine consumption on treating patients with premature ejaculation: a double-blind randomized clinical trial. *Current Pharmaceutical Biotechnology*. 2015;16(3):281-87. doi:10.2174/1389201016666150118133045.

52 Mondaini N, Cai T, Gontero P, et al. Regular moderate intake of red wine is linked to a better women's sexual health. *Journal of Sexual Medicine*. 2009;6(10):2772-77. doi:10.1111/j.1743-6109.2009.01393.x.

53 Jenkinson C, Petroczi A, Naughton DP. Red wine and component flavonoids inhibit UGT2B17 in vitro. *Nutrition Journal*. 2012;11(1). doi:10.1186/1475-2891-11-67.

54 Cassidy A, Franz M, Rimm EB. Dietary flavonoid intake and incidence of erectile dysfunction. *American Journal of Clinical Nutrition*. 2016;103(2):534-41. doi:10.3945/ajcn.115.122010.

55 Aldemir M, Okulu E, Neşelioğlu S, Erel O, Kayıgil O. Pistachio diet improves erectile function parameters and serum lipid profiles in patients with erectile dysfunction. *International Journal of Impotence Research*. 2011 Jan-Feb;23(1):32-38. doi:10.1038/ijir.2010.33.

56 Molkara T, Akhlaghi F, Ramezani MA, et al. Effects of a food product (based on *Daucus carota*) and education based on traditional Persian medicine on female sexual dysfunction: a randomized clinical trial. *Electronic Physician*. 2018;10(4):6577-87. doi:10.19082/6577.

57 Maleki-Saghooni N, Mirzaeii K, Hosseinzadeh H, Sadeghi R, Irani M. A systematic review and meta-analysis of clinical trials on saffron (*Crocus sativus*) effectiveness and safety on erectile dysfunction and semen parameters. *Avicenna Journal of Phytomedicine*. 2018;8(3):198-209.

58 Wilborn C, Taylor L, Poole C, Foster C, Willoughby D, Kreider R. Effects of a purported aromatase and 5α-reductase inhibitor on hormone profiles in college-age men. *International Journal of Sport Nutrition and Exercise Metabolism*. 2010;20(6):457-65.

59 Maheshwari A, Verma N, Swaroop A, et al. Efficacy of Furosap™, a novel *Trigonella foenum-graecum* seed extract, in enhancing testosterone level and improving sperm profile in male volunteers. *International Journal of Medical Sciences*. 2017;14(1):58-66. doi:10.7150/ijms.17256; Steels E, Rao A, Vitetta L. Physiological aspects of male libido enhanced by standardized *Trigonella foenum-graecum* extract and mineral formulation. *Phytotherapy Research*. 2011 Sep;25(9):1294-300. doi:10.1002/ptr.3360.

60 Steels E, Rao A, Vitetta L. Physiological aspects of male libido enhanced by standardized *Trigonella foenum-graecum* extract and mineral formulation. *Phytotherapy Research*. 2011 Sep;25(9):1294-300. doi:10.1002/ptr.3360.

61 Cai T, Gacci M, Mattivi F, et al. Apple consumption is related to better sexual quality

j.ijheh.2011.10.016.

38 Lai KP, Ng AH-M, Wan HT, et al. Dietary exposure to the environmental chemical, PFOS on the diversity of gut microbiota, associated with the development of metabolic syndrome. *Frontiers in Microbiology*. 2018;9. doi:10.3389/fmicb.2018.02552.

39 Monge Brenes AL, Curtzwiler G, Dixon P, Harrata K, Talbert J, Vorst K. PFOA and PFOS levels in microwave paper packaging between 2005 and 2018. *Food Additives and Contaminants: Part B*. 2019;12(3):191-98. doi:10.1080/19393210.2019.1592238.

40 Ali J, Ansari S, Kotta S. Exploring scientifically proven herbal aphrodisiacs. *Pharmacognosy Reviews*. 2013;7(1):1. doi:10.4103/0973-7847.112832.

41 Chaussee J. The Weird History of Oysters as Aphrodisiacs. *Wired* magazine website. September 30, 2016. https://www.wired.com/2016/09/weird-history-oysters-aphrodisiacs/. Accessed October 3, 2019.

42 Leonti M, Casu L. Ethnopharmacology of love. *Frontiers in Pharmacology*. 2018;9. doi:10.3389/fphar.2018.00567.

43 Rupp HA, James TW, Ketterson ED, Sengelaub DR, Ditzen B, Heiman JR. Lower sexual interest in postpartum women: relationship to amygdala activation and intranasal oxytocin. *Hormones and Behavior*. 2013;63(1):114-21. doi:10.1016/j.yhbeh.2012.10.007.

44 Gregory R, Cheng H, Rupp HA, Sengelaub DR, Heiman JR. Oxytocin increases VTA activation to infant and sexual stimuli in nulliparous and postpartum women. *Hormones and Behavior*. 2015;69:82-88. doi:10.1016/j.yhbeh.2014.12.009.

45 Loup F, Tribollet E, Dubois-Dauphin M, Dreifuss JJ. Localization of high-affinity binding sites for oxytocin and vasopressin in the human brain. An autoradiographic study. *Brain Research*. 1991;555(2):220-32. doi:10.1016/0006-8993(91)90345-v; RajMohan V, Mohandas E. The limbic system. *Indian Journal of Psychiatry*. 2007;49(2):132. doi:10.4103/0019-5545.33264.

46 Agustí A, García-Pardo MP, López-Almela I, et al. Interplay between the gut-brain axis, obesity and cognitive function. *Frontiers in Neuroscience*. 2018;12. doi:10.3389/fnins.2018.00155.

47 Nehlig A. The neuroprotective effects of cocoa flavanol and its influence on cognitive performance. *British Journal of Clinical Pharmacology*. 2013;75(3):716-27. doi:10.1111/j.1365-2125.2012.04378.x; Baskerville T, Douglas A. Interactions between dopamine and oxytocin in the control of sexual behaviour. In: Neumann ID, Landgraf R, eds. *Advances in Vasopressin and Oxytocin — From Genes to Behaviour to Disease*. Amsterdam: Elsevier; 2008:277-90. doi:10.1016/s0079-6123(08)00423-8.

48 Salonia A, Fabbri F, Zanni G, et al. Original research — women's sexual health: chocolate and women's sexual health: an intriguing correlation. *Journal of Sexual Medicine*. 2006;3(3):476-82. doi:10.1111/j.1743-6109.2006.00236.x.

49 Slaninová J, Maletínská L, Vondrášek J, Procházka Z. Magnesium and biological activity of oxytocin analogues modified on aromatic ring of amino acid in position 2. *Journal of Peptide Science*. 2001;7(8):413-24. doi:10.1002/psc.334.

Clinical Psychopharmacology. 2006;14(4):461-70. doi:10.1037/1064-1297.14.4.461.
27 Prabhakaran D, Nisha A, Varghese PJ.Prevalence and correlates of sexual dysfunction in male patients with alcohol dependence syndrome: a cross-sectional study. *Indian Journal of Psychiatry*. 2018;60(1):71. doi:10.4103/psychiatry.indianjpsychiatry_42_17.
28 Castleman M. The Pros and Cons of Mixing Sex and Alcohol. Psychology Today website. July 1, 2019. https://www.psychologytoday.com/us/blog/all-about-sex/201907/the-pros-and-cons-mixing-sex-and-alcohol. Accessed December 2, 2019.
29 George WH, Davis KC, Heiman JR, et al. Women's sexual arousal: effects of high alcohol dosages and self-control instructions. *Hormones and Behavior*. 2011;59(5):730-38. doi:10.1016/j.yhbeh.2011.03.006.
30 George WH, Davis KC, Masters NT, et al. Sexual victimization, alcohol intoxication, sexual-emotional responding, and sexual risk in heavy episodic drinking women. *Archives of Sexual Behavior*. 2013;43(4):645-58. doi:10.1007/s10508-013-0143-8.
31 Chen L, Xie Y-M, Pei J-H, et al. Sugar-sweetened beverage intake and serum testosterone levels in adult males 20-39 years old in the United States. *Reproductive Biology and Endocrinology*. 2018;16(1). doi:10.1186/s12958-018-0378-2.
32 Chiu YH, Afeiche MC, Gaskins AJ, et al. Sugar-sweetened beverage intake in relation to semen quality and reproductive hormone levels in young men. *Human Reproduction*. 2014;29(7):1575-84. doi:10.1093/humrep/deu102.
33 Behre HM, Simoni M, Nieschlag E. Strong association between serum levels of leptin and testosterone in men. *Clinical Endocrinology*. 1997;47(2):237-40. doi:10.1046/j.1365-2265.1997.2681067.x.
34 Gautier A, Bonnet F, Dubois S, et al. Associations between visceral adipose tissue, inflammation and sex steroid concentrations in men. *Clinical Endocrinology*. 2013;78(3):373-78. doi:10.1111/j.1365-2265.2012.04401.x; Spruijt-Metz D, Belcher B, Anderson D, et al. A high-sugar/low-fiber meal compared with a low-sugar/high-fiber meal leads to higher leptin and physical activity levels in overweight Latina females. *Journal of the American Dietetic Association*. 2009;109(6):1058-63. doi:10.1016/j.jada.2009.03.013.
35 Fukui M, Kitagawa Y, Nakamura N, Yoshikawa T. Glycyrrhizin and serum testosterone concentrations in male patients with type 2 diabetes. *Diabetes Care*. 2003;26(10):2962-62. doi:10.2337/diacare.26.10.2962; Armanini D, Bonanni G, Palermo M. Reduction of serum testosterone in men by licorice. *New England Journal of Medicine*. 1999;341(15):1158. doi:10.1056/nejm199910073411515.
36 Kjeldsen LS, Bonefeld-Jørgensen EC. Perfluorinated compounds affect the function of sex hormone receptors. *Environmental Science and Pollution Research*. 2013;20(11):8031-44. doi:10.1007/s11356-013-1753-3.
37 La Rocca C, Alessi E, Bergamasco B, et al. Exposure and effective dose biomarkers for perfluorooctane sulfonic acid (PFOS) and perfluorooctanoic acid (PFOA) in infertile subjects: preliminary results of the PREVIENI project. *International Journal of Hygiene and Environmental Health*. 2012;215(2):206-11. doi:10.1016/

13 Tremellen K. Gut Endotoxin Leading to a Decline IN Gonadal function (GELDING) — a novel theory for the development of late onset hypogonadism in obese men. *Basic and Clinical Andrology*. 2016;26(1). doi:10.1186/s12610-016-0034-7.

14 La J, Roberts NH, Yafi FA. Diet and men's sexual health. *Sexual Medicine Reviews*. 2018;6(1):54-68. doi:10.1016/j.sxmr.2017.07.004.

15 Khoo J, Piantadosi C, Duncan R, et al. Comparing effects of a low-energy diet and a high-protein low-fat diet on sexual and endothelial function, urinary tract symptoms, and inflammation in obese diabetic men. *Journal of Sexual Medicine*. 2011;8(10):2868-75. doi:10.1111/j.1743-6109.2011.02417.x.

16 Levine H, Jørgensen N, Martino-Andrade A, et al. Temporal trends in sperm count: a systematic review and meta-regression analysis. *Human Reproduction Update*. 2017;23(6):646-59. doi:10.1093/humupd/dmx022.

17 Robbins WA, Xun L, FitzGerald LZ, Esguerra S, Henning SM, Carpenter CL. Walnuts improve semen quality in men consuming a Western-style diet: randomized control dietary intervention trial. *Biology of Reproduction*. 2012;87(4). doi:10.1095/biolreprod.112.101634.

18 Salas-Huetos A, Moraleda R, Giardina S, et al. Effect of nut consumption on semen quality and functionality in healthy men consuming a Western-style diet: a randomized controlled trial. *American Journal of Clinical Nutrition*. 2018;108(5):953-62. doi:10.1093/ajcn/nqy181.

19 Grieger JA, Grzeskowiak LE, Bianco-Miotto T, et al. Pre-pregnancy fast food and fruit intake is associated with time to pregnancy. *Human Reproduction*. 2018;33(6):1063-70. doi:10.1093/humrep/dey079.

20 Siepmann T, Roofeh J, Kiefer FW, Edelson DG. Hypogonadism and erectile dysfunction associated with soy product consumption. *Nutrition*. 2011;27(-7-8):859-62. doi:10.1016/j.nut.2010.10.018.

21 Chavarro JE, Toth TL, Sadio SM, Hauser R. Soy food and isoflavone intake in relation to semen quality parameters among men from an infertility clinic. *Human Reproduction*. 2008;23(11):2584-90. doi:10.1093/humrep/den243.

22 Martinez J, Lewi J. An unusual case of gynecomastia associated with soy product consumption. *Endocrine Practice*. 2008;14(4):415-18. doi:10.4158/ep.14.4.415.

23 Kotsopoulos D, Dalais FS, Liang YL, Mcgrath BP, Teede HJ. The effects of soy protein containing phytoestrogens on menopausal symptoms in post-menopausal women. *Climacteric*. 2000;3(3):161-67.

24 Shakespeare W. *The Tragedy of Macbeth*. The Harvard Classics. 1909-14. Available online at https://www.bartleby.com/46/4/23.html.

25 Prabhakaran D, Nisha A, Varghese PJ. Prevalence and correlates of sexual dysfunction in male patients with alcohol dependence syndrome: a cross-sectional study. *Indian Journal of Psychiatry*. 2018;60(1):71. doi:10.4103/psychiatry.indianjpsychiatry_42_17.

26 George WH, Davis KC, Norris J, et al. Alcohol and erectile response: the effects of high dosage in the context of demands to maximize sexual arousal. *Experimental and*

neu.2015.22.

80 Shamir E, Laudon M, Barak Y, et al. Melatonin improves sleep quality of patients with chronic schizophrenia. *Journal of Clinical Psychiatry*. 2000;61(5):373-77. doi:10.4088/jcp.v61n0509; Anderson G, Maes M. Melatonin: an overlooked factor in schizophrenia and in the inhibition of anti-psychotic side effects. *Metabolic Brain Disease*. 2012;27(2):113-119. doi:10.1007/s11011-012-9307-9.

第一〇章　性欲

1 Gunter PAY. Bergson and Jung. *Journal of the History of Ideas*. 1982;43(4):635. doi:10.2307/2709347.

2 Burton ES. Ronald Fairbairn. Institute of Psychoanalysis, British Psychoanalytical Society website. 2016. https://psychoanalysis.org.uk/our-authors-and-theorists/ronald-fairbairn. Accessed October 3, 2019.

3 Graziottin A. Libido: the biologic scenario. *Maturitas*. 2000;34:S9-S16. doi:10.1016/s0378-5122(99)00072-9.

4 Arias-Carrión O, Stamelou M, Murillo-Rodríguez E, Menéndez-González M, Pöppel E. Dopaminergic reward system: a short integrative review. *International Archives of Medicine*. 2010;3(1):24. doi:10.1186/1755-7682-3-24.

5 Schneider JE. Metabolic and hormonal control of the desire for food and sex: implications for obesity and eating disorders. *Hormones and Behavior*. 2006;50(4):562-71. doi:10.1016/j.yhbeh.2006.06.023.

6 Ramasamy R, Schulster M, Bernie A. The role of estradiol in male reproductive function. *Asian Journal of Andrology*. 2016;18(3):435. doi:10.4103/1008-682x.173932.

7 Cappelletti M, Wallen K. Increasing women's sexual desire: the comparative effectiveness of estrogens and androgens. *Hormones and Behavior*. 2016;78:178-93. doi:10.1016/j.yhbeh.2015.11.003.

8 Poutahidis T, Springer A, Levkovich T, et al. Probiotic microbes sustain youthful serum testosterone levels and testicular size in aging mice. Schlatt S, ed. PLoS One. 2014;9(1):e84877. doi:10.1371/journal.pone.0084877.

9 Hou X, Zhu L, Zhang X, et al. Testosterone disruptor effect and gut microbiome perturbation in mice: early life exposure to doxycycline. *Chemosphere*. 2019;222:722-31. doi:10.1016/j.chemosphere.2019.01.101.

10 Baker JM, Al-Nakkash L, Herbst-Kralovetz MM. Estrogen-gut microbiome axis: physiological and clinical implications. *Maturitas*. 2017;103:45-53. doi:10.1016/j.maturitas.2017.06.025.

11 Hamed SA. Sexual dysfunctions induced by pregabalin. *Clinical Neuropharmacology*. 2018;41(4):116-22. doi:10.1097/wnf.0000000000000286.

12 Christensen B. Inflammatory bowel disease and sexual dysfunction. *Gastroenterology and Hepatology*. 2014;10(1):53-55.

lipoic acid for weight loss in patients with schizophrenia without diabetes. *Clinical Schizophrenia and Related Psychoses*. 2015;8(4):196-200. doi:10.3371/csrp.rapa.030113; Sanders LLO, de Souza Menezes CE, Chaves Filho AJM, et al. α-Lipoic acid as adjunctive treatment for schizophrenia. *Journal of Clinical Psychopharmacology*. 2017;37(6):697-701. doi:10.1097/jcp.0000000000000800.

69 Seybolt SEJ. Is it time to reassess alpha lipoic acid and niacinamide therapy in schizophrenia? *Medical Hypotheses*. 2010;75(6):572-75. doi:10.1016/j.mehy.2010.07.034.

70 Arroll MA, Wilder L, Neil J. Nutritional interventions for the adjunctive treatment of schizophrenia: a brief review. *Nutrition Journal*. 2014;13(1). doi:10.1186/1475-2891-13-91.

71 Brown HE, Roffman JL. Vitamin supplementation in the treatment of schizophrenia. *CNS Drugs*. 2014;28(7):611-22. doi:10.1007/s40263-014-0172-4.

72 Brown AS, Bottiglieri T, Schaefer CA, et al. Elevated prenatal homocysteine levels as a risk factor for schizophrenia. *Archives of General Psychiatry*. 2007;64(1):31. doi:10.1001/archpsyc.64.1.31.

73 Kemperman RFJ, Veurink M, van der Wal T, et al. Low essential fatty acid and B-vitamin status in a subgroup of patients with schizophrenia and its response to dietary supplementation. *Prostaglandins, Leukotrienes and Essential Fatty Acids*. 2006;74(2):75-85. doi:10.1016/j.plefa.2005.11.004.

74 Muntjewerff J-W, van der Put N, Eskes T, et al. Homocysteine metabolism and B-vitamins in schizophrenic patients: low plasma folate as a possible independent risk factor for schizophrenia. *Psychiatry Research*. 2003;121(1):1-9. doi:10.1016/s0165-1781(03)00200-2.

75 Goff DC, Bottiglieri T, Arning E, et al. Folate, homocysteine, and negative symptoms in schizophrenia. *American Journal of Psychiatry*. 2004;161(9):1705-8. doi:10.1176/appi.ajp.161.9.1705.

76 Godfrey PS, Toone BK, Bottiglieri T, et al. Enhancement of recovery from psychiatric illness by methylfolate. *Lancet*. 1990;336(8712):392-395. doi:10.1016/0140-6736(90)91942-4.

77 Roffman JL, Lamberti JS, Achtyes E, et al. Randomized multicenter investigation of folate plus vitamin B12 supplementation in schizophrenia. *JAMA Psychiatry*. 2013;70(5):481. doi:10.1001/jamapsychiatry.2013.900.

78 Roffman JL, Petruzzi LJ, Tanner AS, et al. Biochemical, physiological and clinical effects of l-methylfolate in schizophrenia: a randomized controlled trial. *Molecular Psychiatry*. 2017;23(2):316-22. doi:10.1038/mp.2017.41.

79 Ritsner MS, Miodownik C, Ratner Y, et al. L-theanine relieves positive, activation, and anxiety symptoms in patients with schizophrenia and schizoaffective disorder. *Journal of Clinical Psychiatry*. 2010;72(1):34-42. doi:10.4088/jcp.09m05324gre; Ota M, Wakabayashi C, Sato N, et al. Effect of l-theanine on glutamatergic function in patients with schizophrenia. *Acta Neuropsychiatrica*. 2015;27(5):291-96. doi:10.1017/

nmd.0000071587.92959.ba; Pristach CA, Smith CM. Selfreported effects of alcohol use on symptoms of schizophrenia. *Psychiatric Services*. 1996;47(4):421-23. doi:10.1176/ps.47.4.421.

59 Nesvag R, Frigessi A, Jonsson E, Agartz I. Effects of alcohol consumption and antipsychotic medication on brain morphology in schizophrenia. *Schizophrenia Research*. 2007;90(1-3):52-61. doi:10.1016/j.schres.2006.11.008; Smith MJ, Wang L, Cronenwett W, et al. Alcohol use disorders contribute to hippocampal and subcortical shape differences in schizophrenia. *Schizophrenia Research*. 2011;131(1-3):174-83. doi:10.1016/j.schres.2011.05.014.

60 Amminger GP, Schäfer MR, Papageorgiou K, et al. Long-chain ω-3 fatty acids for indicated prevention of psychotic disorders. *Archives of General Psychiatry*. 2010;67(2):146. doi:10.1001/archgenpsychiatry.2009.192.

61 Akter K, Gallo DA, Martin SA, et al. A review of the possible role of the essential fatty acids and fish oils in the aetiology, prevention or pharmacotherapy of schizophrenia. *Journal of Clinical Pharmacy and Therapeutics*. 2011;37(2):132-39. doi:10.1111/j.1365-2710.2011.01265.x.

62 Fendri C, Mechri A, Khiari G, Othman A, Kerkeni A, Gaha L. Oxidative stress involvement in schizophrenia pathophysiology: a review [in French]. *Encephale*. 2006;32(2 Pt 1):244-52.

63 Yao JK, Leonard S, Reddy R. Altered glutathione redox state in schizophrenia. *Disease Markers*. 2006;22(1-2):83-93. doi:10.1155/2006/248387; Lavoie S, Murray MM, Deppen P, et al. Glutathione precursor, N-acetyl-cysteine, improves mismatch negativity in schizophrenia patients. *Neuropsychopharmacology*. 2007;33(9):2187-99. doi:10.1038/sj.npp.1301624; Witschi A, Reddy S, Stofer B, Lauterburg BH. The systemic availability of oral glutathione. *European Journal of Clinical Pharmacology*. 1992;43(6):667-69. doi:10.1007/bf02284971.

64 Arroll MA, Wilder L, Neil J. Nutritional interventions for the adjunctive treatment of schizophrenia: a brief review. *Nutrition Journal*. 2014;13(1). doi:10.1186/1475-2891-13-91.

65 Farokhnia M, Azarkolah A, Adinehfar F, et al. N-acetylcysteine as an adjunct to risperidone for treatment of negative symptoms in patients with chronic schizophrenia. *Clinical Neuropharmacology*. 2013;36(6):185-92. doi:10.1097/wnf.0000000000000001.

66 Berk M, Copolov D, Dean O, et al. N-acetyl cysteine as a glutathione precursor for schizophrenia — a double-blind, randomized, placebo-controlled trial. *Biological Psychiatry*. 2008;64(5):361-68. doi:10.1016/j.biopsych.2008.03.004.

67 Shay KP, Moreau RF, Smith EJ, Smith AR, Hagen TM. Alpha-lipoic acid as a dietary supplement: molecular mechanisms and therapeutic potential. *Biochimica et Biophysica Acta (BBA) — General Subjects*. 2009;1790(10):1149-60. doi:10.1016/j.bbagen.2009.07.026.

68 Ratliff JC, Palmese LB, Reutenauer EL, Tek C. An open-label pilot trial of alpha-

2012;1262(1):56-66. doi:10.1111/j.1749-6632.2012.06638.x; Caso J, Balanzá-Martínez V, Palomo T, García-Bueno B. The microbiota and gut-brain axis: contributions to the immunopathogenesis of schizophrenia. *Current Pharmaceutical Design*. 2016;22(40):6122-33. doi:10.2174/1381612822666160906160911.

47 Dickerson F, Severance E, Yolken R. The microbiome, immunity, and schizophrenia and bipolar disorder. *Brain, Behavior, and Immunity*. 2017;62:-46-52. doi:10.1016/j.bbi.2016.12.010.

48 Tsuruga K, Sugawara N, Sato Y, et al. Dietary patterns and schizophrenia: a comparison with healthy controls. *Neuropsychiatric Disease and Treatment*. April 2015:1115. doi:10.2147/ndt.s74760.

49 Yang X, Sun L, Zhao A, et al. Serum fatty acid patterns in patients with schizophrenia: a targeted metabonomics study. *Translational Psychiatry*. 2017;7(7):e1176-e1176. doi:10.1038/tp.2017.152.

50 Dohan FC. Cereals and schizophrenia data and hypothesis. *Acta Psychiatrica Scandinavica*. 1966;42(2):125-52. doi:10.1111/j.1600-0447.1966.tb01920.x.

51 Čiháková D, Eaton WW, Talor MV, et al. Gliadin-related antibodies in schizophrenia. *Schizophrenia Research*. 2018;195:585-86. doi:10.1016/j.schres.2017.08.051; Kelly DL, Demyanovich HK, Rodriguez KM, et al. Randomized controlled trial of a gluten-free diet in patients with schizophrenia positive for antigliadin antibodies (AGA IgG): a pilot feasibility study. *Journal of Psychiatry and Neuroscience*. 2019;44(4):269-76. doi:10.1503/jpn.180174.

52 Levinta A, Mukovozov I, Tsoutsoulas C. Use of a gluten-free diet in schizophrenia: a systematic review. *Advances in Nutrition*. 2018;9(6):824-32. doi:10.1093/advances/nmy056.

53 Kelly DL, Demyanovich HK, Rodriguez KM, et al. Randomized controlled trial of a gluten-free diet in patients with schizophrenia positive for antigliadin antibodies (AGA IgG): a pilot feasibility study. *Journal of Psychiatry and Neuroscience*. 2019;44(4):269-76. doi:10.1503/jpn.180174.

54 Peet M. Diet, diabetes and schizophrenia: review and hypothesis. *British Journal of Psychiatry*. 2004;184(S47):s102-s105. doi:10.1192/bjp.184.47.s102.

55 Aucoin M, LaChance L, Cooley K, Kidd S. Diet and psychosis: a scoping review. *Neuropsychobiology*. October 2018:1-23. doi:10.1159/000493399.

56 Subramaniam M, Mahesh MV, Peh CX, et al. Hazardous alcohol use among patients with schizophrenia and depression. *Alcohol*. 2017;65:-63-69. doi:10.1016/j.alcohol.2017.07.008; Hambrecht M, Häfner H. Do alcohol or drug abuse induce schizophrenia? [in German]. *Nervenarzt*. 1996;67(1):36-45.

57 Soni SD, Brownlee M. Alcohol abuse in chronic schizophrenics: implications for management in the community. *Acta Psychiatrica Scandinavica*. 1991;84(3):272-76. doi:10.1111/j.1600-0447.1991.tb03143.x.

58 Messias E, Bienvenu OJ. Suspiciousness and alcohol use disorders in schizophrenia. *Journal of Nervous and Mental Disease*. 2003;191(6):387-90. doi:10.1097/01.

Psychiatry. 2011;73(1):81-86. doi:10.4088/jcp.10r06710.
34 Bauer IE, Green C, Colpo GD, et al. A double-blind, randomized, placebo-controlled study of aspirin and N-acetylcysteine as adjunctive treatments for bipolar depression. *Journal of Clinical Psychiatry*. 2018;80(1). doi:10.4088/jcp.18m12200.
35 Berk M, Turner A, Malhi GS, et al. A randomised controlled trial of a mitochondrial therapeutic target for bipolar depression: mitochondrial agents, N-acetylcysteine, and placebo. *BMC Medicine*. 2019;17(1). doi:10.1186/s12916-019-1257-1.
36 Nierenberg AA, Montana R, Kinrys G, Deckersbach T, Dufour S, Baek JH. L-methylfolate for bipolar I depressive episodes: an open trial proof-of-concept registry. *Journal of Affective Disorders*. 2017;207:429-33. doi:10.1016/j.jad.2016.09.053.
37 Coppen A, Chaudhry S, Swade C. Folic acid enhances lithium prophylaxis. *Journal of Affective Disorders*. 1986;10(1):9-13. doi:10.1016/0165-0327(86)90043-1.
38 Sharpley AL, Hockney R, McPeake L, Geddes JR, Cowen PJ. Folic acid supplementation for prevention of mood disorders in young people at familial risk: a randomised, double blind, placebo controlled trial. *Journal of Affective Disorders*. 2014;167:306-11. doi:10.1016/j.jad.2014.06.011.
39 Behzadi AH, Omrani Z, Chalian M, Asadi S, Ghadiri M. Folic acid efficacy as an alternative drug added to sodium valproate in the treatment of acute phase of mania in bipolar disorder: a double-blind randomized controlled trial. *Acta Psychiatrica Scandinavica*. 2009;120(6):441-45. doi:10.1111/j.1600-0447.2009.01368.x.
40 Heiden A, Frey R, Presslich O, Blasbichler T, Smetana R, Kasper S. Treatment of severe mania with intravenous magnesium sulphate as a supplementary therapy. *Psychiatry Research*. 1999;89(3):239-46. doi:10.1016/s0165-1781(99)00107-9.
41 Chouinard G, Beauclair L, Geiser R, Etienne P. A pilot study of magnesium aspartate hydrochloride (Magnesiocard®) as a mood stabilizer for rapid cycling bipolar affective disorder patients. *Progress in Neuro-Psychopharmacology and Biological Psychiatry*. 1990;14(2):171-80. doi:10.1016/0278-5846(90)90099-3.
42 Siwek M, Sowa-Kućma M, Styczeń K, et al. Decreased serum zinc concentration during depressive episode in patients with bipolar disorder. *Journal of Affective Disorders*. 2016;190:272-77. doi:10.1016/j.jad.2015.10.026.
43 Millett CE, Mukherjee D, Reider A, et al. Peripheral zinc and neopterin concentrations are associated with mood severity in bipolar disorder in a gender-specific manner. *Psychiatry Research*. 2017;255:52-58. doi:10.1016/j.psychres.2017.05.022.
44 Zheng P, Zeng B, Liu M, et al. The gut microbiome from patients with schizophrenia modulates the glutamate-glutamine-GABA cycle and schizophrenia-relevant behaviors in mice. *Science Advances*. 2019;5(2):eaau8317.
45 Severance EG, Prandovszky E, Castiglione J, Yolken RH. Gastroenterology issues in schizophrenia: why the gut matters. *Current Psychiatry Reports*. 2015;17(5). doi:10.1007/s11920-015-0574-0.
46 Benros ME, Mortensen PB, Eaton WW. Autoimmune diseases and infections as risk factors for schizophrenia. *Annals of the New York Academy of Sciences*.

Psychiatric Treatment. 2005;11(6):432-39. doi:10.1192/apt.11.6.432; Lorist MM, Tops M. Caffeine, fatigue, and cognition. *Brain and Cognition*. 2003;53(1):82-94.

24 Kiselev BM, Shebak SS, Milam TR. Manic episode following ingestion of caffeine pills. *Primary Care Companion for CNS Disorders*. June 2015. doi:10.4088/pcc.14101764.

25 Johannessen L, Strudsholm U, Foldager L, Munk-Jørgensen P. Increased risk of hypertension in patients with bipolar disorder and patients with anxiety compared to background population and patients with schizophrenia. *Journal of Affective Disorders*. 2006;95(1-3):13-17. doi:10.1016/j.jad.2006.03.027; Rihmer Z, Gonda X, Dome P. Is mania the hypertension of the mood? Discussion of a hypothesis. *Current Neuropharmacology*. 2017;15(3):424-33. doi:10.2174/157015 9x14666160902145635.

26 Dickerson F, Stallings C, Origoni A, Vaughan C, Khushalani S, Yolken R. Markers of gluten sensitivity in acute mania: a longitudinal study. *Psychiatry Research*. 2012;196(1):68-71. doi:10.1016/j.psychres.2011.11.007.

27 Severance EG, Gressitt KL, Yang S, et al. Seroreactive marker for inflammatory bowel disease and associations with antibodies to dietary proteins in bipolar disorder. *Bipolar Disorders*. 2013;16(3):230-40. doi:10.1111/bdi.12159.

28 Goldstein BI, Velyvis VP, Parikh SV. The association between moderate alcohol use and illness severity in bipolar disorder. *Journal of Clinical Psychiatry*. 2006;67(1):102-6. doi:10.4088/jcp.v67n0114.

29 Jaffee WB, Griffin ML, Gallop R, et al. Depression precipitated by alcohol use in patients with co-occurring bipolar and substance use disorders. *Journal of Clinical Psychiatry*. 2008;70(2):171-76. doi:10.4088/jcp.08m04011; Manwani SG, Szilagyi KA, Zablotsky B, Hennen J, Griffin ML, Weiss RD. Adherence to pharmacotherapy in bipolar disorder patients with and without co-occurring substance use disorders. *Journal of Clinical Psychiatry*. 2007;68(8):1172-76. doi:10.4088/jcp.v68n0802.

30 van Zaane J, van den Brink W, Draisma S, Smit JH, Nolen WA. The effect of moderate and excessive alcohol use on the course and outcome of patients with bipolar disorders. *Journal of Clinical Psychiatry*. 2010;71(7):885-93. doi:10.4088/jcp.09m05079gry; Ostacher MJ, Perlis RH, Nierenberg AA, et al. Impact of substance use disorders on recovery from episodes of depression in bipolar disorder patients: prospective data from the Systematic Treatment Enhancement Program for Bipolar Disorder (STEP-BD). *American Journal of Psychiatry*. 2010;167(3):289-97. doi:10.1176/appi.ajp.2009.09020299.

31 Bailey DG, Dresser G, Arnold JMO. Grapefruit-medication interactions: forbidden fruit or avoidable consequences? *Canadian Medical Association Journal*. 2012;185(4):309-16. doi:10.1503/cmaj.120951.

32 Noaghiul S, Hibbeln JR. Cross-national comparisons of seafood consumption and rates of bipolar disorders. *American Journal of Psychiatry*. 2003;160(12):2222-27. doi:10.1176/appi.ajp.160.12.2222.

33 Sarris J, Mischoulon D, Schweitzer I. Omega-3 for bipolar disorder. *Journal of Clinical*

doi:10.3177/jnsv.59.115; Noaghiul S, Hibbeln JR. Cross-national comparisons of seafood consumption and rates of bipolar disorders. *American Journal of Psychiatry*. 2003;160(12):2222-27. doi:10.1176/appi.ajp.160.12.2222.

14 Łojko D, Stelmach-Mardas M, Suwalska A. Diet quality and eating patterns in euthymic bipolar patients. *European Review for Medical and Pharmacological Sciences*. 2019;23(3):1221-38. doi:10.26355/eurrev_201902_17016; McElroy SL, Crow S, Biernacka JM, et al. Clinical phenotype of bipolar disorder with comorbid binge eating disorder. *Journal of Affective Disorders*. 2013;150(3):981-86. doi:10.1016/j.jad.2013.05.024.

15 Melo MCA, de Oliveira Ribeiro M, de Araújo CFC, de Mesquita LMF, de Bruin PFC, de Bruin VMS. Night eating in bipolar disorder. *Sleep Medicine*. 2018 Aug;48:49-52. doi:10.1016/j.sleep.2018.03.031.

16 Bauer IE, Gálvez JF, Hamilton JE, et al. Lifestyle interventions targeting dietary habits and exercise in bipolar disorder: a systematic review. *Journal of Psychiatric Research*. 2016;74:1-7. doi:10.1016/j.jpsychires.2015.12.006; Frank E, Wallace ML, Hall M, et al. An integrated risk reduction intervention can reduce body mass index in individuals being treated for bipolar I disorder: results from a randomized trial. *Bipolar Disorders*. 2014;17(4):424-37. doi:10.1111/bdi.12283.

17 Brietzke E, Mansur RB, Subramaniapillai M, et al. Ketogenic diet as a metabolic therapy for mood disorders: evidence and developments. *Neuroscience and Biobehavioral Reviews*. 2018;94:11-16. doi:10.1016/j.neubio-rev.2018.07.020; Phelps JR, Siemers SV, El-Mallakh RS. The ketogenic diet for type II bipolar disorder. *Neurocase*. 2013;19(5):423-26. doi:10.1080/13554794.2012.690421.

18 Campbell IH, Campbell H. Ketosis and bipolar disorder: controlled analytic study of online reports. *BJPsych Open*. 2019;5(4). doi:10.1192/bjo.2019.49.

19 Brietzke E, Mansur RB, Subramaniapillai M, et al. Ketogenic diet as a metabolic therapy for mood disorders: evidence and developments. *Neuroscience and Biobehavioral Reviews*. 2018;94:11-16. doi:10.1016/j.neubiorev.2018.07.020.

20 Kim Y, Santos R, Gage FH, Marchetto MC. Molecular mechanisms of bipolar disorder: progress made and future challenges. *Frontiers in Cellular Neuroscience*. 2017;11. doi:10.3389/fncel.2017.00030.

21 Malinauskas BM, Aeby VG, Overton RF, Carpenter-Aeby T, Barber-Heidal K. A survey of energy drink consumption patterns among college students. *Nutrition Journal*. 2007;6(1). doi:10.1186/1475-2891-6-35.

22 Rizkallah É, Bélanger M, Stavro K, et al. Could the use of energy drinks induce manic or depressive relapse among abstinent substance use disorder patients with comorbid bipolar spectrum disorder? *Bipolar Disorders*. 2011;13(5-6):578-80. doi:10.1111/j.1399-5618.2011.00951.x; Kiselev BM, Shebak SS, Milam TR. Manic episode following ingestion of caffeine pills. *Primary Care Companion for CNS Disorders*. June 2015. doi:10.4088/pcc.14101764.

23 Winston AP, Hardwick E, Jaberi N. Neuropsychiatric effects of caffeine. *Advances in*

National Institute of Mental Health website. April 29, 2013. https://www.nimh.nih.gov/about/directors/thomas-insel/blog/2013/transforming-diagnosis.shtml. Accessed October 4, 2019.

2 Lynham AJ, Hubbard L, Tansey KE, et al. Examining cognition across the bipolar/schizophrenia diagnostic spectrum. *Journal of Psychiatry and Neuroscience*. 2018;43(4):245-53. doi:10.1503/jpn.170076.

3 Leboyer M, Soreca I, Scott J, et al. Can bipolar disorder be viewed as a multisystem inflammatory disease? *Journal of Affective Disorders*. 2012;141(1):1-10. doi:10.1016/j.jad.2011.12.049.

4 Tseng P-T, Zeng B-S, Chen Y-W, Wu M-K, Wu C-K, Lin P-Y. A meta-analysis and systematic review of the comorbidity between irritable bowel syndrome and bipolar disorder. *Medicine*. 2016;95(33):e4617. doi:10.1097/md.0000000000004617.

5 Legendre T, Boudebesse C, Henry C, Etain B. Antibiomania: penser au syndrome maniaque secondaire à une antibiothérapie. *L'Encéphale*. 2017;43(2):183-86. doi:10.1016/j.encep.2015.06.008.

6 Gao J. Correlation between anxiety-depression status and cytokines in diarrhea-predominant irritable bowel syndrome. *Experimental and Therapeutic Medicine*. 2013;6(1):93-96. doi:10.3892/etm.2013.1101.

7 Liu L, Zhu G. Gut-brain axis and mood disorder. *Frontiers in Psychiatry*. 2018;9. doi:10.3389/fpsyt.2018.00223.

8 Evans SJ, Bassis CM, Hein R, et al. The gut microbiome composition associates with bipolar disorder and illness severity. *Journal of Psychiatric Research*. 2017;87:23-29. doi:10.1016/j.jpsychires.2016.12.007.

9 Lyte M. Probiotics function mechanistically as delivery vehicles for neuroactive compounds: microbial endocrinology in the design and use of probiotics. *BioEssays*. 2011;33(8):574-581. doi:10.1002/bies.201100024; Barrett E, Ross RP, O'Toole PW, Fitzgerald GF, Stanton C. γ-Aminobutyric acid production by culturable bacteria from the human intestine. *Journal of Applied Microbiology*. 2012;113(2):411-17. doi:10.1111/j.1365-2672.2012.05344.x.

10 Machado-Vieira R, Manji HK, Zarate Jr CA. The role of lithium in the treatment of bipolar disorder: convergent evidence for neurotrophic effects as a unifying hypothesis. Bipolar Disorders. 2009;11:92-109. doi:10.1111/j.1399-5618.2009.00714.x.

11 Jacka FN, Pasco JA, Mykletun A, et al. Diet quality in bipolar disorder in a population-based sample of women. *Journal of Affective Disorders*. 2011;129(1-3):332-37. doi:10.1016/j.jad.2010.09.004.

12 Elmslie JL, Mann JI, Silverstone JT, Williams SM, Romans SE. Determinants of overweight and obesity in patients with bipolar disorder. *Journal of Clinical Psychiatry*. 2001;62(6):486-91. doi:10.4088/jcp.v62n0614.

13 Noguchi R, Hiraoka M, Watanabe Y, Kagawa Y. Relationship between dietary patterns and depressive symptoms: difference by gender, and unipolar and bipolar depression. *Journal of Nutritional Science and Vitaminology*. 2013;59 (2):115-22.

One. 2012;7(1):e30519. doi:10.1371/journal.pone.0030519.
61 Chan CQH, Low LL, Lee KH. Oral vitamin B12 replacement for the treatment of pernicious anemia. *Frontiers in Medicine*. 2016;3. doi:10.3389/fmed.2016.00038.
62 Does vitamin C influence neurodegenerative diseases and psychiatric disorders? *Nutrients*. 2017;9(7):659. doi:10.3390/nu9070659.
63 Anjum I, Jaffery SS, Fayyaz M, Samoo Z, Anjum S. The role of vitamin D in brain health: a mini literature review. *Cureus*. July 2018. doi:10.7759/cureus.2960.
64 Neale RE, Khan SR, Lucas RM, Waterhouse M, Whiteman DC, Olsen CM. The effect of sunscreen on vitamin D: a review. *British Journal of Dermatology*. July 2019. doi:10.1111/bjd.17980.
65 Traber MG. Vitamin E inadequacy in humans: causes and consequences. *Advances in Nutrition*. 2014;5(5):503-14. doi:10.3945/an.114.006254.
66 Hsu Y-J, Huang W-C, Chiu C-C, et al. Capsaicin supplementation reduces physical fatigue and improves exercise performance in mice. *Nutrients*. 2016;8(10):648. doi:10.3390/nu8100648.
67 Janssens PLHR, Hursel R, Martens EAP, Westerterp-Plantenga MS. Acute effects of capsaicin on energy expenditure and fat oxidation in negative energy balance. Tomé D, ed. *PLoS One*. 2013;8(7):e67786. doi:10.1371/journal.pone.0067786.
68 Fattori V, Hohmann M, Rossaneis A, Pinho-Ribeiro F, Verri W. Capsaicin: current understanding of its mechanisms and therapy of pain and other pre-clinical and clinical uses. *Molecules*. 2016;21(7):844. doi:10.3390/molecules21070844.
69 Zheng J, Zheng S, Feng Q, Zhang Q, Xiao X. Dietary capsaicin and its anti-obesity potency: from mechanism to clinical implications. *Bioscience Reports*. 2017;37(3):BSR20170286. doi:10.1042/bsr20170286.
70 Gregersen NT, Belza A, Jensen MG, et al. Acute effects of mustard, horseradish, black pepper and ginger on energy expenditure, appetite, ad libitum energy intake and energy balance in human subjects. *British Journal of Nutrition*. 2012;109(3):556-63. doi:10.1017/s0007114512001201.
71 Rahman M, Yang DK, Kim G-B, Lee S-J, Kim S-J. *Nigella sativa* seed extract attenuates the fatigue induced by exhaustive swimming in rats. *Biomedical Reports*. 2017;6(4):468-74. doi:10.3892/br.2017.866; Yimer EM, Tuem KB, Karim A, Ur-Rehman N, Anwar F. *Nigella sativa* L. (black cumin): a promising natural remedy for wide range of illnesses. *Evidence-Based Complementary and Alternative Medicine*. 2019;2019:1-16. doi:10.1155/2019/1528635.
72 Huang W-C, Chiu W-C, Chuang H-L, et al. Effect of curcumin supplementation on physiological fatigue and physical performance in mice. *Nutrients*. 2015;7(2):905-21. doi:10.3390/nu7020905.

第九章　双極性障害と統合失調症

1 Insel T. Post by Former NIMH Director Thomas Insel: Transforming Diagnosis.

47 Sears B. Anti-inflammatory diets. *Journal of the American College of Nutrition*. 2015;34(suppl 1):14-21. doi:10.1080/07315724.2015.1080105.

48 Pérez-Jiménez J, Neveu V, Vos F, Scalbert A. Identification of the 100 richest dietary sources of polyphenols: an application of the Phenol-Explorer database. *European Journal of Clinical Nutrition*. 2010;64(S3):S112-S120. doi:10.1038/ejcn.2010.221.

49 Mellen PB, Daniel KR, Brosnihan KB, Hansen KJ, Herrington DM. Effect of muscadine grape seed supplementation on vascular function in subjects with or at risk for cardiovascular disease: a randomized crossover trial. *Journal of the American College of Nutrition*. 2010;29(5):469-75.

50 Ricker MA, Haas WC. Anti-inflammatory diet in clinical practice: a review. *Nutrition in Clinical Practice*. 2017;32(3):318-25. doi:10.1177/0884533617700353.

51 Joseph P, Abey S, Henderson W. Emerging role of nutri-epigenetics in inflammation and cancer. *Oncology Nursing Forum*. 2016;43(6):784-88. doi:10.1188/16.onf.784-788.

52 Cox IM, Campbell MJ, Dowson D. Red blood cell magnesium and chronic fatigue syndrome. *Lancet*. 1991;337(8744):757-60. doi:10.1016/0140-6736(91)91371-z.

53 Cheng S-M, Yang D-Y, Lee C-P, et al. Effects of magnesium sulfate on dynamic changes of brain glucose and its metabolites during a shortterm forced swimming in gerbils. European *Journal of Applied Physiology*. 2007;99(6):695-99. doi:10.1007/s00421-006-0374-7.

54 Watkins JH, Nakajima H, Hanaoka K, Zhao L, Iwamoto T, Okabe T. Effect of zinc on strength and fatigue resistance of amalgam. *Dental Materials*. 1995;11(1):24-33. doi:10.1016/0109-5641(95)80005-0; Ribeiro SMF, Braga CBM, Peria FM, Martinez EZ, Rocha JJRD, Cunha SFC. Effects of zinc supplementation on fatigue and quality of life in patients with colorectal cancer. *Einstein* (São Paulo). 2017;15(1):24-28. doi:10.1590/s1679-45082017ao3830.

55 Heap LC, Peters TJ, Wessely S. Vitamin B status in patients with chronic fatigue syndrome. *Journal of the Royal Society of Medicine*. 1999;92(4):183-85.

56 Kirksey A, Morré DM, Wasynczuk AZ. Neuronal development in vitamin B6 deficiency. *Annals of the New York Academy of Sciences*. 1990;585(1 Vitamin B6):202-18. doi:10.1111/j.1749-6632.1990.tb28054.x.

57 Jacobson W, Saich T, Borysiewicz LK, Behan WMH, Behan PO, Wreghitt TG. Serum folate and chronic fatigue syndrome. *Neurology*. 1993;43(12):2645-47. doi:10.1212/wnl.43.12.2645.

58 Mahmood L. The metabolic processes of folic acid and vitamin B12 deficiency. *Journal of Health Research and Reviews*. 2014;1(1):5. doi:10.4103/2394-2010.143318.

59 Tweet MS, Polga KM. 44-year-old man with shortness of breath, fatigue, and paresthesia. *Mayo Clinic Proceedings*. 2010;85(12):1148-51. doi:10.4065/mcp.2009.0662.

60 Huijts M, Duits A, Staals J, van Oostenbrugge RJ. Association of vitamin B12 deficiency with fatigue and depression after lacunar stroke. De Windt LJ, ed. *PLoS*

34 Esteban S, Nicolaus C, Garmundi A, et al. Effect of orally administered l-tryptophan on serotonin, melatonin, and the innate immune response in the rat. *Molecular and Cellular Biochemistry*. 2004;267(1-2):39-46. doi:10.1023/b:mcbi.0000049363.97713.74.
35 Miyake M, Kirisako T, Kokubo T, et al. Randomised controlled trial of the effects of L-ornithine on stress markers and sleep quality in healthy workers. *Nutrition Journal*. 2014;13(1). doi:10.1186/1475-2891-13-53.
36 Adib-Hajbaghery M, Mousavi SN. The effects of chamomile extract on sleep quality among elderly people: a clinical trial. *Complementary Therapies in Medicine*. 2017;35:109-14. doi:10.1016/j.ctim.2017.09.010.
37 Hieu TH, Dibas M, Surya Dila KA, et al. Therapeutic efficacy and safety of chamomile for state anxiety, generalized anxiety disorder, insomnia, and sleep quality: a systematic review and meta-analysis of randomized trials and quasi-randomized trials. *Phytotherapy Research*. 2019;33(6):1604-15. doi:10.1002/ptr.6349.
38 Avallone R, Zanoli P, Corsi L, Cannazza G, Baraldi M. Benzodiazepine-like compounds and GABA in flower heads of *Matricaria chamomilla. Phytotherapy Research*. 1996;10:S177-S179.
39 Zeng Y, Pu X, Yang J, et al. Preventive and therapeutic role of functional ingredients of barley grass for chronic diseases in human beings. *Oxidative Medicine and Cellular Longevity*. 2018;2018:1-15. doi:10.1155/2018/3232080.
40 Zeng Y, Pu X, Yang J, et al. Preventive and therapeutic role of functional ingredients of barley grass for chronic diseases in human beings. *Oxidative Medicine and Cellular Longevity*. 2018;2018:1-15. doi:10.1155/2018/3232080.
41 Chanana P, Kumar A. GABA-BZD receptor modulating mechanism of *Panax quinquefolius* against 72-h sleep deprivation induced anxiety like behavior: possible roles of oxidative stress, mitochondrial dysfunction and neuroinflammation. *Frontiers in Neuroscience*. 2016;10. doi:10.3389/fnins.2016.00084.
42 Chu Q-P, Wang L-E, Cui X-Y, et al. Extract of *Ganoderma lucidum* potentiates pentobarbital-induced sleep via a GABAergic mechanism. *Pharmacology Biochemistry and Behavior*. 2007;86(4):693-98. doi:10.1016/j.pbb.2007.02.015.
43 Kim HD, Hong K-B, Noh DO, Suh HJ. Sleep-inducing effect of lettuce (*Lactuca sativa*) varieties on pentobarbital-induced sleep. *Food Science and Biotechnology*. 2017;26(3):807-14. doi:10.1007/s10068-017-0107-1.
44 Kelley D, Adkins Y, Laugero K. A review of the health benefits of cherries. *Nutrients*. 2018;10(3):368. doi:10.3390/nu10030368.
45 Pigeon WR, Carr M, Gorman C, Perlis ML. Effects of a tart cherry juice beverage on the sleep of older adults with insomnia: a pilot study. *Journal of Medicinal Food*. 2010;13(3):579-83. doi:10.1089/jmf.2009.0096.
46 Losso JN, Finley JW, Karki N, et al. Pilot study of the tart cherry juice for the treatment of insomnia and investigation of mechanisms. *American Journal of Therapeutics*. 2018;25(2):e194-e201. doi:10.1097/mjt.0000000000000584.

133x(98)00068-2.

24 Feige B, Gann H, Brueck R, et al. Effects of alcohol on polysomnographically recorded sleep in healthy subjects. *Alcoholism: Clinical and Experimental Research*. 2006;30(9):1527-37. doi:10.1111/j.1530-0277.2006.00184.x.

25 Chan JKM, Trinder J, Andrewes HE, Colrain IM, Nicholas CL. The acute effects of alcohol on sleep architecture in late adolescence. *Alcoholism: Clinical and Experimental Research*. June 2013:n/a-n/a. doi:10.1111/acer.12141.

26 Rosales-Lagarde A, Armony JL, del Río-Portilla Y, Trejo-Martínez D, Conde R, Corsi-Cabrera M. Enhanced emotional reactivity after selective REM sleep deprivation in humans: an fMRI study. *Frontiers in Behavioral Neuroscience*. 2012;6. doi:10.3389/fnbeh.2012.00025.

27 Lowe PP, Gyongyosi B, Satishchandran A, et al. Reduced gut microbiome protects from alcohol-induced neuroinflammation and alters intestinal and brain inflammasome expression. *Journal of Neuroinflammation*. 2018;15(1). doi:10.1186/s12974-018-1328-9; Gorky J, Schwaber J. The role of the gut-brain axis in alcohol use disorders. *Progress in Neuro-Psychopharmacology and Biological Psychiatry*. 2016;65:234-41. doi:10.1016/j.pnpbp.2015.06.013.

28 Decoeur F, Benmamar-Badel A, Leyrolle Q, Persillet M, Layé S, Nadjar A. Dietary N-3 PUFA deficiency affects sleep-wake activity in basal condition and in response to an inflammatory challenge in mice. *Brain, Behavior, and Immunity*. May 2019. doi:10.1016/j.bbi.2019.05.016; Alzoubi KH, Mayyas F, Abu Zamzam HI. Omega-3 fatty acids protects against chronic sleep-deprivation induced memory impairment. *Life Sciences*. 2019;227:1-7. doi:10.1016/j.lfs.2019.04.028.

29 Jahangard L, Sadeghi A, Ahmadpanah M, et al. Influence of adjuvant omega-3-polyunsaturated fatty acids on depression, sleep, and emotion regulation among outpatients with major depressive disorders — results from a double-blind, randomized and placebo-controlled clinical trial. *Journal of Psychiatric Research*. 2018;107:48-56. doi:10.1016/j.jpsychires.2018.09.016.

30 Yehuda S, Rabinovitz S, Mostofsk DI. Essential fatty acids and sleep: mini-review and hypothesis. *Medical Hypotheses*. 1998;50(2):139-45. doi:10.1016/s0306-9877(98)90200-6.

31 Urade Y, Hayaishi O. Prostaglandin D2 and sleep/wake regulation. *Sleep Medicine Reviews*. 2011;15(6):411-418. doi:10.1016/j.smrv.2011.08.003; Zhang H, Hamilton JH, Salem N, Kim HY. N-3 fatty acid deficiency in the rat pineal gland: effects on phospholipid molecular species composition and endogenous levels of melatonin and lipoxygenase products. *Journal of Lipid Research*. 1998;39(7):1397-403.

32 Papandreou C. Independent associations between fatty acids and sleep quality among obese patients with obstructive sleep apnoea syndrome. *Journal of Sleep Research*. 2013;22(5):569-72. doi:10.1111/jsr.12043.

33 Hartmann E. Effects of L-tryptophan on sleepiness and on sleep. *Journal of Psychiatric Research*. 1982;17(2):107-13. doi:10.1016/0022-3956(82)90012-7.

11 Vanuytsel T, van Wanrooy S, Vanheel H, et al. Psychological stress and corticotropin-releasing hormone increase intestinal permeability in humans by a mast cell-dependent mechanism. *Gut*. 2013;63(8):1293-99. doi:10.1136/gutjnl-2013-305690.
12 A Demographic Profile of U.S. Workers Around the Clock. Population Reference Bureau website. September 18, 2008. https://www.prb.org/workingaroundtheclock/. Accessed October 3, 2019.
13 Reynolds AC, Paterson JL, Ferguson SA, Stanley D, Wright KP Jr, Dawson D. The shift work and health research agenda: considering changes in gut microbiota as a pathway linking shift work, sleep loss and circadian misalignment, and metabolic disease. *Sleep Medicine Reviews*. 2017;34:3-9. doi:10.1016/j.smrv.2016.06.009.
14 Katagiri R, Asakura K, Kobayashi S, Suga H, Sasaki S. Low intake of vegetables, high intake of confectionary, and unhealthy eating habits are associated with poor sleep quality among middle-aged female Japanese workers. *Journal of Occupational Health*. 2014;56(5):359-68. doi:10.1539/joh.14-0051-oa.
15 Afaghi A, O'Connor H, Chow CM. High-glycemic-index carbohydrate meals shorten sleep onset. *American Journal of Clinical Nutrition*. 2007;85(2):426-30. doi:10.1093/ajcn/85.2.426.
16 St-Onge M-P, Roberts A, Shechter A, Choudhury AR. Fiber and saturated fat are associated with sleep arousals and slow wave sleep. *Journal of Clinical Sleep Medicine*. 2016;12(1):19-24. doi:10.5664/jcsm.5384.
17 Shechter A, O'Keeffe M, Roberts AL, Zammit GK, Choudhury AR, St-Onge M-P. Alterations in sleep architecture in response to experimental sleep curtailment are associated with signs of positive energy balance. *American Journal of Physiology. Regulatory, Integrative and Comparative Physiology*. 2012;303(9):R883-R889. doi:10.1152/ajpregu.00222.2012.
18 Grandner MA, Jackson N, Gerstner JR, Knutson KL. Dietary nutrients associated with short and long sleep duration. Data from a nationally representative sample. *Appetite*. 2013;64:71-80.
19 Sheehan CM, Frochen SE, Walsemann KM, Ailshire JA. Are U.S. adults reporting less sleep? Findings from sleep duration trends in the National Health Interview Survey, 2004-2017. *Sleep*. 2018;42(2). doi:10.1093/sleep/zsy221.
20 Ribeiro JA1, Sebastião AM. Caffeine and adenosine. *Journal of Alzheimer's Disease*. 2010;20(suppl 1):S3-15. doi:10.3233/JAD-2010-1379.
21 Drake C, Roehrs T, Shambroom J, Roth T. Caffeine effects on sleep taken 0, 3, or 6 hours before going to bed. *Journal of Clinical Sleep Medicine*. November 2013. doi:10.5664/jcsm.3170.
22 Poole R, Kennedy OJ, Roderick P, Fallowfield JA, Hayes PC, Parkes J. Coffee consumption and health: umbrella review of meta-analyses of multiple health outcomes. *BMJ*. November 2017:j5024. doi:10.1136/bmj.j5024.
23 Roehrs T. Ethanol as a hypnotic in insomniacs: self administration and effects on sleep and mood. *Neuropsychopharmacology*. 1999;20(3):279-86. doi:10.1016/s0893-

nervosa. *Eating and Weight Disorders — Studies on Anorexia, Bulimia and Obesity*. 2017;22(2):277-84. doi:10.1007/s40519-017-0364-2.

39 Contesini N, Adami F, Blake M, et al. Nutritional strategies of physically active subjects with muscle dysmorphia. *International Archives of Medicine*. 2013;6(1):25. doi:10.1186/1755-7682-6-25.

40 Position of the American Dietetic Association, Dietitians of Canada, and the American College of Sports Medicine: nutrition and athletic performance. *Journal of the American Dietetic Association*. 2009;109(3):509-27. doi:10.1016/j.jada.2009.01.005.

第八章　不眠症と疲労

1 Bhaskar S, Hemavathy D, Prasad S. Prevalence of chronic insomnia in adult patients and its correlation with medical comorbidities. *Journal of Family Medicine and Primary Care*. 2016;5(4):780. doi:10.4103/2249-4863.201153.

2 Dikeos D, Georgantopoulos G. Medical comorbidity of sleep disorders. *Current Opinion in Psychiatry*. 2011;24(4):346-54. doi:10.1097/yco.0b013e3283473375.

3 Li Y, Hao Y, Fan F, Zhang B. The role of microbiome in insomnia, circadian disturbance and depression. *Frontiers in Psychiatry*. 2018;9. doi:10.3389/fpsyt.2018.00669.

4 Davies SK, Ang JE, Revell VL, et al. Effect of sleep deprivation on the human metabolome. *Proceedings of the National Academy of Sciences of the United States of America*. 2014;111(29):10761-66. doi:10.1073/pnas.1402663111.

5 Johnston JD, Ordovás JM, Scheer FA, Turek FW. Circadian rhythms, metabolism, and chrononutrition in rodents and humans. *Advances in Nutrition*. 2016;7(2):399-406. doi:10.3945/an.115.010777.

6 Thaiss CA, Zeevi D, Levy M, et al. Transkingdom control of microbiota diurnal oscillations promotes metabolic homeostasis. *Cell*. 2014;159(3):514-29. doi:10.1016/j.cell.2014.09.048.

7 Thaiss CA, Levy M, Korem T, et al. Microbiota diurnal rhythmicity programs host transcriptome oscillations. *Cell*. 2016;167(6):1495-1510.e12. doi:10.1016/j.cell.2016.11.003.

8 Thaiss et al. Transkingdom control of microbiota diurnal oscillations promotes metabolic homeostasis. *Cell*. 2014;159(3):514-29. doi:10.1016/j.cell.2014.09.048.

9 Kunze KN, Hanlon EC, Prachand VN, Brady MJ. Peripheral circadian misalignment: contributor to systemic insulin resistance and potential intervention to improve bariatric surgical outcomes. *American Journal of Physiology. Regulatory, Integrative and Comparative Physiology*. 2016;311(3):R558-R563. doi:10.1152/ajpregu.00175.2016.

10 Poroyko VA, Carreras A, Khalyfa A, et al. Chronic sleep disruption alters gut microbiota, induces systemic and adipose tissue inflammation and insulin resistance in mice. *Scientific Reports*. 2016;6(1). doi:10.1038/srep35405.

reuptake inhibitors in the treatment of obsessive-compulsive disorder: a double-blind cross-over study. *International Journal of Neuropsychopharmacology*. 1999;2(3):193-95. doi:10.1017/s1461145799001546.

27 Albelda N, Bar-On N, Joel D. The role of NMDA receptors in the signal attenuation rat model of obsessive-compulsive disorder. *Psychopharmacology*. 2010;210(1):13-24. doi:10.1007/s00213-010-1808-9; Singer HS, Morris C, Grados M. Glutamatergic modulatory therapy for Tourette syndrome. *Medical Hypotheses*. 2010;74(5):862-67. doi:10.1016/j.mehy.2009.11.028.

28 Greenberg WM, Benedict MM, Doerfer J, et al. Adjunctive glycine in the treatment of obsessive-compulsive disorder in adults. *Journal of Psychiatric Research*. 2009;43(6):664-70. doi:10.1016/j.jpsychires.2008.10.007.

29 Cleveland WL, DeLaPaz RL, Fawwaz RA, Challop RS. High-dose glycine treatment of refractory obsessive-compulsive disorder and body dysmorphic disorder in a 5-year period. *Neural Plasticity*. 2009;2009:1-25. doi:10.1155/2009/768398.

30 Mazzio E, Harris N, Soliman K. Food constituents attenuate monoamine oxidase activity and peroxide levels in C6 astrocyte cells. *Planta Medica*. 1998;64(7):603-6. doi:10.1055/s-2006-957530.

31 Sayyah M, Boostani H, Pakseresht S, Malayeri A. Comparison of *Silybum marianum* (L.) Gaertn. with fluoxetine in the treatment of obsessive-compulsive disorder. *Progress in Neuro-Psychopharmacology and Biological Psychiatry*. 2010;34(2):362-65. doi:10.1016/j.pnpbp.2009.12.016.

32 Hermesh H, Weizman A, Shahar A, Munitz H. Vitamin B12 and folic acid serum levels in obsessive compulsive disorder. *Acta Psychiatrica Scandinavica*. 1988;78(1):8-10. doi:10.1111/j.1600-0447.1988.tb06294.x; Ozdemir O, Turksoy N, Bilici R, et al. Vitamin B12, folate, and homocysteine levels in patients with obsessive-compulsive disorder. *Neuropsychiatric Disease and Treatment*. September 2014:1671. doi:10.2147/ndt.s67668.

33 Sharma V, Biswas D. Cobalamin deficiency presenting as obsessive compulsive disorder: case report. *General Hospital Psychiatry*. 2012;34(5):578.e7-578.e8. doi:10.1016/j.genhosppsych.2011.11.006.

34 Watanabe F, Yabuta Y, Bito T, Teng F. Vitamin B12-containing plant food sources for vegetarians. *Nutrients*. 2014;6(5):1861-73. doi:10.3390/nu6051861.

35 Watanabe F, Katsura H, Takenaka S, et al. Pseudovitamin B12 is the predominant cobamide of an algal health food, spirulina tablets. *Journal of Agricultural and Food Chemistry*. 1999;47(11):4736-41. doi:10.1021/jf990541b.

36 Chimakurthy J, Murthy TE. Effect of curcumin on quinpirole induced compulsive checking: an approach to determine the predictive and construct validity of the model. *North American Journal of Medical Sciences*. 2010;2(2):81-86.

37 Depa J, Barrada J, Roncero M. Are the motives for food choices different in orthorexia nervosa and healthy orthorexia? *Nutrients*. 2019;11(3):697. doi:10.3390/nu11030697.

38 Turner PG, Lefevre CE. Instagram use is linked to increased symptoms of orthorexia

15 Weiss AP, Jenike MA. Late-onset obsessive-compulsive disorder. *Journal of Neuropsychiatry and Clinical Neurosciences*. 2000;12(2):265-68. doi:10.1176/jnp.12.2.265.

16 Wright RA, Arnold MB, Wheeler WJ, Ornstein PL, Schoepp DD. [3H] LY341495 binding to group II metabotropic glutamate receptors in rat brain. *Journal of Pharmacology and Experimental Therapeutics*. 2001;298(2):453-60.

17 Berk M, Ng F, Dean O, Dodd S, Bush AI. Glutathione: a novel treatment target in psychiatry. *Trends in Pharmacological Sciences*. 2008;29(7):346-51. doi:10.1016/j.tips.2008.05.001; Ng F, Berk M, Dean O, Bush AI. Oxidative stress in psychiatric disorders: evidence base and therapeutic implications. *International Journal of Neuropsychopharmacology*. 2008;11(6). doi:10.1017/s1461145707008401.

18 Ghanizadeh A, Mohammadi MR, Bahraini S, Keshavarzi Z, Firoozabadi A, Alavi Shoshtari A. Efficacy of N-acetylcysteine augmentation on obsessive compulsive disorder: a multicenter randomized double blind placebo controlled clinical trial. *Iranian Journal of Psychiatry*. 2017;12(2):134-41.

19 Lafleur DL, Pittenger C, Kelmendi B, et al. N-acetylcysteine augmentation in serotonin reuptake inhibitor refractory obsessive-compulsive disorder. *Psychopharmacology*. 2005;184(2):254-56. doi:10.1007/s00213-005-0246-6.

20 Grant JE, Odlaug BL, Won Kim S. N-acetylcysteine, a glutamate modulator, in the treatment of trichotillomania. *Archives of General Psychiatry*. 2009;66(7):756. doi:10.1001/archgenpsychiatry.2009.60.

21 Berk M, Jeavons S, Dean OM, et al. Nail-biting stuff? The effect of N-acetyl cysteine on nail-biting. *CNS Spectrums*. 2009;14(7):357-60. doi:10.1017/s1092852900023002; Odlaug BL, Grant JE. N-acetyl cysteine in the treatment of grooming disorders. *Journal of Clinical Psychopharmacology*. 2007;27(2):227-29. doi:10.1097/01.jcp.0000264976.86990.00; Braun TL, Patel V, DeBord LC, Rosen T. A review of N-acetylcysteine in the treatment of grooming disorders. *International Journal of Dermatology*. 2019;58(4):502-10. doi:10.1111/ijd.14371.

22 Frey R, Metzler D, Fischer P, et al. Myo-inositol in depressive and healthy subjects determined by frontal 1H-magnetic resonance spectroscopy at 1.5 tesla. *Journal of Psychiatric Research*. 1998;32(6):411-20. doi:10.1016/s0022-3956(98)00033-8.

23 Fisher SK, Heacock AM, Agranoff BW. Inositol lipids and signal transduction in the nervous system: an update. *Journal of Neurochemistry*. 1992;58(1):18-38. doi:10.1111/j.1471-4159.1992.tb09273.x.

24 Einat H, Belmaker R. The effects of inositol treatment in animal models of psychiatric disorders. *Journal of Affective Disorders*. 2001;62(1-2):113-21. doi:10.1016/s0165-0327(00)00355-4.

25 Fux M, Levine J, Aviv A, Belmaker RH. Inositol treatment of obsessive-compulsive disorder. *American Journal of Psychiatry*. 1996;153(9):1219-21. doi:10.1176/ajp.153.9.1219.

26 Fux M, Benjamin J, Belmaker RH. Inositol versus placebo augmentation of serotonin

disorder. *Dialogues in Clinical Neuroscience*. 2015;17(3):249-60.

2 Pallanti S, Grassi G, Sarrecchia ED, Cantisani A, Pellegrini M. Obsessive-compulsive disorder comorbidity: clinical assessment and therapeutic implications. *Frontiers in Psychiatry*. 2011;2. doi:10.3389/fpsyt.2011.00070.

3 Kantak PA, Bobrow DN, Nyby JG. Obsessive-compulsive-like behaviors in house mice are attenuated by a probiotic (*Lactobacillus rhamnosus* GG). *Behavioural Pharmacology*. 2014;25(1):71-79. doi:10.1097/fbp.0000000000000013.

4 Jung TD, Jung PS, Raveendran L, et al. Changes in gut microbiota during development of compulsive checking and locomotor sensitization induced by chronic treatment with the dopamine agonist quinpirole. *Behavioural Pharmacology*. 2018;29(2-3; special issue):211-24.

5 Turna J, Grosman Kaplan K, Anglin R, Van Ameringen M. "What's bugging the gut in OCD?" A review of the gut microbiome in obsessive-compulsive disorder. *Depression and Anxiety*. 2015;33(3):171-78. doi:10.1002/da.22454.

6 Gustafsson PE, Gustafsson PA, Ivarsson T, Nelson N. Diurnal cortisol levels and cortisol response in youths with obsessive-compulsive disorder. *Neuropsychobiology*. 2008;57(1-2):14-21. doi:10.1159/000123117.

7 Rees JC. Obsessive-compulsive disorder and gut microbiota dysregulation. *Medical Hypotheses*. 2014;82(2):163-66. doi:10.1016/j.mehy.2013.11.026.

8 Real E, Labad J, Alonso P, et al. Stressful life events at onset of obsessive-compulsive disorder are associated with a distinct clinical pattern. *Depression and Anxiety*. 2011;28(5):367-76. doi:10.1002/da.20792.

9 Holton KF, Cotter EW. Could dietary glutamate be contributing to the symptoms of obsessive-compulsive disorder? *Future Science OA*. 2018;4(3):FSO277. doi:10.4155/fsoa-2017-0105.

10 Vlček P, Polák J, Brunovský M, Horáček J. Correction: role of glutamatergic system in obsessive-compulsive disorder with possible therapeutic implications. *Pharmacopsychiatry*. 2017;51(6):e3-e3. doi:10.1055/s-0043-121511.

11 Pittenger C, Bloch MH, Williams K. Glutamate abnormalities in obsessive compulsive disorder: neurobiology, pathophysiology, and treatment. *Pharmacology and Therapeutics*. 2011;132(3):314-32. doi:10.1016/j.pharmthera.2011.09.006.

12 Li Y, Zhang CC, Weidacker K, et al. Investigation of anterior cingulate cortex gamma-aminobutyric acid and glutamate-glutamine levels in obsessive-compulsive disorder using magnetic resonance spectroscopy. *BMC Psychiatry*. 2019;19(1). doi:10.1186/s12888-019-2160-1.

13 Rodrigo L, Álvarez N, Fernández-Bustillo E, Salas-Puig J, Huerta M, Hernández-Lahoz C. Efficacy of a gluten-free diet in the Gilles de la Tourette syndrome: a pilot study. *Nutrients*. 2018;10(5):573. doi:10.3390/nu10050573.

14 Pennisi M, Bramanti A, Cantone M, Pennisi G, Bella R, Lanza G. Neurophysiology of the "celiac brain": disentangling gut-brain connections. *Frontiers in Neuroscience*. 2017;11. doi:10.3389/fnins.2017.00498.

a psychological stressor battery. *Neuropsychopharmacology*. 2006;31(4):845-52.
61 Morris MC, Tangney CC, Wang Y, Sacks FM, Bennett DA, Aggarwal NT. MIND diet associated with reduced incidence of Alzheimer's disease. *Alzheimer's and Dementia*. 2015;11(9):1007-14. doi:10.1016/j.jalz.2014.11.009.
62 Challa HJ, Tadi P, Uppaluri KR. *DASH Diet (Dietary Approaches to Stop Hypertension)* [updated May 15, 2019]. In: StatPearls [internet]. Treasure Island, FL: StatPearls Publishing; 2019 Jan-. Available from: https://www.ncbi.nlm.nih.gov/books/NBK482514/.
63 Morris MC, Tangney CC, Wang Y, Sacks FM, Bennett DA, Aggarwal NT.MIND diet associated with reduced incidence of Alzheimer's disease. *Alzheimer's and Dementia*. 2015;11(9):1007-14. doi:10.1016/j.jalz.2014.11.009.
64 Hosking DE, Eramudugolla R, Cherbuin N, Anstey KJ. MIND not Mediterranean diet related to 12-year incidence of cognitive impairment in an Australian longitudinal cohort study. *Alzheimer's and Dementia*. 2019;15(4):581-89. doi:10.1016/j.jalz.2018.12.011.
65 Agarwal P, Wang Y, Buchman AS, Holland TM, Bennett DA, Morris MC. MIND diet associated with reduced incidence and delayed progression of Parkinsonism in old age. *Journal of Nutrition, Health and Aging*. 2018;22(10):1211-15. doi:10.1007/s12603-018-1094-5.
66 Morris MC, Tangney CC, Wang Y, et al. MIND diet slows cognitive decline with aging. *Alzheimer's and Dementia*. 2015;11(9):1015-22. doi:10.1016/j.jalz.2015.04.011.
67 Theoharides TC, Stewart JM, Hatziagelaki E, Kolaitis G. Brain "fog," inflammation and obesity: key aspects of neuropsychiatric disorders improved by luteolin. *Frontiers in Neuroscience*. 2015;9:225. doi:10.3389/fnins.2015.00225.
68 Rao SSC, Rehman A, Yu S, Andino NM. Brain fogginess, gas and bloating: a link between SIBO, probiotics and metabolic acidosis. *Clinical and Translational Gastroenterology*. 2018;9(6):162.
69 Harper L, Bold J. An exploration into the motivation for gluten avoidance in the absence of coeliac disease. *Gastroenterology and Hepatology from Bed to Bench*. 2018;11(3):259-68.
70 Kato-Kataoka A, Sakai M, Ebina R, Nonaka C, Asano T, Miyamori T. Soybean-derived phosphatidylserine improves memory function of the elderly Japanese subjects with memory complaints. *Journal of Clinical Biochemistry and Nutrition*. 2010;47(3):246-55. doi:10.3164/jcbn.10-62.
71 Fioravanti M, Buckley AE. Citicoline (Cognizin) in the treatment of cognitive impairment. *Clinical Interventions in Aging*. 2006;1(3):247-51. doi:10.2147/ciia.2006.1.3.247.

第七章　強迫性障害

1 Goodwin GM. The overlap between anxiety, depression, and obsessive-compulsive

cognitive function in the elderly. *American Journal of Epidemiology*. 2006;164(9):898-906. doi:10.1093/aje/kwj267.

50 Mathuranath PS, George A, Ranjith N, et al. Incidence of Alzheimer's disease in India: a 10 years follow-up study. *Neurology India*. 2012;60(6):625-30. doi:10.4103/0028-3886.105198.

51 Pandit C, Sai Latha S, Usha Rani T, Anilakumar KR. Pepper and cinnamon improve cold induced cognitive impairment via increasing non-shivering thermogenesis; a study. *International Journal of Hyperthermia*. 2018;35(1):518-27. doi:10.1080/02656736.2018.1511835.

52 Akhondzadeh S, Sabet MS, Harirchian MH, et al. Saffron in the treatment of patients with mild to moderate Alzheimer's disease: a 16-week, randomized and placebo-controlled trial. *Journal of Clinical Pharmacy and Therapeutics*. 2010;35(5):581-88. doi:10.1111/j.1365-2710.2009.01133.x.

53 Diego MA, Jones NA, Field T, et al. Aromatherapy positively affects mood, EEG patterns of alertness and math computations. *International Journal of Neuroscience*. 1998;96(3-4):217-24. doi:10.3109/00207459808986469.

54 Moss M, Oliver L. Plasma 1,8-cineole correlates with cognitive performance following exposure to rosemary essential oil aroma. *Therapeutic Advances in Psychopharmacology*. 2012;2(3):103-13. doi:10.1177/2045125312436573.

55 Moss M, Cook J, Wesnes K, Duckett P. Aromas of rosemary and lavender essential oils differentially affect cognition and mood in healthy adults. *International Journal of Neuroscience*. 2003;113(1):15-38. doi:10.1080/00207450390161903.

56 Saenghong N, Wattanathorn J, Muchimapura S, et al. Zingiber officinale improves cognitive function of the middle-aged healthy women. *Evidence-Based Complementary and Alternative Medicine*. 2012;2012:383062. doi:10.1155/2012/383062.

57 Zeng GF, Zhang ZY, Lu L, Xiao DQ, Zong SH, He JM. Protective effects of ginger root extract on Alzheimer disease-induced behavioral dysfunction in rats. *Rejuvenation Research*. 2013;16(2):124-33. doi:10.1089/rej.2012.1389; Azam F, Amer AM, Abulifa AR, Elzwawi MM. Ginger components as new leads for the design and development of novel multi-targeted anti-Alzheimer's drugs: a computational investigation. *Drug Design, Development and Therapy*. 2014;8:2045-59. doi:10.2147/DDDT.S67778.

58 Lopresti AL. *Salvia* (sage): a review of its potential cognitive-enhancing and protective effects. Drugs in R&D. 2017;17(1):53-64. doi:10.1007/s40268-016-0157-5.

59 Tildesley NT, Kennedy DO, Perry EK, et al. *Salvia lavandulaefolia* (Spanish sage) enhances memory in healthy young volunteers. *Pharmacology, Biochemistry, and Behavior*. 2003;75(3):669-74; Tildesley NT, Kennedy DO, Perry EK, Ballard CG, Wesnes KA, Scholey AB. Positive modulation of mood and cognitive performance following administration of acute doses of *Salvia lavandulaefolia* essential oil to healthy young volunteers. *Physiology and Behavior*. 2005;83(5):699-709.

60 Kennedy DO, Pace S, Haskell C, Okello EJ, Milne A, Scholey AB. Effects of cholinesterase inhibiting sage (*Salvia officinalis*) on mood, anxiety and performance on

single foods, Alzheimer's dementia and memory decline in the elderly. *Nutrients*. 2018 Jul; 10(7):852.
37 Rehm J, Hasan OSM, Black SE, Shield KD, Schwarzinger M. Alcohol use and dementia: a systematic scoping review. *Alzheimer's Research and Therapy*. 2019;11(1):1. doi:10.1186/s13195-018-0453-0.
38 Sabia S, Fayosse A, Dumurgier J, et al. Alcohol consumption and risk of dementia: 23 year follow-up of Whitehall II cohort study. *BMJ*. 2018;362:k2927. doi:10.1136/bmj.k2927.
39 van Gelder BM, Buijsse B, Tijhuis M, et al. Coffee consumption is inversely associated with cognitive decline in elderly European men: the FINE Study. *European Journal of Clinical Nutrition*. 2007;61(2):226-32. doi:10.1038/sj.ejcn.1602495.
40 Eskelinen MH, Ngandu T, Tuomilehto J, Soininen H, Kivipelto M. Midlife coffee and tea drinking and the risk of late-life dementia: a population-based CAIDE study. *Journal of Alzheimer's Disease*. 2009;16(1):85-91. doi:10.3233/JAD-2009-0920.
41 Wierzejska R. Can coffee consumption lower the risk of Alzheimer's disease and Parkinson's disease? A literature review. *Archives of Medical Science*. 2017;13(3):507-14. doi:10.5114/aoms.2016.63599.
42 Jee SH, He J, Appel LJ, Whelton PK, Suh I, Klag MJ. Coffee consumption and serum lipids: a meta-analysis of randomized controlled clinical trials. *American Journal of Epidemiology*. 2001;153(4):353-62. doi:10.1093/aje/153.4.353.
43 Wierzejska R. Can coffee consumption lower the risk of Alzheimer's disease and Parkinson's disease? A literature review. *Archives of Medical Science*. 2017;13(3):507-14. doi:10.5114/aoms.2016.63599.
44 Rinaldi de Alvarenga JF, Quifer-Rada P, Francetto Juliano F, et al. Using extra virgin olive oil to cook vegetables enhances polyphenol and carotenoid extractability: a study applying the *sofrito* technique. *Molecules*. 2019 Apr;24(8):1555. doi:10.3390/molecules24081555.
45 Kang H, Zhao F, You L, et al. Pseudo-dementia: a neuropsychological review. *Annals of Indian Academy of Neurology*. 2014;17(2):147-54. doi:10.4103/0972-2327.132613.
46 Da Costa IM, Freire MAM, De Paiva Cavalcanti JRL, et al. Supplementation with *Curcuma longa* reverses neurotoxic and behavioral damage in models of Alzheimer's disease: a systematic review. *Current Neuropharmacology*. 2019;17(5):406-21. doi:10.2174/0929867325666180117112610.
47 Seddon N, D'Cunha NM, Mellor DD, McKune AJ, Georgousopoulou EN, Panagiotakos DB, et al. Effects of curcumin on cognitive function — a systematic review of randomized controlled trials. *Exploratory Research and Hypothesis in Medicine*. 2019;4(1):1. doi:10.14218/ERHM.2018.00024.
48 Shoba G, Joy D, Joseph T, Majeed M, Rajendran R, Srinivas PS. Influence of piperine on the pharmacokinetics of curcumin in animals and human volunteers. *Planta Medica*. 1998;64(4):353-56. doi:10.1055/s-2006-957450.
49 Ng TP, Chiam PC, Lee T, Chua HC, Lim L, Kua EH. Curry consumption and

2018;24(14):1521-30. doi:10.3748/wjg.v24.i14.1521.
26 Rashtak S, Murray JA. Celiac disease in the elderly. *Gastroenterology Clinics of North America*. 2009;38(3):433-46. doi:10.1016/j.gtc.2009.06.005.
27 Lichtwark IT, Newnham ED, Robinson SR, et al. Cognitive impairment in coeliac disease improves on a gluten-free diet and correlates with histological and serological indices of disease severity. *Alimentary Pharmacology and Therapeutics*. 2014;40(2):160-70. doi:10.1111/apt.12809; Casella S, Zanini B, Lanzarotto F, et al. Cognitive performance is impaired in coeliac patients on gluten free diet: a case-control study in patients older than 65 years of age. *Digestive and Liver Disease*. 2012;44(9):729-35. doi:10.1016/j.dld.2012.03.008.
28 Witte AV, Fobker M, Gellner R, Knecht S, Flöel A. Caloric restriction improves memory in elderly humans. *Proceedings of the National Academy of Sciences of the United States of America*. 2009;106(4):1255-60. doi:10.1073/pnas.0808587106.
29 Martin B, Mattson MP, Maudsley S. Caloric restriction and intermittent fasting: two potential diets for successful brain aging. *Ageing Research Reviews*. 2006;5(3):332-53. doi:10.1016/j.arr.2006.04.002; Wang J, Ho L, Qin W, et al. Caloric restriction attenuates beta-amyloid neuropathology in a mouse model of Alzheimer's disease. *FASEB Journal*. 2005;19(6):659-61. doi:10.1096/fj.04-3182fje; Srivastava S, Haigis MC. Role of sirtuins and calorie restriction in neuroprotection: implications in Alzheimer's and Parkinson's diseases. *Current Pharmaceutical Design*. 2011;17(31):3418-33. doi:10.2174/138161211798072526.
30 Leclerc E, Trevizol AP, Grigolon RB, et al. The effect of caloric restriction on working memory in healthy non-obese adults. *CNS Spectrums*. 2019:1-7. doi:10.1017/S1092852918001566.
31 Green MW, Rogers PJ. Impairments in working memory associated with spontaneous dieting behaviour. *Psychological Medicine*. 1998;28(5):1063-70. doi:10.1017/s0033291798007016; Kemps E, Tiggemann M, Marshall K. Relationship between dieting to lose weight and the functioning of the central executive. *Appetite*. 2005;45(3):287-94. doi:10.1016/j.appet.2005.07.002.
32 大豆イソフラボンの詳細については以下が参考になる。Soy Isoflavones. Oregon State University website. https://lpi.oregonstate.edu/mic/dietary-factors/phytochemicals/soy-isoflavones. Accessed November 22, 2016.
33 Cheng PF, Chen JJ, Zhou XY, et al. Do soy isoflavones improve cognitive function in postmenopausal women? A meta-analysis. *Menopause*. 2015;22(2):198-206. doi:10.1097/GME.0000000000000290.
34 Gleason CE, Fischer BL, Dowling NM, et al. Cognitive effects of soy isoflavones in patients with Alzheimer's disease. *Journal of Alzheimer's Disease*. 2015;47(4):1009-19. doi:10.3233/JAD-142958.
35 Setchell KD, Clerici C. Equol: pharmacokinetics and biological actions. *Journal of Nutrition*. 2010;140(7):1363S-68S. doi:10.3945/jn.109.119784.
36 Fischer K, Melo van Lent D, Wolfsgruber S, et al. Prospective associations between

13 Woollett K, Maguire EA. Acquiring "the Knowledge" of London's layout drives structural brain changes. *Current Biology*. 2011;21(24):2109-14. doi:10.1016/j.cub.2011.11.018; Noble KG, Grieve SM, Korgaonkar MS, et al. Hippocampal volume varies with educational attainment across the life-span. *Frontiers in Human Neuroscience*. 2012;6:307. doi:10.3389/ fnhum.2012.00307.
14 Stevenson RJ, Francis HM. The hippocampus and the regulation of human food intake. *Psychological Bulletin*. 2017;143(10):1011-32. doi:10.1037/bul0000109.
15 Gomez-Pinilla F. The combined effects of exercise and foods in preventing neurological and cognitive disorders. *Preventive Medicine*. 2011;52(suppl 1):S75-80.
16 Mcnay EC, Ong CT, Mccrimmon RJ, Cresswell J, Bogan JS, Sherwin RS. Hippocampal memory processes are modulated by insulin and high-fat-induced insulin resistance. *Neurobiology of Learning and Memory*. 2010;93(4):546-53. doi:10.1016/j.nlm.2010.02.002.
17 Wu A, Ying Z, Gomez-Pinilla F. The interplay between oxidative stress and brain-derived neurotrophic factor modulates the outcome of a saturated fat diet on synaptic plasticity and cognition. *European Journal of Neuroscience*. 2004;19(7):1699-707. doi:10.1111/j.1460-9568.2004.03246.x.
18 Lowe CJ, Reichelt AC, Hall PA. The prefrontal cortex and obesity: a health neuroscience perspective. *Trends in Cognitive Sciences*. 2019;23(4):349-61. doi:10.1016/j.tics.2019.01.005.
19 Hsu TM, Kanoski SE. Blood-brain barrier disruption: mechanistic links between Western diet consumption and dementia. *Frontiers in Aging Neuroscience*. 2014;6:88. doi:10.3389/fnagi.2014.00088.
20 Pistell PJ, Morrison CD, Gupta S, et al. Cognitive impairment following high fat diet consumption is associated with brain inflammation. *Journal of Neuroimmunology*. 2010;219(1-2):25-32. doi:10.1016/j.jneuroim.2009.11.010.
21 Naneix F, Tantot F, Glangetas C, et al. Impact of early consumption of high-fat diet on the mesolimbic dopaminergic system. *eNeuro*. 2017;4(3). doi:10.1523/ENEURO.0120-17.2017; Valladolid-Acebes I, Merino B, Principato A, et al. High-fat diets induce changes in hippocampal glutamate metabolism and neurotransmission. *American Journal of Physiology, Endocrinology and Metabolism*. 2012;302(4):E396-402. doi:10.1152/ajpendo.00343.2011.
22 Boitard C, Etchamendy N, Sauvant J, et al. Juvenile, but not adult exposure to high-fat diet impairs relational memory and hippocampal neurogenesis in mice. *Hippocampus*. 2012;22(11):2095-100. doi:10.1002/hipo.22032.
23 Nilsson LG, Nilsson E. Overweight and cognition. *Scandinavian Journal of Psychology*. 2009;50(6):660-67. doi:10.1111/j.1467-9450.2009.00777.x.
24 Loprinzi PD, Ponce P, Zou L, Li H. The counteracting effects of exercise on high-fat diet-induced memory impairment: a systematic review. *Brain Sciences*. 2019;9(6).
25 Losurdo G, Principi M, Iannone A, et al. Extra-intestinal manifestations of non-celiac gluten sensitivity: an expanding paradigm. *World Journal of Gastroenterology*.

Complementary Medicine. 2008;14(1):79-85.

42 Kim JY, Kang HL, Kim DK, Kang SW, Park YK. Eating habits and food additive intakes are associated with emotional states based on EEG and HRV in healthy Korean children and adolescents. *Journal of the American College of Nutrition*. 2017;36(5):335-41.

43 Weyandt LL, Oster DR, Marraccini ME, et al. Prescription stimulant medication misuse: where are we and where do we go from here? *Experimental and Clinical Psychopharmacology*. 2016;24(5):400-414.

第六章　認知症と頭のなかの霧

1 Farzi A, Fröhlich EE, Holzer P. Gut microbiota and the neuroendocrine system. *Neurotherapeutics*. 2018;15(1):5-22. doi:10.1007/s13311-017-0600-5.

2 Alkasir R, Li J, Li X, Jin M, Zhu B. Human gut microbiota: the links with dementia development. *Protein and Cell*. 2017;8(2):90-102. doi:10.1007/s13238-016-0338-6.

3 Tully K, Bolshakov VY. Emotional enhancement of memory: how norepinephrine enables synaptic plasticity. *Molecular Brain*. 2010;3:15. doi:10.1186/1756-6606-3-15.

4 Ghacibeh GA, Shenker JI, Shenal B, Uthman BM, Heilman KM. The influence of vagus nerve stimulation on memory. *Cognitive and Behavioral Neurology*. 2006;19(3):119-22. doi:10.1097/01.wnn.0000213908.34278.7d.

5 Cawthon CR, de La Serre CB. Gut bacteria interaction with vagal afferents. *Brain Research*. 2018;1693(Pt B):134-39. doi:10.1016/j.brainres.2018.01.012.

6 Scheperjans F, Aho V, Pereira PA, et al. Gut microbiota are related to Parkinson's disease and clinical phenotype. *Movement Disorders*. 2015;30(3):350-58.

7 Evidence suggests rosacea may be linked to Parkinson's and Alzheimer's disease. *Nursing Standard*. 2016;30(39):14. doi:10.7748/ns.30.39.14.s16.

8 Parodi A, Paolino S, Greco A, et al. Small intestinal bacterial overgrowth in rosacea: clinical effectiveness of its eradication. *Clinical Gastroenterology Hepatology*. 2008;6(7):759-64. doi:10.1016/j.cgh.2008.02.054.

9 Alkasir R, Li J, Li X, Jin M, Zhu B. Human gut microbiota: the links with dementia development. *Protein and Cell*. 2017;8(2):90-102. doi:10.1007/s13238-016-0338-6.

10 Yamashita T, Kasahara K, Emoto T, et al. Intestinal immunity and gut microbiota as therapeutic targets for preventing atherosclerotic cardiovascular diseases. *Circulation Journal*. 2015;79(9):1882-90. doi:10.1253/circj.CJ-15-0526.

11 Morris MJ, Beilharz JE, Maniam J, Reichelt AC, Westbrook RF. Why is obesity such a problem in the 21st century? The intersection of palatable food, cues and reward pathways, stress, and cognition. *Neuroscience and Biobehavorial Reviews*. 2015;58:36-45. doi:10.1016/j.neubiorev.2014.12.002.

12 Morin JP, Rodríguez-Durán LF, Guzmán-Ramos K, et al. Palatable hyper-caloric foods impact on neuronal plasticity. *Frontiers in Behavioral Neuroscience*. 2017;11:19. doi:10.3389/fnbeh.2017.00019.

31 Ríos-Hernández A, Alda JA, Farran-Codina A, Ferreira-García E, Izquierdo-Pulido M. The Mediterranean diet and ADHD in children and adolescents. *Pediatrics*. 2017;139(2):e20162027. doi:10.1542/peds.2016-2027.

32 San Mauro Martín I, Blumenfeld Olivares JA, Garicano Vilar E, et al. Nutritional and environmental factors in attention-deficit hyperactivity disorder (ADHD): a cross-sectional study. *Nutritional Neuroscience*. 2017;21(9):641-47. doi:10.1080/1028415x.2017.1331952.

33 Durá-Travé T, Gallinas-Victoriano F. Caloric and nutrient intake in children with attention deficit hyperactivity disorder treated with extended-release methylphenidate: analysis of a cross-sectional nutrition survey. *JRSM Open*. 2014;5(2):204253331351769. doi:10.1177/2042533313517690.

34 Kennedy DO, Wightman EL, Forster J, Khan J, Haskell-Ramsay CF, Jackson PA. Cognitive and mood effects of a nutrient enriched breakfast bar in healthy adults: a randomised, double-blind, placebo-controlled, parallel groups study. *Nutrients*. 2017;9(12):1332. doi:10.3390/nu9121332.

35 Bidwell LC, McClernon FJ, Kollins SH. Cognitive enhancers for the treatment of ADHD. *Pharmacology Biochemistry and Behavior*. 2011;99(2):262-74. doi:10.1016/j.pbb.2011.05.002; Liu K, Liang X, Kuang W. Tea consumption may be an effective active treatment for adult attention deficit hyperactivity disorder (ADHD). *Medical Hypotheses*. 2011;76(4):461-63. doi:10.1016/j.mehy.2010.08.049.

36 Ioannidis K, Chamberlain SR, Müller U. Ostracising caffeine from the pharmacological arsenal for attention-deficit hyperactivity disorder — was this a correct decision? A literature review. *Journal of Psychopharmacology*. 2014;28(9):830-36. doi:10.1177/0269881114541014.

37 Verlaet A, Maasakkers C, Hermans N, Savelkoul H. Rationale for dietary antioxidant treatment of ADHD. *Nutrients*. 2018;10(4):405. doi:10.3390/nu10040405.

38 Joseph N, Zhang-James Y, Perl A, Faraone SV. Oxidative stress and ADHD. *Journal of Attention Disorders*. 2013;19(11):915-24. doi:10.1177/1087054713510354.

39 Golub MS, Takeuchi PT, Keen CL, Hendrick AG, Gershwin ME. Activity and attention in zinc-deprived adolescent monkeys. *American Journal of Clinical Nutrition*. 1996;64(6):908-15. doi:10.1093/ajcn/64.6.908.

40 Gao Q, Liu L, Qian Q, Wang Y. Advances in molecular genetic studies of attention deficit hyperactivity disorder in China. *Shanghai Archives of Psychiatry*. 2014;26(4):194-206; Lepping P, Huber M. Role of zinc in the pathogenesis of attention-deficit hyperactivity disorder: implications for research and treatment. *CNS Drugs*. 2010;24(9):721-28.

41 Cortese S, Angriman M, Lecendreux M, Konofal E. Iron and attention deficit/hyperactivity disorder: what is the empirical evidence so far? A systematic review of the literature. *Expert Review of Neurotherapeutics*. 2012;12(10):1227-40; Curtis LT, Patel K. Nutritional and environmental approaches to preventing and treating autism and attention deficit hyperactivity disorder (ADHD): a review. *Journal of Alternative and*

306. doi:10.1093/nutrit/nuy063.
20 Truswell AS. The A2 milk case: a critical review. *European Journal of Clinical Nutrition*. 2005;59(5):623-631. doi:10.1038/sj.ejcn.1602104; Farrell HM Jr, Jimenez-Flores R, Bleck GT, et al. Nomenclature of the proteins of cows' milk — sixth revision. *Journal of Dairy Science*. 2004;87(6):1641-74. doi:10.3168/jds.s0022-0302(04)73319-6.
21 Dykman KD, Dykman RA. Effect of nutritional supplements on attentional-deficit hyperactivity disorder. *Integrative Physiological and Behavioral Science*. 1998;33(1):49-60.
22 Johnson RJ, Gold MS, Johnson DR, et al. Attention-deficit/hyperactivity disorder: is it time to reappraise the role of sugar consumption? *Postgraduate Medicine*. 2011;123(5):39-49. doi:10.3810/pgm.2011.09.2458.
23 Del-Ponte B, Anselmi L, Assunção MCF, et al. Sugar consumption and attention-deficit/hyperactivity disorder (ADHD): a birth cohort study. *Journal of Affective Disorders*. 2019;243:290-96. doi:10.1016/j.jad.2018.09.051.
24 Yu C-J, Du J-C, Chiou H-C, et al. Sugar-sweetened beverage consumption is adversely associated with childhood attention deficit/hyperactivity disorder. *International Journal of Environmental Research and Public Health*. 2016;13(7):678. doi:10.3390/ijerph13070678.
25 Feingold BF. Hyperkinesis and learning disabilities linked to artificial food flavors and colors. *American Journal of Nursing*. 1975;75(5):797-803.
26 Spitler DK. Elimination diets and patient's allergies. A handbook of allergy. *Bulletin of the Medical Library Association*. 1944;32(4):534.
27 Kavale KA, Forness SR. Hyperactivity and diet treatment. *Journal of Learning Disabilities*. 1983;16(6):324-30. doi:10.1177/002221948301600604.
28 Schab DW, Trinh NH. Do artificial food colors promote hyperactivity in children with hyperactive syndromes? A meta-analysis of double-blind placebo-controlled trials. *Journal of Developmental and Behavioral Pediatrics*. 2004;25(6):423-34.
29 Nigg JT, Lewis K, Edinger T, Falk M. Meta-analysis of attention-deficit/hyperactivity disorder or attention-deficit/hyperactivity disorder symptoms, restriction diet, and synthetic food color additives. *Journal of the American Academy of Child and Adolescent Psychiatry*. 2012;51(1):86-97.e8. doi:10.1016/j.jaac.2011.10.015; Nigg JT, Holton K. Restriction and elimination diets in ADHD treatment. *Child and Adolescent Psychiatric Clinics of North America*. 2014;23(4):937-53. doi:10.1016/j.chc.2014.05.010; Pelsser LM, Frankena K, Toorman J, Rodrigues Pereira R. Diet and ADHD, reviewing the evidence: a systematic review of meta-analyses of double-blind placebo-controlled trials evaluating the efficacy of diet interventions on the behavior of children with ADHD. *PLoS One*. 2017 Jan 25;12(1):e0169277. doi:10.1371/journal.pone.0169277.
30 Ghanizadeh A, Haddad B. The effect of dietary education on ADHD, a randomized controlled clinical trial. *Annals of General Psychiatry*. 2015;14:12.

j.jpsychires.2008.03.009; Clayton TA. Metabolic differences underlying two distinct rat urinary phenotypes, a suggested role for gut microbial metabolism of phenylalanine and a possible connection to autism. *FEBS Letters*. 2012;586(7):956-61. doi:10.1016/j.febslet.2012.01.049; Gertsman I, Gangoiti JA, Nyhan WL, Barshop BA. Perturbations of tyrosine metabolism promote the indolepyruvate pathway via tryptophan in host and microbiome. *Molecular Genetics and Metabolism*. 2015;114(3):431-37. doi:10.1016/j.ymgme.2015.01.005.

9 Sandgren AM, Brummer RJM. ADHD-originating in the gut? The emergence of a new explanatory model. *Medical Hypotheses*. 2018;120:135-45. doi:10.1016/j.mehy.2018.08.022.

10 Aarts E, Ederveen THA, Naaijen J, et al. Gut microbiome in ADHD and its relation to neural reward anticipation. Hashimoto K, ed. *PLoS One*. 2017;12(9):e0183509. doi:10.1371/journal.pone.0183509.

11 Volkow ND, Wang G-J, Newcorn JH, et al. Motivation deficit in ADHD is associated with dysfunction of the dopamine reward pathway. *Molecular Psychiatry*. 2010;16(11):1147-54. doi:10.1038/mp.2010.97.

12 Ming X, Chen N, Ray C, Brewer G, Kornitzer J, Steer RA. A gut feeling. *Child Neurology Open*. 2018;5:2329048X1878679. doi:10.1177/2329048x18786799.

13 Niederhofer H, Pittschieler K. A preliminary investigation of ADHD symptoms in persons with celiac disease. *Journal of Attention Disorders*. 2006;10(2):200-204. doi:10.1177/1087054706292109.

14 Cruchet S, Lucero Y, Cornejo V. Truths, myths and needs of special diets: attention-deficit/hyperactivity disorder, autism, non-celiac gluten sensitivity, and vegetarianism. *Annals of Nutrition and Metabolism*. 2016;68(1):43-50. doi:10.1159/000445393.

15 Jackson JR, Eaton WW, Cascella NG, Fasano A, Kelly DL. Neurologic and psychiatric manifestations of celiac disease and gluten sensitivity. *Psychiatric Quarterly*. 2011;83(1):91-102. doi:10.1007/s11126-011-9186-y.

16 Pynnönen PA, Isometsä ET, Verkasalo MA, et al. Gluten-free diet may alleviate depressive and behavioural symptoms in adolescents with coeliac disease: a prospective follow-up case-series study. *BMC Psychiatry*. 2005;5(1). doi:10.1186/1471-244x-5-14.

17 Ly V, Bottelier M, Hoekstra PJ, Arias Vasquez A, Buitelaar JK, Rommelse NN. Elimination diets' efficacy and mechanisms in attention deficit hyperactivity disorder and autism spectrum disorder. *European Child and Adolescent Psychiatry*. 2017;26(9):1067-79. doi:10.1007/s00787-017-0959-1.

18 Jianqin S, Leiming X, Lu X, Yelland GW, Ni J, Clarke AJ. Effects of milk containing only A2 beta casein versus milk containing both A1 and A2 beta casein proteins on gastrointestinal physiology, symptoms of discomfort, and cognitive behavior of people with self-reported intolerance to traditional cows' milk. *Nutrition Journal*. 2015;15(1). doi:10.1186/s12937-016-0147-z.

19 Küllenberg de Gaudry D, Lohner S, Schmucker C, et al. Milk A1 β-casein and health-related outcomes in humans: a systematic review. *Nutrition Reviews*. 2019;77(5):278-

Evidence-Based Complementary and Alternative Medicine. 2018;2018:1-12. doi:10.1155/2018/9041309; Monsey MS, Gerhard DM, Boyle LM, Briones MA, Seligsohn M, Schafe GE. A diet enriched with curcumin impairs newly acquired and reactivated fear memories. *Neuropsychopharmacology*. 2014;40(5):1278-88. doi:10.1038/npp.2014.315.

第五章　ADHD

1 Luo Y, Weibman D, Halperin JM, Li X. A review of heterogeneity in attention deficit/hyperactivity disorder (ADHD). *Frontiers in Human Neuroscience*. 2019;13:42. doi:10.3390/jcm5110105.

2 Reale L, Bartoli B, Cartabia M, et al. Comorbidity prevalence and treatment outcome in children and adolescents with ADHD. *European Child and Adolescent Psychiatry*. 2017;26(12):1443-57. doi:10.1007/s00787-017-1005-z.

3 Geffen J, Forster K. Treatment of adult ADHD: a clinical perspective. *Therapeutic Advances in Psychopharmacology*. 2018;8(1):25-32. doi:10.1177/2045125317734977; Culpepper L, Mattingly G. Challenges in identifying and managing attention-deficit/hyperactivity disorder in adults in the primary care setting: a review of the literature. *Primary Care Companion to the Journal of Clinical Psychiatry*. 2010;12(6). doi:10.4088/PCC.10r00951pur.

4 ADHDが患者に及ぼすネガティブな作用については以下を参照。Fredriksen M, Dahl AA, Martinsen EW, Klungsoyr O, Faraone SV, Peleikis DE. Childhood and persistent ADHD symptoms associated with educational failure and long-term occupational disability in adult ADHD. *Attention Deficit and Hyperactivity Disorders*. 2014;6(2):87-99. doi:10.1007/s12402-014-0126-1; Agarwal R, Goldenberg M, Perry R, Ishak WW. The quality of life of adults with attention deficit hyperactivity disorder: a systematic review. *Innovations in Clinical Neuroscience*. 2012;9(5-6):10-21; Minde K, Eakin L, Hechtman L, et al. The psychosocial functioning of children and spouses of adults with ADHD. *Journal of Child Psychology and Psychiatry, and Allied Disciplines*. 2003;44(4):637-46.

5 Epstein JN, Weiss MD. Assessing treatment outcomes in attention-deficit/hyperactivity disorder: a narrative review. *Primary Care Companion for CNS Disorders*. 2012;14(6) doi:10.4088/PCC.11r01336.

6 Curatolo P, D'Agati E, Moavero R. The neurobiological basis of ADHD. *Italian Journal of Pediatrics*. 2010;36(1):79. doi:10.1186/1824-7288-36-79.

7 Lyte M. Microbial endocrinology in the microbiome-gut-brain axis: how bacterial production and utilization of neurochemicals influence behavior. Miller V, ed. *PLoS Pathogens*. 2013;9(11):e1003726. doi:10.1371/journal.ppat.1003726.

8 Desbonnet L, Garrett L, Clarke G, Bienenstock J, Dinan TG. The probiotic *Bifidobacteria infantis*: An assessment of potential antidepressant properties in the rat. *Journal of Psychiatric Research*. 2008;43(2):164-74. doi:10.1016/

Neuroscience Letters. 2017;649:147-55. doi:10.1016/j.neulet.2016.11.064.

33 Brandley E, Kirkland A, Sarlo G, VanMeter J, Baraniuk J, Holton K. The effects of a low glutamate dietary intervention on anxiety and PTSD in veterans with Gulf War illness (FS15-08-19). *Current Developments in Nutrition*. 2019;3(suppl 1). doi:10.1093/cdn/nzz031.fs15-08-19.

34 Ebenezer PJ, Wilson CB, Wilson LD, Nair AR, J F. The anti-inflammatory effects of blueberries in an animal model of post-traumatic stress disorder (PTSD). Scavone C, ed. *PLoS One*. 2016;11(9):e0160923. doi:10.1371/journal.pone.0160923.

35 Alquraan L, Alzoubi KH, Hammad H, Rababa'h SY, Mayyas F. Omega-3 fatty acids prevent post-traumatic stress disorder-induced memory impairment. *Biomolecules*. 2019;9(3):100. doi:10.3390/biom9030100.

36 Nishi D, Koido Y, Nakaya N, et al. Fish oil for attenuating posttraumatic stress symptoms among rescue workers after the Great East Japan Earthquake: a randomized controlled trial. *Psychotherapy and Psychosomatics*. 2012;81(5):315-17. doi:10.1159/000336811.

37 Matsuoka Y, Nishi D, Hamazaki K. Serum levels of polyunsaturated fatty acids and the risk of posttraumatic stress disorder. *Psychotherapy and Psychosomatics*. 2013;82(6):408-10. doi:10.1159/000351993.

38 Barth J, Bermetz L, Heim E, Trelle S, Tonia T. The current prevalence of child sexual abuse worldwide: a systematic review and meta-analysis. *International Journal of Public Health*. 2012;58(3):469-83. doi:10.1007/s00038-012-0426-1.

39 Miller MW, Sadeh N. Traumatic stress, oxidative stress and post-traumatic stress disorder: neurodegeneration and the accelerated-aging hypothesis. *Molecular Psychiatry*. 2014;19(11):1156-62. doi:10.1038/mp.2014.111.

40 De Souza CP, Gambeta E, Stern CAJ, Zanoveli JM. Posttraumatic stress disorder-type behaviors in streptozotocin-induced diabetic rats can be prevented by prolonged treatment with vitamin E. *Behavioural Brain Research*. 2019;359:749-54. doi:10.1016/j.bbr.2018.09.008.

41 Parker R, Rice MJ. Benefits of antioxidant supplementation in multi-trauma patients. *Romanian Journal of Anaesthesia and Intensive Care*. 2015;22(2):77-78; Dobrovolny J, Smrcka M, Bienertova-Vasku J. Therapeutic potential of vitamin E and its derivatives in traumatic brain injury-associated dementia. *Neurological Sciences*. 2018;39(6):989-98. doi:10.1007/s10072-018-3398-y.

42 Henderson TA, Morries L, Cassano P. Treatments for traumatic brain injury with emphasis on transcranial near-infrared laser phototherapy. *Neuropsychiatric Disease and Treatment*. August 2015:2159. doi:10.2147/ndt.s65809.

43 Habibi L, Ghorbani B, Norouzi AR, Gudarzi SS, Shams J, Yasami M. The efficacy and safety of add-on ginko TD (ginkgo biloba) treatment for PTSD: results of a 12-week double-blind placebo-controlled study. *Iranian Journal of Psychiatry*. 2007;2(2):58-64.

44 Lee B, Lee H. Systemic administration of curcumin affect anxiety-related behaviors in a rat model of posttraumatic stress disorder via activation of serotonergic systems.

0447.2007.01071.x.

21 Wolf EJ, Sadeh N, Leritz EC, et al. Posttraumatic stress disorder as a catalyst for the association between metabolic syndrome and reduced cortical thickness. *Biological Psychiatry*. 2016;80(5):363-71. doi:10.1016/j.biopsych.2015.11.023.

22 Nowotny B, Cavka M, Herder C, et al. Effects of acute psychological stress on glucose metabolism and subclinical inflammation in patients with posttraumatic stress disorder. *Hormone and Metabolic Research*. 2010;42(10):746-53. doi:10.1055/s-0030-1261924.

23 Roberts AL, Agnew-Blais JC, Spiegelman D, et al. Posttraumatic stress disorder and incidence of type 2 diabetes mellitus in a sample of women. *JAMA Psychiatry*. 2015;72(3):203. doi:10.1001/jamapsychiatry.2014.2632.

24 Vaccarino V, Goldberg J, Magruder KM, et al. Posttraumatic stress disorder and incidence of type-2 diabetes: a prospective twin study. *Journal of Psychiatric Research*. 2014;56:158-64. doi:10.1016/j.jpsychires.2014.05.019.

25 Hirth JM, Rahman M, Berenson AB. The association of posttraumatic stress disorder with fast food and soda consumption and unhealthy weight loss behaviors among young women. *Journal of Women's Health*. 2011;20(8):1141-49. doi:10.1089/jwh.2010.2675.

26 Ho N, Sommers MS, Lucki I. Effects of diabetes on hippocampal neurogenesis: links to cognition and depression. *Neuroscience and Biobehavioral Reviews*. 2013;37(8):1346-62. doi:10.1016/j.neubiorev.2013.03.010.

27 Hettiaratchi UP, Ekanayake S, Welihinda J. Sri Lankan rice mixed meals: effect on glycaemic index and contribution to daily dietary fibre requirement. *Malaysian Journal of Nutrition*. 2011;17(1):97-104.

28 Sugiyama M, Tang AC, Wakaki Y, Koyama W. Glycemic index of single and mixed meal foods among common Japanese foods with white rice as a reference food. *European Journal of Clinical Nutrition*. 2003;57(6):743-52. doi:10.1038/sj.ejcn.1601606.

29 Mallick HN. Understanding safety of glutamate in food and brain. *Indian Journal of Physiology and Pharmacology*. 2007;51(3):216-34.

30 Uneyama H, Niijima A, San Gabriel A, Torii K. Luminal amino acid sensing in the rat gastric mucosa. *American Journal of Physiology-Gastrointestinal and Liver Physiology*. 2006;291(6):G1163-G1170. doi:10.1152/ajpgi.00587.2005; Kondoh T, Mallick HN, Torii K. Activation of the gut-brain axis by dietary glutamate and physiologic significance in energy homeostasis. *American Journal of Clinical Nutrition*. 2009;90(3):832S-837S. doi:10.3945/ajcn.2009.27462v.

31 Lee M. MSG: can an amino acid really be harmful? *Clinical Correlations*. April 30, 2014. https://www.clinicalcorrelations.org/2014/04/30/msg-can-an-amino-acid-really-be-harmful/. Accessed September 30, 2019.

32 Averill LA, Purohit P, Averill CL, Boesl MA, Krystal JH, Abdallah CG. Glutamate dysregulation and glutamatergic therapeutics for PTSD: evidence from human studies.

doi:10.1111/j.1365-2982.2011.01796.x.

9 Hemmings SMJ, Malan-Müller S, van den Heuvel LL, et al. The microbiome in posttraumatic stress disorder and trauma-exposed controls. *Psychosomatic Medicine*. 2017;79(8):936-46. doi:10.1097/psy.0000000000000512.

10 Lowry CA, Smith DG, Siebler PH, et al. The microbiota, immunoregulation, and mental health: implications for public health. *Current Environmental Health Reports*. 2016;3(3):270-86. doi:10.1007/s40572-016-0100-5.

11 Stiemsma L, Reynolds L, Turvey S, Finlay B. The hygiene hypothesis: current perspectives and future therapies. *ImmunoTargets and Therapy*. July 2015:143. doi:10.2147/itt.s61528.

12 Eraly SA, Nievergelt CM, Maihofer AX, et al. Assessment of plasma C-reactive protein as a biomarker of posttraumatic stress disorder risk. *JAMA Psychiatry*. 2014;71(4):423. doi:10.1001/jamapsychiatry.2013.4374.

13 Karl JP, Margolis LM, Madslien EH, et al. Changes in intestinal microbiota composition and metabolism coincide with increased intestinal permeability in young adults under prolonged physiological stress. *American Journal of Physiology-Gastrointestinal and Liver Physiology*. 2017;312(6):G559-G571. doi:10.1152/ajpgi.00066.2017.

14 Kalyan-Masih P, Vega-Torres JD, Miles C, et al. Western high-fat diet consumption during adolescence increases susceptibility to traumatic stress while selectively disrupting hippocampal and ventricular volumes. *eNeuro*. 2016;3(5):ENEURO.0125-16.2016. doi:10.1523/eneuro.0125-16.2016.

15 Logue MW, van Rooij SJH, Dennis EL, et al. Smaller hippocampal volume in posttraumatic stress disorder: a multisite ENIGMA-PGC study: subcortical volumetry results from posttraumatic stress disorder consortia. *Biological Psychiatry*. 2018;83(3):244-53. doi:10.1016/j.biopsych.2017.09.006.

16 Masodkar K, Johnson J, Peterson MJ. A review of posttraumatic stress disorder and obesity. *Primary Care Companion for CNS Disorders*. January 2016. doi:10.4088/pcc.15r01848.

17 Michopoulos V, Vester A, Neigh G. Posttraumatic stress disorder: a metabolic disorder in disguise? *Experimental Neurology*. 2016;284:220-29. doi:10.1016/j.expneurol.2016.05.038.

18 Vieweg WV, Fernandez A, Julius DA, et al. Body mass index relates to males with posttraumatic stress disorder. *Journal of the National Medical Association*. 2006;98(4):580-86.

19 Violanti JM, Fekedulegn D, Hartley TA, et al. Police trauma and cardiovascular disease: association between PTSD symptoms and metabolic syndrome. *International Journal of Emergency Mental Health*. 2006;8(4):227-37.

20 Vieweg WVR, Julius DA, Bates J, Quinn III JF, Fernandez A, Hasnain M, Pandurangi AK. Posttraumatic stress disorder as a risk factor for obesity among male military veterans. *Acta Psychiatrica Scandinavica*. 2007;116(6):483-87. doi:10.1111/j.1600-

77 Noorafshan A, Vafabin M, Karbalay-Doust S, Asadi-Golshan R. Efficacy of curcumin in the modulation of anxiety provoked by sulfite, a food preservative, in rats. *Preventive Nutrition and Food Science*. 2017;22(2):144-48; Ng QX, Koh SSH, Chan HW, Ho CYX. Clinical use of curcumin in depression: a meta-analysis. *Journal of the American Medical Directors Association*. 2017;18(6):503-8. doi:10.1016/j.jamda.2016.12.071.

78 Mao JJ, Xie SX, Keefe JR, Soeller I, Li QS, Amsterdam JD. Long-term chamomile (*Matricaria chamomilla* L.) treatment for generalized anxiety disorder: a randomized clinical trial. *Phytomedicine*. 2016;23(14):1735-42. doi:10.1016/j.phymed.2016.10.012.

79 Koulivand PH, Khaleghi Ghadiri M, Gorji A. Lavender and the nervous system. *Evidence-Based Complementary and Alternative Medicine*. 2013;2013:1-10. doi:10.1155/2013/681304.

第四章　PTSD

1 Bisson JI, Cosgrove S, Lewis C, Roberts NP. Post-traumatic stress disorder. *BMJ*. November 2015:h6161. doi:10.1136/bmj.h6161.

2 Lancaster C, Teeters J, Gros D, Back S. Posttraumatic stress disorder: overview of evidence-based assessment and treatment. *Journal of Clinical Medicine*. 2016;5(11):105. doi:10.3390/jcm5110105.

3 Chapman C, Mills K, Slade T, et al. Remission from post-traumatic stress disorder in the general population. *Psychological Medicine*. 2011;42(8):1695-1703. doi:10.1017/s0033291711002856.

4 Rauch SL, Shin LM, Phelps EA. Neurocircuitry models of posttraumatic stress disorder and extinction: human neuroimaging research — past, present, and future. *Biological Psychiatry*. 2006;60(4):376-82. doi:10.1016/j.biopsych.2006.06.004.

5 Sherin JE, Nemeroff CB. Post-traumatic stress disorder: the neurobiological impact of psychological trauma. *Dialogues in Clinical Neuroscience*. 2011;13(3):263-78.

6 Andreski P, Chilcoat H, Breslau N. Post-traumatic stress disorder and somatization symptoms: a prospective study. *Psychiatry Research*. 1998;79(2):131-138. doi:10.1016/s0165-1781(98)00026-2.

7 Ng QX, Soh AYS, Loke W, Venkatanarayanan N, Lim DY, Yeo W-S. Systematic review with meta-analysis: the association between post-traumatic stress disorder and irritable bowel syndrome. *Journal of Gastroenterology and Hepatology*. 2018;34(1):68-73. doi:10.1111/jgh.14446.

8 Bravo JA, Forsythe P, Chew MV, et al. Ingestion of *Lactobacillus* strain regulates emotional behavior and central GABA receptor expression in a mouse via the vagus nerve. *Proceedings of the National Academy of Sciences*. 2011;108(38):-16050-55. doi:10.1073/pnas.1102999108; Bercik P, Park AJ, Sinclair D, et al. The anxiolytic effect of *Bifidobacterium longum* NCC3001 involves vagal pathways for gut-brain communication. *Neurogastroenterology and Motility*. 2011;23(12):1132-39.

and benfotiamine prevent stress-induced suppression of hippocampal neurogenesis in mice exposed to predation without affecting brain thiamine diphosphate levels. *Molecular and Cellular Neuroscience*. 2017;82:126-36. doi:10.1016/j.mcn.2017.05.005.

66 McCabe D, Lisy K, Lockwood C, Colbeck M. The impact of essential fatty acid, B vitamins, vitamin C, magnesium and zinc supplementation on stress levels in women: a systematic review. *JBI Database of Systematic Reviews and Implementation Reports*. 2017;15(2):402-53.

67 Lewis JE, Tiozzo E, Melillo AB, et al. The effect of methylated vitamin B complex on depressive and anxiety symptoms and quality of life in adults with depression. *ISRN Psychiatry*. 2013;2013:1-7. doi:10.1155/2013/621453.

68 Gautam M, Agrawal M, Gautam M, Sharma P, Gautam A, Gautam S. Role of antioxidants in generalised anxiety disorder and depression. *Indian Journal of Psychiatry*. 2012;54(3):244. doi:10.4103/0019-5545.102424.

69 Carroll D, Ring C, Suter M, Willemsen G. The effects of an oral multivitamin combination with calcium, magnesium, and zinc on psychological well-being in healthy young male volunteers: a double-blind placebo-controlled trial. *Psychopharmacology*. 2000;150(2):220-25. doi:10.1007/s002130000406; Schlebusch L, Bosch BA, Polglase G, Kleinschmidt I, Pillay BJ, Cassimjee MH. A double-blind, placebo-controlled, double-centre study of the effects of an oral multivitamin-mineral combination on stress. *South African Medical Journal*. 2000;90(12):1216-23.

70 Long S-J, Benton D. Effects of vitamin and mineral supplementation on stress, mild psychiatric symptoms, and mood in nonclinical samples. *Psychosomatic Medicine*. 2013;75(2):144-53. doi:10.1097/psy.0b013e31827d5fbd.

71 Grases G, Pérez-Castelló JA, Sanchis P, et al. Anxiety and stress among science students. Study of calcium and magnesium alterations. *Magnesium Research*. 2006;19(2):102-6.

72 Boyle NB, Lawton C, Dye L. The effects of magnesium supplementation on subjective anxiety and stress — a systematic review. Nutrients. 2017;9(5):429. doi:10.3390/nu9050429.

73 Murck H, Steiger A. Mg 2+ reduces ACTH secretion and enhances spindle power without changing delta power during sleep in men — possible therapeutic implications. *Psychopharmacology*. 1998;137(3):247-52. doi:10.1007/s002130050617.

74 Boyle NB, Lawton C, Dye L. The effects of magnesium supplementation on subjective anxiety and stress — a systematic review. *Nutrients*. 2017;9(5):429. doi:10.3390/nu9050429.

75 Lakhan SE, Vieira KF. Nutritional and herbal supplements for anxiety and anxiety-related disorders: systematic review. *Nutrition Journal*. 2010;9(1). doi:10.1186/1475-2891-9-42.

76 Crichton-Stuart, C. "What are some foods to ease your anxiety?" *Medical News Today*. August 1, 2018. Retrieved from https://www.medicalnewstoday.com/articles/322652.php.

j.psychres.2015.04.023.

52 Widiger TA, Oltmanns JR. Neuroticism is a fundamental domain of personality with enormous public health implications. *World Psychiatry*. 2017;16(2):144-45. doi:10.1002/wps.20411.

53 Silva LCA, Viana MB, Andrade JS, Souza MA, Céspedes IC, D'Almeida V. Tryptophan overloading activates brain regions involved with cognition, mood and anxiety. *Anais da Academia Brasileira de Ciências*. 2017;89(1):273-83. doi:10.1590/0001-3765201720160177.

54 Young SN. How to increase serotonin in the human brain without drugs. *Journal of Psychiatry and Neuroscience*. 2007;32(6):394-99.

55 Lindseth G, Helland B, Caspers J. The effects of dietary tryptophan on affective disorders. *Archives of Psychiatric Nursing*. 2015;29(2):102-7. doi:10.1016/j.apnu.2014.11.008.

56 Wurtman RJ, Hefti F, Melamed E. Precursor control of neurotransmitter synthesis. *Pharmacological Reviews*. 1980;32(4):315-35.

57 Spring B. Recent research on the behavioral effects of tryptophan and carbohydrate. *Nutrition and Health*. 1984;3(1-2):55-67. doi:10.1177/026010608400300204.

58 Aan het Rot M, Moskowitz DS, Pinard G, Young SN. Social behaviour and mood in everyday life: the effects of tryptophan in quarrelsome individuals. *Journal of Psychiatry and Neuroscience*. 2006;31(4):253-62.

59 Fazelian S, Amani R, Paknahad Z, Kheiri S, Khajehali L. Effect of vitamin D supplement on mood status and inflammation in vitamin D deficient type 2 diabetic women with anxiety: a randomized clinical trial. *International Journal of Preventive Medicine*. 2019;10:17.

60 Anjum I, Jaffery SS, Fayyaz M, Samoo Z, Anjum S. The role of vitamin D in brain health: a mini literature review. *Cureus*. July 2018. doi:10.7759/cureus.2960.

61 Martin EI, Ressler KJ, Binder E, Nemeroff CB. The neurobiology of anxiety disorders: brain imaging, genetics, and psychoneuroendocrinology. *Psychiatric Clinics of North America*. 2009;32(3):549-75. doi:10.1016/j.psc.2009.05.004; Shin LM, Liberzon I. The neurocircuitry of fear, stress, and anxiety disorders. *Neuropsychopharmacology*. 2009;35(1):169-91. doi:10.1038/npp.2009.83.

62 Naeem Z. Vitamin D deficiency — an ignored epidemic. *International Journal of Health Sciences*. 2010;4(1):v-vi.

63 Kennedy D. B vitamins and the brain: mechanisms, dose and efficacy — a review. *Nutrients*. 2016;8(2):68. doi:10.3390/nu8020068.

64 Cornish S, Mehl-Madrona L. The role of vitamins and minerals in psychiatry. *Integrative Medicine Insights*. 2008;3:33-42.

65 Markova N, Bazhenova N, Anthony DC, et al. Thiamine and benfotiamine improve cognition and ameliorate GSK-3 β -associated stress-induced behaviours in mice. *Progress in Neuro-Psychopharmacology and Biological Psychiatry*. 2017;75:148-56. doi:10.1016/j.pnpbp.2016.11.001; Vignisse J, Sambon M, Gorlova A, et al. Thiamine

j.tins.2013.01.005.

40 Howarth NC, Saltzman E, Roberts SB. Dietary fiber and weight regulation. *Nutrition Reviews*. 2009;59(5):129-39. doi:10.1111/j.1753-4887.2001.tb07001.x.

41 Salim S, Chugh G, Asghar M. Inflammation in anxiety. In: *Advances in Protein Chemistry and Structural Biology*. Vol. 88. Oxford: Elsevier; 2012;-1-25. doi:10.1016/b978-0-12-398314-5.00001-5.

42 Michopoulos V, Powers A, Gillespie CF, Ressler KJ, Jovanovic T. Inflammation in fear- and anxiety-based disorders: PTSD, GAD, and beyond. *Neuropsychopharmacology*. 2016;42(1):254-70. doi:10.1038/npp.2016.146.

43 Felger JC. Imaging the role of inflammation in mood and anxiety-related disorders. *Current Neuropharmacology*. 2018;16(5):533-58. doi:10.2174/1570159x15666171123201142.

44 Kiecolt-Glaser JK, Belury MA, Andridge R, Malarkey WB, Glaser R. Omega-3 supplementation lowers inflammation and anxiety in medical students: a randomized controlled trial. *Brain, Behavior, and Immunity*. 2011;25(8):1725-34. doi:10.1016/j.bbi.2011.07.229.

45 Su K-P, Tseng P-T, Lin P-Y, et al. Association of use of omega-3 polyunsaturated fatty acids with changes in severity of anxiety symptoms. *JAMA Network Open*. 2018;1(5):e182327. doi:10.1001/jamanetworkopen.2018.2327.

46 Su K-P, Matsuoka Y, Pae C-U. Omega-3 polyunsaturated fatty acids in prevention of mood and anxiety disorders. *Clinical Psychopharmacology and Neuroscience*. 2015;13(2):129-37. doi:10.9758/cpn.2015.13.2.129.

47 Song C, Li X, Kang Z, Kadotomi Y. Omega-3 fatty acid ethyl- eicosapentaenoate attenuates IL-1β-induced changes in dopamine and metabolites in the shell of the nucleus accumbens: involved with PLA2 activity and corticosterone secretion. *Neuropsychopharmacology*. 2006;32(3):736-44. doi:10.1038/sj.npp.1301117; Healy-Stoffel M, Levant B. N-3 (omega-3) fatty acids: effects on brain dopamine systems and potential role in the etiology and treatment of neuropsychiatric disorders. *CNS and Neurological Disorders — Drug Targets*. 2018;17(3):216-32. doi:10.2174/1871527317666180412153612.

48 Selhub EM, Logan AC, Bested AC. Fermented foods, microbiota, and mental health: ancient practice meets nutritional psychiatry. *Journal of Physiological Anthropology*. 2014;33(1). doi:10.1186/1880-6805-33-2.

49 Sivamaruthi B, Kesika P, Chaiyasut C. Impact of fermented foods on human cognitive function — a review of outcome of clinical trials. *Scientia Pharmaceutica*. 2018;86(2):22. doi:10.3390/scipharm86020022.

50 Kim B, Hong VM, Yang J, et al. A review of fermented foods with beneficial effects on brain and cognitive function. *Preventive Nutrition and Food Science*. 2016;21(4):297-309. doi:10.3746/pnf.2016.21.4.297.

51 Hilimire MR, DeVylder JE, Forestell CA. Fermented foods, neuroticism, and social anxiety: an interaction model. *Psychiatry Research*. 2015;228(2):203-8. doi:10.1016/

and children. *Food and Chemical Toxicology*. 2017;109:585-648. doi:10.1016/j.fct.2017.04.002.

28 代表的な飲料に含まれるカフェイン量については次を参照。Caffeine Chart. Center for Science in the Public Interest website. https://cspinet.org/eating-healthy/ingredients-of-concern/caffeine-chart. Accessed February 25, 2016.

29 Becker HC. Effects of alcohol dependence and withdrawal on stress responsiveness and alcohol consumption. *Alcohol Research*. 2012;34(4):448-58; Chueh K-H, Guilleminault C, Lin C-M. Alcohol consumption as a moderator of anxiety and sleep quality. *Journal of Nursing Research*. 2019;27(3):e23. doi:10.1097/jnr.0000000000000300.

30 Danaei G, Ding EL, Mozaffarian D, et al. The preventable causes of death in the United States: comparative risk assessment of dietary, lifestyle, and metabolic risk factors. Hales S, ed. *PLoS Medicine*. 2009;6(4):e1000058. doi:10.1371/journal.pmed.1000058; Chikritzhs TN, Jonas HA, Stockwell TR, Heale PF, Dietze PM. Mortality and life-years lost due to alcohol: a comparison of acute and chronic causes. *Medical Journal of Australia*. 2001;174(6):281-84.

31 Terlecki MA, Ecker AH, Buckner JD. College drinking problems and social anxiety: the importance of drinking context. *Psychology of Addictive Behaviors*. 2014;28(2):545-52. doi:10.1037/a0035770.

32 Dawson DA. Defining risk drinking. *Alcohol Research and Health*. 2011;34(2):144-56.

33 Smith DF, Gerdes LU. Meta-analysis on anxiety and depression in adult celiac disease. *Acta Psychiatrica Scandinavica*. 2011;125(3):189-93. doi:10.1111/j.1600-0447.2011.01795.

34 Addolorato G. Anxiety but not depression decreases in coeliac patients after one-year gluten-free diet: a longitudinal study. *Scandinavian Journal of Gastroenterology*. 2001;36(5):502-6. doi:10.1080/00365520119754.

35 Häuser W. Anxiety and depression in adult patients with celiac disease on a gluten-free diet. *World Journal of Gastroenterology*. 2010;16(22):2780. doi:10.3748/wjg.v16.i22.2780.

36 Pennisi M, Bramanti A, Cantone M, Pennisi G, Bella R, Lanza G. Neurophysiology of the "celiac brain": disentangling gut-brain connections. *Frontiers in Neuroscience*. 2017;11. doi:10.3389/fnins.2017.00498.

37 Choudhary AK, Lee YY. Neurophysiological symptoms and aspartame: what is the connection? *Nutritional Neuroscience*. 2017;21(5):306-16. doi:10.1080/1028415x.2017.1288340.

38 Taylor AM, Holscher HD. A review of dietary and microbial connections to depression, anxiety, and stress. *Nutritional Neuroscience*. July 2018:1-14. doi:10.1080/1028415x.2018.1493808.

39 Foster JA, McVey Neufeld K-A. Gut-brain axis: how the microbiome influences anxiety and depression. *Trends in Neurosciences*. 2013;36(5):305-12. doi:10.1016/

induced anxiety and anhedonia: impact on brain homeostasis and inflammation. *Neuropsychopharmacology*. 2015;41(7):1874-87. doi:10.1038/npp.2015.357.
16 Gancheva S, Galunska B, Zhelyazkova-Savova M. Diets rich in saturated fat and fructose induce anxiety and depression-like behaviours in the rat: is there a role for lipid peroxidation? *International Journal of Experimental Pathology*. 2017;98(5):296-306. doi:10.1111/iep.12254.
17 Parikh I, Guo J, Chuang KH, et al. Caloric restriction preserves memory and reduces anxiety of aging mice with early enhancement of neurovascular functions. *Aging*. 2016;8(11):2814-26.
18 Bray GA, Popkin BM. Dietary sugar and body weight: have we reached a crisis in the epidemic of obesity and diabetes? *Diabetes Care*. 2014;37(4):950-56. doi:10.2337/dc13-2085.
19 Haleem DJ, Mahmood K. Brain serotonin in high-fat diet-induced weight gain, anxiety and spatial memory in rats. *Nutritional Neuroscience*. May 2019:1-10. doi:10.1080/1028415x.2019.1619983.
20 Xu L, Xu S, Lin L, et al. High-fat diet mediates anxiolytic-like behaviors in a time-dependent manner through the regulation of SIRT1 in the brain. *Neuroscience*. 2018;372:237-45. doi:10.1016/j.neuroscience.2018.01.001; Gainey SJ, Kwakwa KA, Bray JK, et al. Short-term high-fat diet (HFD) induced anxiety-like behaviors and cognitive impairment are improved with treatment by glyburide. *Frontiers in Behavioral Neuroscience*. 2016;10. doi:10.3389/fnbeh.2016.00156.
21 Simon GE, Von Korff M, Saunders K, et al. Association between obesity and psychiatric disorders in the US adult population. *Archives of General Psychiatry*. 2006;63(7):824. doi:10.1001/archpsyc.63.7.824.
22 Kyrou I, Tsigos C. Stress hormones: physiological stress and regulation of metabolism. *Current Opinion in Pharmacology*. 2009;9(6):787-93. doi:10.1016/j.coph.2009.08.007.
23 Bruce-Keller AJ, Salbaum JM, Luo M, et al. Obese-type gut microbiota induce neurobehavioral changes in the absence of obesity. *Biological Psychiatry*. 2015;77(7):607-15. doi:10.1016/j.biopsych.2014.07.012.
24 Peleg-Raibstein D, Luca E, Wolfrum C. Maternal high-fat diet in mice programs emotional behavior in adulthood. *Behavioural Brain Research*. 2012 Aug 1;233(2):398-404. doi:10.1016/j.bbr.2012.05.027.
25 Smith JE, Lawrence AD, Diukova A, Wise RG, Rogers PJ. Storm in a coffee cup: caffeine modifies brain activation to social signals of threat. *Social Cognitive and Affective Neuroscience*. 2011;7(7):831-40. doi:10.1093/scan/nsr058.
26 Mobbs D, Petrovic P, Marchant JL, et al. When fear is near: threat imminence elicits prefrontal-periaqueductal gray shifts in humans. *Science*. 2007;317(5841):1079-83. doi:10.1126/science.1144298.
27 Wikoff D, Welsh BT, Henderson R, et al. Systematic review of the potential adverse effects of caffeine consumption in healthy adults, pregnant women, adolescents,

Dialogues in Clinical Neuroscience. 2015;17(3):327-35.

2 Lach G, Schellekens H, Dinan TG, Cryan JF. Anxiety, depression, and the microbiome: a role for gut peptides. *Neurotherapeutics*. 2017;15(1):36-59. doi:10.1007/s13311-017-0585-0.

3 Dockray GJ. Gastrointestinal hormones and the dialogue between gut and brain. *Journal of Physiology*. 2014;592(14):2927-41. doi:10.1113/jphysiol.2014.270850.

4 Liberzon I, Duval E, Javanbakht A. Neural circuits in anxiety and stress disorders: a focused review. *Therapeutics and Clinical Risk Management*. January 2015:115. doi:10.2147/tcrm.s48528.

5 Luczynski P, Whelan SO, O'Sullivan C, et al. Adult microbiota-deficient mice have distinct dendritic morphological changes: differential effects in the amygdala and hippocampus. Gaspar P, ed. *European Journal of Neuroscience*. 2016;44(9):2654-66. doi:10.1111/ejn.13291.

6 Hoban AE, Stilling RM, Moloney G, et al. The microbiome regulates amygdala-dependent fear recall. *Molecular Psychiatry*. 2017;23(5):1134-44. doi:10.1038/mp.2017.100.

7 Cowan CSM, Hoban AE, Ventura-Silva AP, Dinan TG, Clarke G, Cryan JF. Gutsy moves: the amygdala as a critical node in microbiota to brain signaling. *BioEssays*. 2017;40(1):170-72. doi:10.1002/bies.201700172.

8 Sudo N, Chida Y, Aiba Y, et al. Postnatal microbial colonization programs the hypothalamic-pituitary-adrenal system for stress response in mice. *Journal of Physiology*. 2004;558(1):263-75. doi:10.1113/jphysiol.2004.063388.

9 Jiang H, Zhang X, Yu Z, et al. Altered gut microbiota profile in patients with generalized anxiety disorder. *Journal of Psychiatric Research*. 2018;104:130-36. doi:10.1016/j.jpsychires.2018.07.007.

10 Clapp M, Aurora N, Herrera L, Bhatia M, Wilen E, Wakefield S. Gut microbiota's effect on mental health: the gut-brain axis. *Clinics and Practice*. 2017;7(4). doi:10.4081/cp.2017.987.

11 Perna G, lannone G, Alciati A, Caldirola D. Are anxiety disorders associated with accelerated aging? A focus on neuroprogression. *Neural Plasticity*. 2016;2016:1-19. doi:10.1155/2016/8457612.

12 Liu L, Zhu G. Gut-brain axis and mood disorder. *Frontiers in Psychiatry*. 2018;9. doi:10.3389/fpsyt.2018.00223.

13 Sarkhel S, Banerjee A, Sarkar R, Dhali G. Anxiety and depression in irritable bowel syndrome. *Indian Journal of Psychological Medicine*. 2017;39(6):741. doi:10.4103/ijpsym.ijpsym_46_17.

14 Fadgyas-Stanculete M, Buga A-M, Popa-Wagner A, Dumitrascu DL. The relationship between irritable bowel syndrome and psychiatric disorders: from molecular changes to clinical manifestations. *Journal of Molecular Psychiatry*. 2014;2(1):4. doi:10.1186/2049-9256-2-4.

15 Dutheil S, Ota KT, Wohleb ES, Rasmussen K, Duman RS. High-fat diet

49 Ng QX, Koh SSH, Chan HW, Ho CYX. Clinical use of curcumin in depression: a meta-analysis. *Journal of the American Medical Directors Association*. 2017;18(6):503-8. doi:10.1016/j.jamda.2016.12.071.

50 Hewlings S, Kalman D. Curcumin: a review of its effects on human health. *Foods*. 2017;6(10):92. doi:10.3390/foods6100092.

51 Melo FHC, Moura BA, de Sousa DP, et al. Antidepressant-like effect of carvacrol (5-isopropyl-2-methylphenol) in mice: involvement of dopaminergic system. *Fundamental and Clinical Pharmacology*. 2011;25(3):362-67. doi:10.1111/j.1472-8206.2010.00850.x.

52 Yeung KS, Hernandez M, Mao JJ, Haviland I, Gubili J. Herbal medicine for depression and anxiety: a systematic review with assessment of potential psycho-oncologic relevance. *Phytotherapy Research*. 2018;32(5):865-91. doi:10.1002/ptr.6033.

53 Keys A, Grande F. Role of dietary fat in human nutrition. III. Diet and the epidemiology of coronary heart disease. *American Journal of Public Health and the Nation's Health*. 1957;47(12):1520-30.

54 Boucher JL. Mediterranean eating pattern. *Diabetes Spectrum*. 2017;30(2):72-76. doi:10.2337/ds16-0074.

55 Hoffman R, Gerber M. Evaluating and adapting the Mediterranean diet for non-Mediterranean populations: a critical appraisal. *Nutrition Reviews*. 2013;71(9):573-84. doi:10.1111/nure.12040.

56 Harasym J, Oledzki R. Effect of fruit and vegetable antioxidants on total antioxidant capacity of blood plasma. *Nutrition*. 2014;30(5):511-17. doi:10.1016/j.nut.2013.08.019; Battino M, Ferreiro MS. Ageing and the Mediterranean diet: a review of the role of dietary fats. *Public Health Nutrition*. 2004;7(7):953-58.

57 Fresán U, Bes-Rastrollo M, Segovia-Siapco G, et al. Does the MIND diet decrease depression risk? A comparison with Mediterranean diet in the SUN cohort. *European Journal of Nutrition*. 2018;58(3):1271-82. doi:10.1007/s00394-018-1653-x.

58 Sánchez-Villegas A, Cabrera-Suárez B, Molero P, et al. Preventing the recurrence of depression with a Mediterranean diet supplemented with extra-virgin olive oil. The PREDI-DEP trial: study protocol. *BMC Psychiatry*. 2019;19. doi:10.1186/s12888-019-2036-4.

59 Mithril C, Dragsted LO, Meyer C, Blauert E, Holt MK, Astrup A. Guidelines for the new Nordic diet. *Public Health Nutrition*. 2012;15(10):1941-47. doi:10.1017/s136898001100351x.

60 Quirk SE, Williams LJ, O'Neil A, et al. The association between diet quality, dietary patterns and depression in adults: a systematic review. *BMC Psychiatry*. 2013;13(1). doi:10.1186/1471-244x-13-175.

第三章　不安

1 Bandelow B, Michaelis S. Epidemiology of anxiety disorders in the 21st century.

following acute illness in older people. *International Journal for Vitamin and Nutrition Research*. 2014;84(1-2):12-17. doi:10.1024/0300-9831/a000188.

37 Kim J, Wessling-Resnick M. Iron and mechanisms of emotional behavior. *Journal of Nutritional Biochemistry*. 2014;25(11):1101-7. doi:10.1016/j.jnutbio.2014.07.003.

38 Pillay S. A quantitative magnetic resonance imaging study of caudate and lenticular nucleus gray matter volume in primary unipolar major depression: relationship to treatment response and clinical severity. *Psychiatry Research: Neuroimaging*. 1998;84(2-3):61-74. doi:10.1016/s0925-4927(98)00048-1.

39 Hidese S, Saito K, Asano S, Kunugi H. Association between iron-deficiency anemia and depression: a web-based Japanese investigation. *Psychiatry and Clinical Neurosciences*. 2018;72(7):513-21. doi:10.1111/pcn.12656.

40 Eby GA, Eby KL, Murk H. Magnesium and major depression. In: Vink R, Nechifor M, eds. *Magnesium in the Central Nervous System* [internet]. Adelaide, Australia: University of Adelaide Press; 2011. Available from https://www.ncbi.nlm.nih.gov/books/NBK507265/.

41 Widmer J, Mouthon D, Raffin Y, et al. Weak association between blood sodium, potassium, and calcium and intensity of symptoms in major depressed patients. *Neuropsychobiology*. 1997;36(4):164-71. doi:10.1159/000119378; Torres SJ, Nowson CA, Worsley A. Dietary electrolytes are related to mood. *British Journal of Nutrition*. 2008;100(5):1038-45. doi:10.1017/s0007114508959201.

42 Wang J, Um P, Dickerman B, Liu J. Zinc, magnesium, selenium and depression: a review of the evidence, potential mechanisms and implications. *Nutrients*. 2018;10(5):584. doi:10.3390/nu10050584.

43 Swardfager W, Herrmann N, Mazereeuw G, Goldberger K, Harimoto T, Lanctôt KL. Zinc in depression: a meta-analysis. *Biological Psychiatry*. 2013;74(12):872-78. doi:10.1016/j.biopsych.2013.05.008.

44 Szewczyk B, Kubera M, Nowak G. The role of zinc in neurodegenerative inflammatory pathways in depression. *Progress in Neuro-Psychopharmacology and Biological Psychiatry*. 2011;35(3):693-701. doi:10.1016/j.pnpbp.2010.02.010.

45 Finley JW, Penland JG. Adequacy or deprivation of dietary selenium in healthy men: clinical and psychological findings. *Journal of Trace Elements in Experimental Medicine*. 1998;11(1):11-27. doi:10.1002/(sici)1520-670x(1998)11:1<11::aid-jtra3>3.0.co;2-6.

46 Hausenblas HA, Saha D, Dubyak PJ, Anton SD. Saffron (Crocus sativus L.) and major depressive disorder: a meta-analysis of randomized clinical trials. *Journal of Integrative Medicine*. 2013;11(6):377-83. doi:10.3736/jintegrmed2013056.

47 Saffron. Uses of Herbs website. https://usesofherbs.com/saffron. Accessed November 18, 2019.

48 Khazdair MR, Boskabady MH, Hosseini M, Rezaee R, Tsatsakis AM. The effects of Crocus sativus (saffron) and its constituents on nervous system: a review. *Avicenna Journal of Phytomedicine*. 2015;5(5):376-91.

depressive states. *Journal of Affective Disorders*. 2001;63(1-3):221-24. doi:10.1016/s0165-0327(00)00164-6.

24 Khambadkone SG, Cordner ZA, Dickerson F, et al. Nitrated meat products are associated with mania in humans and altered behavior and brain gene expression in rats. *Molecular Psychiatry*. July 2018. doi:10.1038/s41380-018-0105-6.

25 Park W, Kim J-H, Ju M-G, et al. Enhancing quality characteristics of salami sausages formulated with whole buckwheat flour during storage. *Journal of Food Science and Technology*. 2016;54(2):326-32. doi:10.1007/s13197-016-2465-8.

26 Mocking RJT, Harmsen I, Assies J, Koeter MWJ, Ruhé HG, Schene AH. Meta-analysis and meta-regression of omega-3 polyunsaturated fatty acid supplementation for major depressive disorder. *Translational Psychiatry*. 2016;6(3):e756. doi:10.1038/tp.2016.29.

27 Simopoulos A. The importance of the ratio of omega-6/omega-3 essential fatty acids. *Biomedicine and Pharmacotherapy*. 2002;56(8):365-79. doi:10.1016/s0753-3322(02)00253-6.

28 Alpert JE, Fava M. Nutrition and depression: the role of folate. *Nutrition Reviews*. 2009;55(5):145-49. doi:10.1111/j.1753-4887.1997.tb06468.x.

29 Beydoun MA, Shroff MR, Beydoun HA, Zonderman AB. Serum folate, vitamin B-12, and homocysteine and their association with depressive symptoms among U.S. adults. *Psychosomatic Medicine*. 2010;72(9):862-73. doi:10.1097/psy.0b013e3181f61863.

30 Albert PR, Benkelfat C, Descarries L. The neurobiology of depression — revisiting the serotonin hypothesis. I. Cellular and molecular mechanisms. *Philosophical Transactions of the Royal Society B: Biological Sciences*. 2012;367(1601):2378-81. doi:10.1098/rstb.2012.0190.

31 Olson CR, Mello CV. Significance of vitamin A to brain function, behavior and learning. *Molecular Nutrition and Food Research*. 2010;54(4):489-95. doi:10.1002/mnfr.200900246.

32 Misner DL, Jacobs S, Shimizu Y, et al. Vitamin A deprivation results in reversible loss of hippocampal long-term synaptic plasticity. *Proceedings of the National Academy of Sciences*. 2001;98(20):11714-19. doi:10.1073/pnas.191369798.

33 Bitarafan S, Saboor-Yaraghi A, Sahraian MA, et al. Effect of vitamin A supplementation on fatigue and depression in multiple sclerosis patients: a double-blind placebo-controlled clinical trial. *Iranian Journal of Allergy, Asthma, and Immunology*. 2016;15(1):13-19.

34 Bremner JD, McCaffery P. The neurobiology of retinoic acid in affective disorders. *Progress in Neuro-Psychopharmacology and Biological Psychiatry*. 2008;32(2):315-31. doi:10.1016/j.pnpbp.2007.07.001.

35 Pullar J, Carr A, Bozonet S, Vissers M. High vitamin C status is associated with elevated mood in male tertiary students. *Antioxidants*. 2018;7(7):91. doi:10.3390/antiox7070091.

36 Gariballa S. Poor vitamin C status is associated with increased depression symptoms

Nutrition. 2015;102(2):454-63. doi:10.3945/ajcn.114.103846; Salari-Moghaddam A, Saneei P, Larijani B, Esmaillzadeh A. Glycemic index, glycemic load, and depression: a systematic review and meta-analysis. *European Journal of Clinical Nutrition*. 2018;73(3):356-65. doi:10.1038/s41430-018-0258-z.

14 Guo X, Park Y, Freedman ND, et al. Sweetened beverages, coffee, and tea and depression risk among older US adults. Matsuoka Y, ed. *PLoS One*. 2014;9(4):e94715. doi:10.1371/journal.pone.0094715.

15 Whitehouse CR, Boullata J, McCauley LA. The potential toxicity of artificial sweeteners. *AAOHN Journal*. 2008;56(6):251-59; quiz, 260-61; Humphries P, Pretorius E, Naudé H. Direct and indirect cellular effects of aspartame on the brain. *European Journal of Clinical Nutrition*. 2007;62(4):451-62. doi:10.1038/sj.ejcn.1602866.

16 Choudhary AK, Lee YY. Neurophysiological symptoms and aspartame: what is the connection? *Nutritional Neuroscience*. 2017;21(5):306-16. doi:10.1080/1028415x.2017.1288340.

17 Lobo V, Patil A, Phatak A, Chandra N. Free radicals, antioxidants and functional foods: impact on human health. *Pharmacognosy Reviews*. 2010;4(8):118. doi:10.4103/0973-7847.70902.

18 Rodriguez-Palacios A, Harding A, Menghini P, et al. The artificial sweetener Splenda promotes gut proteobacteria, dysbiosis, and myeloperoxidase reactivity in Crohn's disease-like ileitis. *Inflammatory Bowel Diseases*. 2018;24(5):1005-20. doi:10.1093/ibd/izy060; Jiang H, Ling Z, Zhang Y, et al. Altered fecal microbiota composition in patients with major depressive disorder. *Brain, Behavior, and Immunity*. 2015;48:186-94. doi:10.1016/j.bbi.2015.03.016.

19 Vaccarino V, Brennan M-L, Miller AH, et al. Association of major depressive disorder with serum myeloperoxidase and other markers of inflammation: a twin study. *Biological Psychiatry*. 2008;64(6):476-83. doi:10.1016/j.biopsych.2008.04.023.

20 Yoshikawa E, Nishi D, Matsuoka YJ. Association between frequency of fried food consumption and resilience to depression in Japanese company workers: a cross-sectional study. *Lipids in Health and Disease*. 2016;15(1). doi:10.1186/s12944-016-0331-3.

21 Sánchez-Villegas A, Verberne L, De Irala J, et al. Dietary fat intake and the risk of depression: the SUN Project. *PLoS One*. 2011;6(1):e16268.

22 Ford PA, Jaceldo-Siegl K, Lee JW, Tonstad S. Trans fatty acid intake is related to emotional affect in the Adventist Health Study-2. *Nutrition Research*. 2016;36(6):509-517. doi:10.1016/j.nutres.2016.01.005; Appleton KM, Rogers PJ, Ness AR. Is there a role for n-3 long-chain polyunsaturated fatty acids in the regulation of mood and behaviour? A review of the evidence to date from epidemiological studies, clinical studies and intervention trials. *Nutrition Research Reviews*. 2008;21(1):13-41. doi:10.1017/s0954422408998620.

23 Suzuki E, Yagi G, Nakaki T, Kanba S, Asai M. Elevated plasma nitrate levels in

第二章　鬱病

1 Lazarevich I, Irigoyen Camacho ME, Velázquez-Alva MC, Flores NL, Nájera Medina O, Zepeda Zepeda MA. Depression and food consumption in Mexican college students. *Nutrición Hospitalaria*. 2018;35(3):620-26.

2 Rao TS, Asha MR, Ramesh BN, Rao KS. Understanding nutrition, depression and mental illnesses. *Indian Journal of Psychiatry*. 2008;50(2):77-82.

3 Cheung SG, Goldenthal AR, Uhlemann A-C, Mann JJ, Miller JM, Sublette ME. Systematic review of gut microbiota and major depression. *Frontiers in Psychiatry*. 2019;10:34. doi:10.3389/fpsyt.2019.00034.

4 Messaoudi M, Lalonde R, Violle N, et al. Assessment of psychotropic-like properties of a probiotic formulation (*Lactobacillus helveticus* R0052 and *Bifidobacterium longum* R0175) in rats and human subjects. *British Journal of Nutrition*. 2010;105(5):755-64. doi:10.1017/s0007114510004319.

5 Clapp M, Aurora N, Herrera L, Bhatia M, Wilen E, Wakefield S. Gut microbiota's effect on mental health: the gut-brain axis. *Clinical Practice*. 2017;7(4):987.

6 Francis HM, Stevenson RJ, Chambers JR, Gupta D, Newey B, Lim CK. A brief diet intervention can reduce symptoms of depression in young adults — a randomised controlled trial. *PLoS One*. 2019;14(10):e0222768.

7 Westover AN, Marangell LB. A cross-national relationship between sugar consumption and major depression? *Depression and Anxiety*. 2002;16:118-20. doi:10.1002/da.10054.

8 Hu D, Cheng L, Jiang W. Sugar-sweetened beverages consumption and the risk of depression: a meta-analysis of observational studies. *Journal of Affective Disorders*. 2019;245:348-55. doi:10.1016/j.jad.2018.11.015.

9 Marosi K, Mattson MP. BDNF mediates adaptive brain and body responses to energetic challenges. *Trends in Endocrinology and Metabolism*. 2014;25(2):89-98.

10 Aydemir C, Yalcin ES, Aksaray S, et al. Brain-derived neurotrophic factor (BDNF) changes in the serum of depressed women. *Progress in Neuro-Psychopharmacology and Biological Psychiatry*. 2006;30(7):1256-60. doi:10.1016/j.pnpbp.2006.03.025.

11 Arumugam V, John V, Augustine N, et al. The impact of antidepressant treatment on brain-derived neurotrophic factor level: an evidence-based approach through systematic review and meta-analysis. *Indian Journal of Pharmacology*. 2017;49(3):236. doi:10.4103/ijp.ijp_700_16.

12 Sánchez-Villegas A, Zazpe I, Santiago S, Perez-Cornago A, Martinez-Gonzalez MA, Lahortiga-Ramos F. Added sugars and sugar-sweetened beverage consumption, dietary carbohydrate index and depression risk in the Seguimiento Universidad de Navarra (SUN) Project. *British Journal of Nutrition*. 2017;119(2):211-21. doi:10.1017/s0007114517003361.

13 Gangwisch JE, Hale L, Garcia L, et al. High glycemic index diet as a risk factor for depression: analyses from the Women's Health Initiative. *American Journal of Clinical*

第一章　腸と脳のロマンス

1　メンタルヘルスが十八世紀以前にどのような扱いを受けていたかを知りたいなら次の文献が参考になる。Michel Foucault. *Madness and Civilization: A History of Insanity in the Age of Reason* (New York: Vintage, 1988).

2　Miller I. The gut-brain axis: historical reflections. *Microbial Ecology in Health and Disease*. 2018;29(2):1542921. doi:10.1080/16512235.2018.1542921.

3　同

4　Carabotti M, Scirocco A, Maselli MA, Severi C. The gut-brain axis: interactions between enteric microbiota, central and enteric nervous systems. *Annals of Gastroenterology*. 2015;28(2):203-9.

5　Simrén M, Barbara G, Flint HJ, et al. Intestinal microbiota in functional bowel disorders: a Rome foundation report. *Gut*. 2012;62(1):159-76. doi:10.1136/gutjnl-2012-302167.

6　Giau V, Wu S, Jamerlan A, An S, Kim S, Hulme J. Gut microbiota and their neuroinflammatory implications in Alzheimer's disease. *Nutrients*. 2018;10(11):1765. doi:10.3390/nu10111765; Shishov VA, Kirovskaia TA, Kudrin VS, Oleskin AV. Amine neuromediators, their precursors, and oxidation products in the culture of Escherichia coli K-12 [in Russian]. *Prikladnaia Biokhimiia i Mikrobiologiia*. 2009;45(5):550-54.

7　Galley JD, Nelson MC, Yu Z, et al. Exposure to a social stressor disrupts the community structure of the colonic mucosa-associated microbiota. *BMC Microbiology*. 2014;14(1):189. doi:10.1186/1471-2180-14-189.

8　Valles-Colomer M, Falony G, Darzi Y, et al. The neuroactive potential of the human gut microbiota in quality of life and depression. *Nature Microbiology*. 2019;4(4):623-32. doi:10.1038/s41564-018-0337-x.

9　Ercolini D, Fogliano V. Food design to feed the human gut microbiota. *Journal of Agricultural and Food Chemistry*. 2018;66(15):3754-58. doi:10 .1021/acs.jafc.8b00456.

10　New State Rankings Shines Light on Mental Health Crisis, Show Differences in Blue, Red States. Mental Health America website, October 18, 2016, https://www.mhanational.org/new-state-rankings-shines-light-mental-health-crisis-show-differences-blue-red-states. Accessed September 29, 2019.

11　Mental Health and Mental Disorders. HealthyPeople.gov website, https://www.healthypeople.gov/2020/topics-objectives/topic/mental-health-and-mental-disorders. Accessed September 29, 2019.

12　Liang S, Wu X, Jin F. Gut-brain psychology: rethinking psychology from the microbiota-gut-brain axis. *Frontiers in Integrative Neuroscience*. 2018;12. doi:10.3389/fnint.2018.00033.

13　Sarris J, Logan AC, Akbaraly TN, et al. Nutritional medicine as mainstream in psychiatry. *Lancet Psychiatry*. 2015;2(3):271-74. doi:10.1016/s2215-0366(14)00051-0.

ハーバード式《しき》　最高《さいこう》の脳《のう》を作《つく》る食《た》べ方《かた》
THIS IS YOUR BRAIN ON FOOD

2020年12月24日　初版発行

著者／ウーマ・ナイド
訳者／長谷川《はせがわ》 圭《けい》
発行者／青柳昌行
発行／株式会社KADOKAWA
〒102-8177　東京都千代田区富士見2-13-3
電話　0570-002-301（ナビダイヤル）

印刷・製本／大日本印刷株式会社

ISBN 978-4-04-108956-9 C0030

装丁・本文デザイン　原田郁麻
DTPレイアウト　木蔭屋